Prata, Terra & Lua Cheia

FELIPE CASTILHO

Prata, Terra & Lua Cheia

O LEGADO FOLCLÓRICO | VOLUME 2

2ª EDIÇÃO
1ª REIMPRESSÃO

GUTENBERG

EDITORA RESPONSÁVEL
Silvia Tocci Masini

CAPA E LOGOTIPO
Octavio Cariello

PREPARAÇÃO
Beatriz Moreira

PROJETO GRÁFICO DE MIOLO
Psonha

ILUSTRAÇÃO DE MIOLO
Thiago Cruz

DIAGRAMAÇÃO
Tristelune Production

REVISÃO
Gabriela Morandini

Dados Internacionais de Catalogação na Publicação (CIP)
(Câmara Brasileira do Livro, SP, Brasil)

Castilho, Felipe
Prata, terra e lua cheia / Felipe Castilho. -- 2. ed. ; 1. reimp. -- Belo Horizonte : Editora Gutenberg, 2015. -- (O Legado Folclórico ; 2)

ISBN 978-85-8235-077-5

1. Ficção brasileira I. Título. II. Série.

13-06248 CDD-869.93

Índices para catálogo sistemático:
1. Ficção : Literatura brasileira 869.93

A **GUTENBERG** É UMA EDITORA DO **GRUPO AUTÊNTICA** 

São Paulo
Av. Paulista, 2.073,
Conjunto Nacional, Horsa I
23° andar . Conj. 2301 .
Cerqueira César . 01311-940
São Paulo . SP
Tel.: (55 11) 3034 4468

Belo Horizonte
Rua Aimorés, 981, 8° andar
Funcionários . 30140-071
Belo Horizonte . MG
Tel.: (55 31) 3214 5700

Rio de Janeiro
Rua Debret, 23, sala 401
Centro . 20030-080
Rio de Janeiro . RJ
Tel.: (55 21) 3179 1975

Televendas: 0800 283 13 22
www.editoragutenberg.com.br

Aos filhos da terra que ainda resistem.

Desrespeitando os fracos, enganando os incautos,
ofendendo a vida, explorando os outros,
discriminando o índio, o negro, a mulher, não
estarei ajudando meus filhos a ser sérios, justos e
amorosos da vida e dos outros.
Paulo Freire

Shape shift, nose to the wind
Shape shift, feeling I've been
Move swift, all senses clean
Earth's gift, back to the meaning of life
Of Wolf & Man
Metallica

[Mudança de forma, nariz ao vento
Mudança de forma, estive sentindo
Movimento rápido, todos os sentidos aguçados
Dádiva da terra, de volta para o sentido da vida]

AGRADECIMENTOS

Por mais estranho que possa parecer, quero começar agradecendo o meu primeiro livro da série O Legado Folclórico. Ele me possibilitou reencontrar tanta gente querida e conhecer tantos dos amigos e leitores do meu convívio atual, que seria um crime não dedicar algumas linhas a ele.

Muitas pessoas também participaram do processo de levar o *Ouro, Fogo & Megabytes* mundo afora, mas como eu não era clarividente na época em que escrevi o primeiro livro, os deixei de fora dos agradecimentos: Alba Marchesini Milena, do Psychobooks (PRECISEI usar o nome dela na irmã da Elis); aos fantásticos Duda Falcão e César Alcázar, amigos de letras de Porto Alegre; Thais Marques, da Saraiva do Shopping Eldorado (gerentes, ela merece uma promoção); Guilherme Mendes Ayala, que divulgou de forma incrível; Luiz Ehlers, da *Revista Fantástica*; toda a equipe das Livrarias Martins Fontes, pela qual tenho um carinho imenso; Gabriela Nascimento, que deu um dos primeiros chutes neste jogo; Marcos Inoue, do projeto Red Luna, sempre tão solícito; aos irmãos folclóricos Christopher Kastensmidt, Martha Argel, Gustavo Rosseb, Walter Tierno e Simone Saueressig; e a todos os amigos blogueiros e do ramo do livro, que, felizmente, são muitos e por esse mesmo motivo não me permitem escrever aqui nome por nome. Aumentaria demais o número de páginas e, consequentemente, o preço de capa do livro.

Enfim, agradeço a quem leu o *Prata, Terra & Lua Cheia* antes de sua publicação: os supers Danilo e Gabriel, do *Cabine Literária*, responsáveis por grande parte da repercussão do primeiro livro; Sérgio Ramos (não o jogador da seleção espanhola), que me lê e incentiva desde os tempos de meu projeto adormecido, o *Omni*; ao "Mancha" Gustavo, que se envolveu demais na história a ponto de mandar mensagens com palavrões e ofensas; e novamente ao meu amigo Anderson Pedrosa, que é quase um padrinho desta série.

À Neusa e ao André, mãe e irmão, que me incentivaram desde antes de tudo e que em nada mudaram. À Daniela Corbe, que leu, releu, me mandou chocolates, cartinhas, e me apoiou de todas as formas possíveis e impossíveis. Ao Rober Pinheiro e a toda a equipe do site *Quotidianos*. Aos amigos Bruno Ribeiro e Douglas MCT pelos *brainstorms* noite adentro. À Alessandra Ruiz, por pegar o bonde andando e redefinir seu itinerário *like a boss*. Rejane, Judith, Edson, Cléber, Ludmila, Tatiane, Raquel, Diogo e todos os meus parceiros do Grupo Autêntica, sejam eles de São Paulo, Belo Horizonte ou Rio de Janeiro. Ao André Vianco, pela amizade e pelos ensinamentos na selva que é a literatura de entretenimento. Ao Thiago Cruz e ao Octavio Cariello, por fazerem arte. E ao *brother* Rafael Castilho (que não é irmão de sangue, mas quem disse que eu ligo?) pelas fotos.

E finalmente a você, que dará o segundo passo para dentro deste Legado junto com o Sr. Anderson Coelho.

Apenas um adendo: por favor, não me mande vírus no fcastilho@ymail.com. Eu estava brincando. Já é o terceiro HD que preciso comprar por causa disso. Mas críticas, elogios e indignações serão bem-vindas, como sempre.

Abraços e nos vemos logo mais,
Felipe

< capítulo 1 >

PROVAÇÕES

Anderson Coelho deveria estar sorrindo, como todos os seus colegas de classe, por vários motivos. Mas não sorria.

A prova de História estava para começar. Certo, esse nunca foi um motivo para sorrir. Nem o cara da primeira carteira de frente para a mesa da professora sorri por isso, tenha dó. Aliás, qualquer um que sorri quando vai começar uma prova precisa de um tratamento dos bons.

A professora Mariley entregava folhas de carteira em carteira, como quem distribuía sentenças de morte. Se você fosse um dos alunos do Sétimo Ano B da Escola de Ensino Fundamental Zeferina Risoleta de Jesus – você não poderia ler a sua sentença de pronto. Receberia a folha da professora e a manteria de cabeça para baixo até segunda ordem. Ai de quem tentasse espiar antes da hora! O ritual deveria ser mantido: após todos ganharem uma folha de prova à sua frente, dona Mariley ia até a lousa, pronunciava as "regras" do combate e diria "Boa prova!". Como se uma prova pudesse ser boa, feliz, saborosa, divertida.

No entanto, toda a classe seria surpreendida.

Antes de dar início à execução sumária de seus alunos, a professora Mariley, com sua temível frieza de docente, tinha algo a lhes dizer. Algo divinamente inesperado.

– Informo que, excepcionalmente hoje, vocês poderão fazer a prova em dupla – ela disse, causando algumas exclamações de alegria e puro embasbacamento. Se é que esta última palavra existe de verdade. – E com consulta no caderno de vocês. Parabéns a todos que copiaram da lousa nas últimas aulas, vocês estão salvos!

Gritos. Surtos de alegria. Barulho de zíperes de mochilas sendo abertas e carteiras sendo arrastadas para que as duplas se formassem. A professora Mariley deveria ter tomado o melhor café da manhã de todos os tempos, pois estava no mais utópico bom humor já visto. Ninguém nunca havia feito uma de suas temíveis provas em dupla. E com consulta!

Anderson Coelho deveria estar sorrindo, como todos os seus colegas de classe. Mas não sorria.

Primeiro: não adiantava receber a dádiva de uma prova com consulta, quando a sua fonte de consulta (também conhecida como caderno) tinha mais folhas rabiscadas com desenhos de elfos, anões e cobras em chamas do que linhas de texto copiadas da lousa. E o caderno de Anderson (também conhecido como sua fonte de consulta inútil) era exatamente um exemplo disso.

Segundo: a pessoa que formaria dupla com Anderson se chamava Renato. E de todas as pessoas que poderiam ajudar na situação de uma prova em dupla, Renato era a menos indicada. Outro portador de um caderno com mais desenhos do que texto. Aluno de grande estatura e de grande falta de atenção nas aulas.

– Ainda bem, hein? – disse ele, sorriso nervoso, colando a sua carteira à de Anderson com um arrepiante ruído de arrastar. – Eu não copiei nada da lousa. Nadinha. E você?

Anderson suspirou. Apoiou a cabeça nas mãos e os cotovelos na carteira, testemunhando a expressão de alívio de Renato se desfazer aos poucos. Olhou em volta, para os colegas que se juntavam, empolgados e com a esperança de notas altas estampadas nos rostos. Até os alunos piores que ele, como Everton, que era ótimo no futebol e na arte de ser popular, conseguira formar dupla com uma das garotas mais inteligentes da sala e aliviaria a sua pressão de notas na reta final do último bimestre. O loirinho insuportável gargalhava com seu feito, antecipando-se à nota máxima que receberia mesmo sem ter entendido nada da matéria o ano todo.

– Não é justo – choramingou Anderson. – Todo mundo vai se dar bem, e nós dois seremos os únicos a ficar de recuperação em História... Por que você veio formar dupla bem comigo?

– Eita, amigo ingrato – disse Renato, nem um pouco ofendido. – Podemos nos ferrar juntos, ou um de nós pode se salvar e fazer a prova com *ele*...

Apontou com o queixo um rapaz que ainda não formara dupla com ninguém. Óculos grandes, que o deixavam em um permanente *cosplay* de inseto. Magro, cabelo metodicamente penteado, e com um rosto de expressões congeladas. Olhava para o seu caderno e seu *netbook* como se só houvesse aquelas duas coisas no universo e não estivesse rodeado por seus colegas de classe. Wilson "Caladão" Rios. *Nerd*. Esquisito.

Claro que Anderson não o via apenas como o cara mais bitolado de toda Rastelinho. Para ele, Wilson carregava um *plus*: era filho do homem que havia tentado matá-lo no início do ano por mais de uma vez, que quase deixara São Paulo ser destruída pelas chamas de um Boitatá neurótico, e que possivelmente era uma das maiores ameaças contra a humanidade, com exceção de um hipotético meteoro que estivesse em rota de colisão com a Terra. E como não havia nenhum meteoro em rota de colisão com a Terra, Wagner Rios era a maior ameaça ao planeta. Na singela opinião de Anderson.

– Eu não formo dupla com ele mas nem que apontassem uma arma pra minha cabeça – Anderson pontuou em tom definitivo, procurando alguma coisa em seu caderno que jamais encontraria.

– Claro, até porque o pai dele já fez isso com você – disse Renato, se lembrando dos relatos de Anderson sobre certo combate dentro de um helicóptero desgovernado. – Mas com certeza ele tem toda a matéria ali naquele caderno...

– Se quiser ir fazer dupla com o Cretino Jr. eu não vou culpar você – avisou Anderson, passando pela enésima vez o caderno de trás para a frente, de frente para trás... e só encontrando desenhos e rabiscos. – É a lei da sobrevivência e do boletim. Vai lá, Renato.

– Tô tranquilo. Infelizmente sou seu amigo, não vou fazer isso... E de qualquer maneira, o tosco do Alexandre acabou de sentar ao lado dele. Adeus, férias antecipadas, foi bom sonhar com você...

– Boa prova! – ribombou a voz da professora Mariley, a Padroeira dos Testes em Dupla com Consulta, fazendo com que todos virassem suas provas e começassem a respondê-las. Anderson espiou as primeiras questões. Era um apanhado de todas as matérias do ano, envolvendo os maiores ditadores e seus regimes, Guerra de Canudos e abolição da escravatura.

– Guerra de Canudos! – exclamou Renato, apontando para as questões referentes a ela, com um sorriso.

– O quê, vai dizer que você se lembra de alguma coisa a respeito dela?! – espantou-se Anderson, agarrando o lápis e tremendo de emoção. – Desembucha, vai falando que eu escrevo!

– Ficou doido? Eu não me lembro de nada. Só acho engraçado esse nome, ha-ha! Eu fico imaginando um monte de canudinhos voando por cima de uma trincheira e os guardanapos revidando com aqueles sachês de mostarda...

– Beleza, já entendi. Acho que não vou escrever essa sua visão da guerra aqui, por motivos óbvios. Vem cá, olha isso: *Diga o nome de dois ditadores e descreva suas ações e consequências no contexto mundial.*

– Uai, até que essa não é tão difícil! – disse Renato. – Qualquer um que jogou o modo Campanha do Bloodred Fields 1945 sabe descrever toda a lambança que o Hitler fez. E você já zerou aquilo em todos os níveis de dificuldade!

– Acho que até lembro o texto de *briefing* de todas as missões, da Polônia até o Dia D na Normandia – concluiu Anderson, com alívio. Descreveu as ações de Adolf Hitler da forma mais detalhada possível e logo se deparou com outro problema, lembrado por Renato.

– A questão pede para falar de dois ditadores. Eu até sei o nome de um monte deles, mas não sei descrever as ações... Droga, eu devia ter sentado com o filho do seu maior inimigo...

– Calma aí, Hell – resmungou Anderson, chamando o amigo pelo *nickname* do seu personagem em Battle of Asgorath, o jogo que era atualmente um dos motivos para os dois viverem. – Eles pediram para dizer os nomes de dois ditadores, mas não especificaram de *quando* nem de *onde*. Isso não dá nenhuma ideia?

– Fugir da escola e nunca mais voltar?

– Não.

– Sei lá, não entendi sua ideia. Só consigo pensar na minha e na sua pessoa acordando cedo enquanto todo mundo já está de férias.

– Então, presta atenção...

– *Sauron*, Anderson? – perguntava a diretora da escola, dona Maria Cecília, do outro lado da mesa. Anderson não sabia muito bem o que responder. Na hora da prova, três dias antes, aquilo parecia ter sido uma ideia. Buscou algum apoio em Renato, sentado ao seu lado esquerdo, e na professora Mariley, ao seu lado direito. O seu amigo estava assustado demais por estar ali, na diretoria. E a professora de História estava com cara de professora demais.

– Bom... a prova pediu para citar um exemplo de ditador – começou Anderson.

– Ah, sim! E você detalhou com perfeição toda a ascensão e a queda de Sauron, que, segundo o seu texto, "manteve a Terra Média em longo período de caos e pânico ao tentar se apossar do Um Anel, escravizou toda uma raça de orcs, sem acesso a uma educação de qualidade, e se aliou a outros ditadores, como Saruman, o Branco, que mais tarde seria conhecido como Saruman, o Multicolorido" – a diretora fez uma pausa, olhando Anderson, Renato e Mariley por cima dos óculos. – Bom, aí vem uma parte gigantesca e irrelevante falando do porquê do tal de Saruman ter deixado o seu posto no Grande Conselho e passado o título de Branco para Gandalf, o Cinzento...

– Não é irrelevante, vai – chiou Renato, olhando para os próprios pés.

– A professora sempre diz que a História é feita de detalhes – argumentou Anderson, apontando a professora Mariley com a cabeça, mas já plenamente convencido de que apontar o vilão de *O Senhor dos Anéis* como um dos maiores ditadores de todos os tempos havia sido um erro fenomenal.

– Sim, a *História*, Sr. Anderson! – concordou a diretora sublinhando o nome da disciplina com a entonação de voz. – Mas você dissertou longamente sobre uma obra de *ficção* escrita por C. S. Lewis e que...

– Tolkien! – bradaram Anderson e Renato juntos, sem intenção alguma de ser grosseiros.

– Lewis é o, hum... das *Crônicas de Nárnia* – emendou a professora Mariley, meio que sem jeito por estar corrigindo sua superior.

A diretora Maria Cecília piscou algumas vezes, estupidificada.

– Ah, sim... a do guarda-roupa e da bruxa...

– Feiticeira! – Desta vez Mariley se juntou ao coro retificador de Anderson e Renato.

– Que seja! Provas não são feitas para que vocês respondam o que bem entenderem. Claro que eu não posso negar o fato de que você soube expor o assunto de maneira extraordinária, além de a sua resposta sobre Adolf Hitler estar completíssima...

"Obrigado, Bloodred Fields!", mentalizou Anderson.

– ...e também, nas questões sobre a abolição da escravatura, você conseguiu falar do assunto com uma propriedade impressionante, narrando como era a vida de um escravo e...

"Obrigado, Patrão!", mentalizou novamente, já que sua proximidade com o assunto *escravatura* havia sido estreitada após uma conversa com o velho Saci, que tinha vivenciado dramaticamente toda a furiosa injustiça com os negros no Brasil de outrora.

– Sendo assim – concluía dona Maria Cecília, com ar sério –, deixo com a professora de vocês a decisão, não me intrometerei em sua disciplina. Saibam que ainda acho que foi irresponsável da parte de vocês, mocinhos. E que não seria nada injusto deixá-los de recuperação. Professora?

– Bem, eu...

– Antes de qualquer coisa – interrompeu Anderson, educadamente, mas arrancando um "ai" de sofrimento de Renato, ao seu lado –, gostaria de lembrar que o enunciado da prova não exigia que o exemplo fosse real ou fictício. Acho que não posso ser cobrado por algo que não me foi especificado com clareza... E creio que a barreira entre a ficção e a realidade seja muito frágil, fazendo com que escritores como Tolkien, Lewis e outros muitas vezes se utilizassem de metáforas ou ainda se inspirassem na História real para criarem suas tramas e mundos.

Na sala da diretoria, Anderson era o centro das atenções. Dona Maria Cecília parecia não saber o que pensar. Renato batia com uma das mãos espalmada no meio do rosto. A professora Mariley o olhava com certo assombro, perguntando-se quando aquele garoto tinha aprendido a argumentar com tanta facilidade.

– Por mim, eles levam um *nove e meio* e se livram da recuperação – diz ela, com um sorriso relutante. – Mais do que ensinar História, eu quero ensinar meus alunos a pensar. E parece que este aqui está no caminho certo. Mas vejam bem, vocês passaram *raspando* por essa!

Renato tirou a mão do rosto, feliz e incrédulo. Anderson sentiu pela professora a mesma empatia que sentia por Patrão e Zé, os responsáveis pela educação dos membros da Organização. Enfim, uma professora sensata, que o julgava pelo conteúdo e não pelo método empregado.

– Vocês estão no horário de qual aula? – perguntou a diretora, levantando-se e os acompanhando até a porta.

– Ciências, professora Fátima – respondeu Anderson, ainda surpreso por tudo ter corrido bem. Assim que a professora Mariley o orientou a voltar para a aula com Renato, dona Maria Cecília soltou uma exclamação, olhando para o fim do longo corredor.

– Falando nisso, olha ela aí!

Anderson e Renato viraram seus pescoços, simultaneamente. A figura roliça da professora Fátima, parecendo aborrecida, vinha na direção deles, segurando algo quadrado e prateado em suas mãos e trazendo em seu encalço outra figura que talvez nunca tivesse pisado na região da diretoria.

Wilson "Caladão" Rios.

– E o que esse aí fez? – perguntou a diretora, cruzando os braços. Dona Fátima ergueu o objeto prateado, que revelou ser um *netbook*. Passou a protestar indignadamente, enquanto o rosto de Wilson ganhava as cores que uma pimenta-malagueta atinge em sua fase adulta.

– Acreditam que esse pestinha estava jogando enquanto eu explicava uma matéria?!

Caladão evitava os olhos de todos. E parecia ainda mais aborrecido com a presença de Anderson.

– Jogava, é? Jogava o quê?! – perguntou Renato, dando uma cotovelada nada discreta em Anderson.

– Sabe Deus, um *trem* maluco que tem monstro, espada e... – A professora Fátima interrompeu a frase e olhou para o garoto enxerido. – Ei, vocês dois, já acabaram aqui? Voltem para a sala de aula, este assunto é entre o senhor Wilson, a diretora e eu! Vamos, andando!

Subitamente esquecidos pelo corpo docente, Anderson e Renato foram dispensados e tomaram o caminho para a sala de aula sem pressa alguma. Por um lado, aliviados quanto à recuperação das aulas de História e à prova. Por outro lado...

– Eu sabia, eu tinha certeza... Acho até que meu muiraquitã deu uma esquentada quando ele chegou perto... – disse Anderson, socando a palma da mão esquerda e em seguida remexendo no seu amuleto de tartaruga pendurado no pescoço.

– O quê, tá falando daquela sua ideia doida? – perguntou Renato, dando uma olhada por cima dos ombros na direção de onde Wilson Caladão recebia um sermão triplo. – De que o filhote de capeta é o Esmagossauro do mal e ao mesmo tempo o *hacker* que protege a Rio Dourado? Você já sabe o que eu penso: o pai dele pode ser o Cão, mas não acho que envolveria o filho num jogo tão sujo... Ele poderia pagar os serviços de um dos melhores *hackers* do mundo, por que usaria o próprio filho em seus esquemas?

Anderson demorou para responder. Era difícil acreditar que toda aquela história de invasão do sistema da empresa de Wagner Rios e todo o drama envolvendo o *char* de Anselmo, antigo membro da Organização e antigo dono do colar de tartaruga, convergissem para aquele patético garoto. Não seria a primeira vez que uma coincidência assombrosa acontecia com Caladão, considerando seu parentesco com o Inimigo Número Um da Organização. Anderson demorou-se um pouco em todos esses pensamentos, e em seguida respondeu à pergunta de Renato, de uma forma que o fez voltar em silêncio até a sala de aula.

– Porque o filho dele pode ser um dos melhores *hackers* do mundo.

Ultimamente, a casa de Anderson tinha uma peculiaridade quase berrante. Seu portão possuía mais de cinco caixas de correio penduradas (além de mais algumas no jardim, ao melhor estilo americano, com portinhola e plaqueta de aviso), feitas caprichosamente de maneira artesanal. Seu Álvaro Coelho, pai, há muito tempo tirava sustento da produção de caixas de correio personalizadas, casinhas de cachorro, baús e tantas outras coisas quadradas de madeira que você puder imaginar. Ultimamente, porém, a queda na venda das famosas caixinhas de Álvaro havia se tornado um problema.

Uma metalúrgica e uma grande madeireira tinham se instalado recentemente na região, apenas a alguns quilômetros de Rastelinho. Ambas do mesmo dono. Uma paciente busca na internet mostrou a Anderson que as duas fábricas eram de grupos corporativos atrelados a ninguém mais, ninguém menos que Wagner Rios. Novidade? Não para Anderson e Renato, que descobriram que o magnata tinha profundas ligações com sua cidade natal e já esperavam coisas desse tipo – o filho dele era seu parceiro de classe e outras pequenas e assombrosas coincidências.

O negócio é que a MadeirAço (nome pouco criativo, mas, como Zé uma vez lhe dissera em uma conversa por e-mail, "a criatividade nunca foi necessária para quem quer causar problemas; criatividade é para quem quer resolvê-los") havia gerado muitos empregos em suas linhas de produção, precisando até trazer dezenas de funcionários de cidades vizinhas, que pegavam diariamente ônibus fretados para baterem o ponto. Por outro lado, havia acabado com a alegria de carpinteiros e outros profissionais informais que há anos tiravam seu sustento de suas habilidades manuais e artísticas. A empresa possuía uma loja virtual que abocanhara todas as vendas de materiais feitos de aço, ferro e madeira. Inclusive, para a mais absoluta incredulidade de Anderson, caixas de correio.

– Ele fez de propósito! – gritou Anderson ao telefone, na ocasião em que descobrira a tal da MadeirAço.com. Renato, do outro lado da linha, só escutava o seu desabafo irado sem nada de construtivo para consolá-lo. – Descobriu coisas a respeito da minha família, de onde tiramos nossa renda e tudo o mais, e fez essa porcaria de loja virtual só para ferrar com a nossa vida! Caixas de correio são muito específicas para ser coincidência... Ele desistiu de tentar me matar diretamente e quer fazer meu pai e eu morrermos de fome!

Renato não tinha muita coisa a dizer para ajudar o amigo. Também havia sido pego de surpresa com aquela manobra de Wagner Rios, que parecia não ter limites quando o assunto era "empreender".

– Cara – começou Renato, tentando achar sentido naquilo –, mas será que não foi uma baita coincidência? Sei lá, ele gastaria milhões de reais em planejamento e operações para *trollar* a sua vida pessoal?

Anderson lembrou ao amigo que, ainda naquele ano, o mesmo Wagner Rios havia "doado" (sim, imagine aspas gigantescas na palavra ali atrás) para cidades vítimas de incêndios florestais nada naturais, e que havia gasto outra fortuna com um exército de seguranças e alguns helicópteros para tentar capturar o Boitatá. Sempre que o assunto fosse verba, patrocínio e dinheiro, Wagner Rios tiraria de letra qualquer dificuldade.

– Sem contar que eu desconfio que esses novos servidores nacionais para Battle of Asgorath sejam de algum *braço* empresarial de Wagner Rios – disse Anderson, que, com a sua recém-adquirida habilidade de questionar toda e qualquer informação, estava desconfiando da nova natureza do seu jogo favorito, sua segunda vida.

Mas ainda estamos falando de caixas de correio e crises de desemprego. O mundo virtual pode esperar mais um capítulo.

O portão de Anderson possuía tantas caixas de correio porque seu pai necessitava urgentemente de pedidos. A frente da casa dos Coelhos (a Toca dos Coelhos, como a caixa de correio mais antiga gostava de ressaltar) era uma espécie de catálogo vivo para quem se interessasse por aquelas belezinhas coloridas e de acabamento com verniz especial. A situação não estava fácil para ninguém, e tempos de quase desespero pediam medidas quase desesperadas. Ainda por cima, Álvaro andava fazendo *bicos* na mecânica de um amigo até tarde da noite e parecia bem cansado nos últimos dois meses. A mãe de Anderson, dona Regina, também mantinha profundas olheiras. Além da preocupação com a família e com as contas a pagar, andava tirando pedidos de docinhos e salgados para bufês e festas de aniversário, que consumiam todas as suas manhãs e tardes em infinitos embates com massas que deveriam ser esticadas, polvilhadas, amassadas e enroladas. Anderson passara a ajudar a mãe em muitas ocasiões, apesar de ela ser muito orgulhosa para aceitar mais duas mãos em seu artesanato gastronômico. Mesmo assim, enrolar brigadeiros havia se tornado uma especialidade para o garoto.

Anderson abriu o portão e verificou cada uma das caixas de correio, uma por uma, o que era algo irritante de fazer. Nunca saberia onde o carteiro tinha decidido deixar a correspondência. No final das contas, entrava em casa com quatro envelopes, que ele nem se daria o trabalho de olhar os remetentes – as únicas pessoas que corriam risco de receber cartas naquela casa eram Álvaro e Regina. Todos os assuntos de Anderson eram resolvidos pela internet.

– Oi, mãe – disse o garoto, entrando na cozinha e deixando as cartas sobre a mesa. Dona Regina estava na pia, enrolando alguma massa esbranquiçada por farinha. Olhou para trás parecendo alarmada, presenteando Anderson com as recentes olheiras de cansaço e alguns fios negros de cabelos teimosos que a deixavam levemente com um ar de maluca. Fisicamente se parecia bastante com o filho, apesar de ser caucasiana. Diferente de

Anderson, que era mulato, uma mistura equilibradíssima entre a pele escura de Álvaro e a brancura de Regina.

– Filho?! Já chegou? Que horas são?!

– Uai, hora do almoço. Quase meio-dia e meia...

A mulher fez um som assustado com a garganta e abriu a geladeira com estardalhaço, puxando panelas, vidros e verduras. Sua massa foi esquecida sobre a pia enquanto ela esbravejava urgências:

– ...e nem vi a hora passar, e eu preciso acabar esses salgadinhos! Ainda não fiz nada para comer, desculpe filho, eu...

– Calma, mãe! – disse Anderson, morrendo de pena da mãe atarefada. – Eu nem estou com tanta fome, pode ir sem pressa.

– Imagine, seu pai já deve estar chegando! Ele está trabalhando na oficina do Luiz e disse que viria almoçar em casa!

Como se fosse um seriado de comédia americano, Álvaro Coelho entrou pela porta pouco após a menção ao seu nome.

– Oi, filho! Oi, amor! Tudo bem? – Com a cara mais cansada que o seu tom de voz sempre animado, largou-se em uma das cadeiras e tamborilou os dedos sobre a toalha de mesa. – E então, o que temos para o almoço?

– Temos tempo livre – disse Anderson, antes que a mãe começasse a se desculpar desnecessariamente, e foi pegar um copo de água no filtro de barro. – Posso ajudar em alguma coisa?

– Não, filho, eu acho que faço mais rápido se não tiver você no meio do caminho, obrigada! – disse ela, pegando nos ombros de Anderson e direcionando-o até a cadeira ao lado do pai. – Esperem aqui que rapidinho faço um macarrão.

– Hum, com molho bolonhesa? – perguntou Álvaro, distraído, descobrindo o montinho de cartas na beirada da mesa e examinando os remetentes.

– Não. Quatro queijos, *bem*. Desde que seu filho voltou daquela Copa de Matemática em São Paulo, ele não come mais carne, lembra? Sabe lá Deus o porquê. E não dá para fazer prato à *la carte* para os dois garotos.

– Não estou reclamando! – riu Álvaro, tentando abrir uma conta de luz na linha serrilhada e arruinando boa parte do envelope. Virou-se imperceptivelmente para o filho, sem tirar os olhos da carta. – E por que você agora é vegetariano mesmo, filho?

– É... promessa. Fiz uma promessa – mentiu, dando uma golada ruidosa em sua água e fingindo estar muito interessado no fundo do copo. – Disse que se eu ganhasse a Copa de Matemática, pararia de comer carne...

– Hum, interessante. – E não dava para saber se interessante era a promessa do filho ou algo naquelas cartas. – Vejam só, finalmente uma carta boa...

– O quê, *bem*? – perguntou Regina, despejando espaguete na água quente.

– Uma carta daquela empresa nova, lá da estrada – disse, displicentemente, enquanto lia o conteúdo do envelope acinzentado. – Eles querem me entrevistar, vejam só! Uau, mas como eles descobriram o meu endereço?

– Entrevista? Empresa? – perguntou dona Regina, sem parar os afazeres. – Aquela que manda o ônibus fretado buscar os funcionários aqui na rua de cima?

– Isso, a MadeirAço. Nossa, eles querem me entrevistar para ser coordenador da linha de produção! Que notícia boa! – Álvaro se levantou, felicíssimo, e foi até a mulher, que largou a lata de creme de leite para verificar a carta junto ao marido. – Aqui, está vendo? "Suas qualidades como produtor autônomo de caixas de correio... necessitamos de alguém com suas características... ligue para este número assim que possível..." UAU! Olhe a assinatura no rodapé, *benhê!* Olhe quem me mandou esta carta!

– Deixe-me ver, amor... Wagner Rios. Esse nome não me é estranho... Não é aquele filantropo que sempre ajuda no Esperança da Criança, que tem aquele projeto de inclusão digital em cidades do sertão e tudo o mais?

– Sim! Amor, esse homem é famosíssimo, e eu nem sabia que ele também era dono da MadeirAço! Bem que eu ouvi dizer que o filho dele estudava aqui na cidade... Bom, na escola do Anderson é que não deve ser. Um rebento de milionário em uma escola estadual como o Zeferina? Ele deve ser do Sagrada Família, aquele colégio pago lá do centro. Já ouviu falar algo assim, filhão? Conhece algum filho de milionário que... Filho? Filho?!

Anderson não respondeu, porque estava ocupado demais em segurar seu copo quase vazio de água em estado quase catatônico.

< capítulo 2 >

EMOÇÕES A QUATRO QUEIJOS

– Filho, que olho estalado é esse? – perguntou dona Regina, pegando no braço do filho e parecendo alarmada. – Aconteceu alguma coisa?! Está passando mal?!

A vontade de Anderson era dizer que sim. Que estava passando mal, muito mal. E que no último minuto experimentara um tipo de medo que jamais sentira. Além da sensação de que as coisas estavam ficando totalmente fora de controle e de que logo mais não haveria mais lugar seguro para ele e sua família.

– Menino, não me assusta assim! O que foi?

– Eu... tô bem, pai. Foi só um mal-estar... Você disse Wagner Rios? Digo, você tem certeza de que essa carta é do Wagner Rios?

– Ah, eu sabia que você era um cara informado! – disse o pai, pondo uma das mãos, pesada e calejada, sobre o ombro do filho, e parecendo ao mesmo tempo mais aliviado por ele estar bem. – Sim, e até faz sentido essa empresa ser dele... Mas isso não é demais, ele me mandar uma carta assinada? Eu nunca imaginaria que o meu trabalho pudesse chegar aos ouvidos de um dos homens mais poderosos do Brasil...

– Isso pode não ser muito bom, pai – soltou Anderson, sem conseguir se controlar. Um sorriso vacilou no rosto de Regina e Álvaro tombou a cabeça para um lado, sinceramente confuso com o comentário do filho.

– Como é? Mas é claro que é bom! Minhas caixas não estão rendendo tanto quanto precisamos e o Luiz está me deixando ajudar na oficina mais por camaradagem do que por necessidade... Eu não sou mecânico, só entendo um pouquinho de carros, e ele não tem lá muito dinheiro para mais um funcionário.

– Além disso – começou a mãe, abraçando o marido e se dirigindo ao filho –, um homem como ele certamente irá remunerar seu pai muito bem! – E se voltou novamente ao marido, dando um beijo estalado em sua bochecha com barba por fazer. – Estou muito orgulhosa por seu talento ter sido reconhecido, amor!

– Não, não! – disse Anderson, desesperado, por não saber por onde começar. Como explicar aos pais tudo o que sabia sobre o "filantropo" Wagner Rios sem mencionar Organização, capelobos, o sequestro de uma Mãe D'Ouro, Boitatá, cucas, lobisomens, cachimbos e Saci? – Esse cara é um crápula! Porque ele... ele... ah, droga! Ele é um mentiroso safado, só isso que eu sei!

– Não fale o que você não sabe, Anderson – censurou dona Regina, séria, mas com uma imensa dose de carinho no comentário, do tipo que só as mães conseguem fazer. – Por que ele seria um mentiroso?

– Ele engana as pessoas! – desabafou Anderson, tomando cuidado para não dizer algum absurdo ou alguma palavra folclórica. – Contrata mercenários como guarda-costas, ele... escava lugares proibidos, se aproveita de queimadas para fazer autopropaganda!

– Quanta besteira, filho – disse Álvaro, abanando o ar. – Onde você ouviu tudo isso?

– Na internet – disparou o garoto, sentindo-se extremamente idiota com a resposta. A sua vontade era de dizer que tinha vivenciado grande parte da maldade de Rios em sua pele, e que inclusive saltara de um helicóptero junto do milionário.

– É o que dá, ficar acreditando em tudo o que lê na rede – disse sua mãe. – As pessoas falam isso dele por inveja. Não conseguem ver uma pessoa boa se dando bem na vida que já passam a falar que teve cachorrada no meio...

– E ninguém pode provar nada – completou o pai.

"Eu posso!", queria gritar a boca de Anderson, mas seus lábios permaneceram unidos por uma cola chamada "Falta de Argumento Concreto e Crível para Adultos Razoáveis". Vendo que o filho nada responderia, Álvaro levantou a carta de Wagner Rios em sua direção.

– Isto aqui é a solução dos nossos problemas! Dinheiro não dá em árvore, sabia? Você mesmo está sem mesada há um bom tempo, não se sente mal?

– Eu não ligo. Posso continuar sem – mentiu Anderson, que nos últimos tempos pagava todas as suas despesas com MMORPGs e *games* com duas das pedrinhas preciosas que a Mãe D'Ouro tinha lhe dado de presente após o episódio com o Boitatá. Ele as levou, uma por vez, até dois dos pouquíssimos joalheiros da cidade, que avaliavam as joias e lhe pagavam em dinheiro, sem muitas perguntas. Ainda havia um bom punhado daquelas escondidas em seu quarto na Organização...

Queria muito arranjar um jeito de trazer aquela pequena fortuna para casa, sem levantar suspeitas dos pais. Não seria fácil inventar uma história para alguns milhares de reais terem aparecido sob o seu colchão. Alguns milhares de reais que resolveriam todos os problemas dos seus pais...

– Pai, eu... só queria pedir, por mais estranho que possa parecer. Não faça essa entrevista. Por mim! Eu não sei explicar, mas isso pode ser perigoso para nós...

– Ok, Anderson! Agora você conseguiu me irritar! – Álvaro se desvencilhou dos braços da mulher e pôs-se à frente do filho, tampando todo o seu campo de visão. – Eu não sei o que você quer me provar com essa implicância com o Wagner Rios, mas uma coisa eu lhe garanto: eu não vou deixar passar a chance de conseguir o sustento da minha família! – Ele elevava a voz, irritado, um comportamento que o filho raramente via naquele homem tranquilo e bem-humorado. – O dia em que você for pai entenderá como é ter de batalhar todo dia pelo bem-estar da família!

– O dia em que eu for pai – começou Anderson entre os dentes, enfiando as unhas nas palmas das mãos –, eu acreditarei no meu filho, se ele estiver tentando me dizer algo tão importante.

E saiu da cozinha com passos duros, deixando Álvaro e Regina a debaterem o que estava acontecendo com o filho deles.

Entrou no quarto e bateu a porta com um pouco mais de força do que pretendia, esparramando-se na cadeira do computador. Jogou a cabeça para trás e esfregou os olhos fechados com os dedos, tentando organizar os pensamentos e controlar a raiva. Nesse momento é que se deu conta do ritmo acelerado do coração, do sangue sendo bombeado ruidosamente para o cérebro. Estava tenso, encolhendo até os dedos dos pés. Alguns meses antes, os únicos perigos em sua vida se manifestavam no monitor do seu computador e eram facilmente resolvidos com trabalho em equipe e estratégia. E mesmo que tenha passado por um bom bocado de apuros com criaturas míticas e tentativas de assassinato, ter a família envolvida em tramas além do seu controle era algo impensável e completamente aterrorizante.

Saiu do torpor de supetão e ligou a televisão. Raramente a sua atenção era direcionada para aquela tela, preferia a do computador, mas naquele momento ele precisava se acalmar, fazer algo que não necessitasse da sua manipulação. Apenas deixar a atenção se perder em algum programa aleatório, para ver se a cabeça esfriava.

A tela iluminou-se em um desses canais de documentários sobre ambiente, geografia, curiosidades científicas e vida selvagem. O programa do momento era um especial sobre zebras. Anderson sempre as enxergara como cavalos da década de 1960. A pele delas era muito parecida com as estampas típicas das tapeçarias e mobílias dos vilões de James Bond. Ou com as vestes de alguns membros de bandas de Glam Hard Rock.

De todo modo, o programa das zebras já estava acabando e os créditos iam subindo enquanto ao fundo o sol se punha em uma bela paisagem africana. E outra atração já emendava na última. Uma música rápida, com guitarras e uma levada de bateria tribal. Um logo estampou-se brutalmente na tela, anunciando o programa *Corpo Fechado.*

Anderson já tinha ouvido falar do programa, na escola. Tratava-se de um homem de olhos azuis esbugalhados, pele esturricada pelo sol, cara de psicopata e grandes entradas nos cabelos castanhos. O sujeito era largado em selvas, florestas e desertos do mundo inteiro somente com uma câmera presa em sua cabeça e uma faca, e simplesmente sobrevivia da melhor maneira possível. Caçando, comendo carne crua e insetos gosmentos, dormindo em árvores e cavernas, brincando de pular corda com sucuris, nadando pelado junto com cardumes de piranhas e coisas inofensivas do tipo. E, surpreendentemente, nunca acontecia nada com o homem. Ele sempre saía ileso e incólume de todos os episódios: daí o título do programa, *Corpo Fechado.*

Bruno Krauss era o nome da estrela do programa. Anderson sabia que ele não surgira do nada e que tinha sido o vencedor de uma das edições de um *reality show* da TV aberta, ao melhor estilo *Survival*, chamado *Sem Limites.* Havia superado tantos outros integrantes bem preparados, fazendo inclusive polêmicas armadilhas contra eles. Um dos semifinalistas teve a perna quebrada – fratura exposta, coisa linda de se ver – por cair em um buraco feito por Krauss, o que quase resultou na expulsão do competidor. A audiência do programa se manifestou e exigiu aos produtores que ele deveria permanecer, que ele era a graça do *show* e o verdadeiro participante "sem limites".

Sem saída, sem escolha e sem limites, a produção o manteve no jogo. E, em mais algumas semanas, ele era coroado como o vencedor do *reality*, arrebanhando fãs e seguidores de seu estilo rude e inconsequente de ser. Não demorou a assinar contrato com outra rede de televisão, que o presenteou com o programa *Corpo Fechado* e fama ainda maior. Todos vibravam ao ver Bruno Krauss superando os próprios limites e se entregando ao primitivismo na telinha.

Menos Anderson. Não era muito fã, além de achar que o cara era meio maluco e fazia coisas desnecessárias só para se mostrar. Como quando ele comia larvas e as mastigava de boca aberta para a câmera. Ou quando atirava sua faca em colmeias de maribondos e não saía correndo de perto. Corpo fechado, cérebro também.

Anderson desligou a televisão. Era mais fácil do que zapear os canais. Ficou por um bom tempo olhando as paredes do seu quarto, esparramado na cama. O cômodo não havia mudado muito desde o início do ano: ainda era o templo juvenil de uma pessoa de doze anos que amava suas *action figures* e que colava pôsteres de bandas, séries e *games* na porta do guarda-roupa. Talvez, a única coisa da decoração que tinha mudado nos últimos tempos por ali, fosse a presença de um arco de treino, que ficava bem acima da cabeceira da cama. Aquele havia sido um presente do Zé, de Dia das Crianças, para que Anderson continuasse praticando aquela arte a que ele se adaptara tão bem durante a sua estada em São Paulo.

Na ocasião da chegada do SEDEX do meio-caipora, dona Regina é que recebera o grande pacote – e de início ficou preocupada ao dar uma arma potencialmente letal para a sua criança. Anderson protestou, dizendo que era um esporte e que não haveria problema. Arcos estavam até nas Olimpíadas, era uma das mais nobres artes!

Seu Álvaro, por sua vez, encorajou o filho e convenceu a esposa de que aquilo faria bem ao garoto e que era melhor que internet ou matanças *multiplayer*. Assim, Anderson conseguiu alvará para praticar disparos no seu quintal, o que causou uma imensa melhora em sua pontaria e prática – e um ligeiro aumento de massa muscular em seus braços, mas *bem ligeiro*, mesmo. Anderson também passara a dar atenção novamente a um brinquedo do seu passado, que há muito tempo não o divertia: um estilingue. Às vezes cansava de puxar a corda do arco e alvejava as latas e garrafas PET no seu quintal com pedras do tamanho de bolas de golfe. Não era tão emocionante quanto a refinada arte da arqueria, mas também divertia nas horas vagas. Renato, de tanto ir à sua casa, também acabou fazendo um estilingue para realizar rápidos torneios e disputas contra o amigo.

Anderson ainda olhava para o arco, absorto em pensamentos. Nem só alegria aquele objeto lhe causava. Também o fazia se lembrar do seu primeiro – e único – instrutor de arco e flecha. Olavo Nakano.

Olavo ensinando-o a esticar a corda até atrás do queixo e a não fechar um dos olhos na hora do tiro. Olavo defendendo-o da Cuca no centro de São Paulo. Olavo passeando pelo Casarão da Organização e cumprimentando os colegas. Olavo presenteando-o com a flecha de sua primeira *mosca*, seu primeiro tiro certeiro. Olavo com uma faca rente ao pescoço de Elis. Olavo dizendo que Wagner poderia trazer sua família morta de volta e que ele pretendia chamar a atenção de algo maior que o Boitatá. Olavo com as mãos cheias de joias. Olavo fugindo, com o Carro Verde, para nunca mais voltar...

O cheiro do molho quatro queijos da dona Regina afugentou aqueles pensamentos tristes e sombrios. Anderson pulou da cama para os seus chinelos, estava com fome. Na mesma hora pensou que, se fosse almoçar naquele momento, precisaria partilhar a mesa com seu pai. E ele não estava nem um pouco a fim de comer de cabeça baixa, recebendo olhares repreensivos pelo seu comportamento incoerente há pouco. Decidiu então que iria depois que ouvisse o portão se fechando, uns quinze minutos mais tarde. Nem que tivesse de requentar o macarrão no micro-ondas.

Aproveitou então para ligar o computador e dar uma checada nos e-mails e redes sociais. Não poderia sequer pensar em *logar* no Battle of Asgorath, senão seu almoço ficaria para o jantar. Sem contar que era praticamente impossível jogar apenas quinze minutos do seu jogo alienante favorito.

Abriu o e-mail. Cinco novas entradas e apenas duas que lhe interessavam.

- De: José da Silva Santos > assunto: Favores (importantes!)
- De: Mega Bomba Paraibão > assunto: sou preguiçoso e fiquei sarado em 7 semanas só tomando essa porcaria batida com leite!
- De: Putz Putz Lounge > assunto: ganhe dois VIPs para a festa mais fútil da night!
- De: Protestt > assunto: assine mais uma petição contra mais um político fazendo mais uma coisa errada.
- De: 51L3N7_5pr1ngBR@silentspring.com > assunto: servidores

Com o costume de ler os e-mails pela ordem de chegada, abriu primeiro a mensagem da Primavera Silenciosa, um grupo de ativistas ambientais com um pé ou dois na cultura *cyberpunk* que se tornara muito mais próximo de Anderson após a infecção bem-sucedida do vírus Carson no sistema central da Rio Dourado, no início do ano. Sharp, um dos principais membros do coletivo de *hackers*, assinava o e-mail. Ali, ele se pronunciava sobre um assunto que ultimamente incomodava tanto os membros da Primavera Silenciosa como Anderson e Renato: a possibilidade de Wagner Rios ter comprado parte das ações da empresa que mantinha os servidores de Battle of Asgorath ativos no Brasil.

Pouco após os acontecimentos em São Paulo e a invasão da Rio Dourado, os servidores nacionais do BoA ficaram fora do ar por várias semanas. Isso levou Anderson, Renato e os membros da Primavera Silenciosa a inventarem teorias absurdas de que os computadores que sustentavam o *game* se encontravam no prédio destruído pelas chamas do Boitatá, e que por isso o jogo havia sofrido interrupção em território nacional.

Deixando de lado a possibilidade de esta ser uma grande coincidência, essa ideia casava com a teoria de que o larápio que tinha usurpado o avatar Esmagossauro, criado originalmente por Anselmo, era controlado por alguém próximo de Rios, e que este alguém teria infinitos privilégios, pois teria acesso ilimitado ao servidor e poderia burlar todas as regras que quisesse. Os *cheats* poderiam até estar liberados para o Jogador Número Um, que poderia muito bem ser o filho de Wagner Rios, conforme as suspeitas de Anderson e as evidências testemunhadas na diretoria do Zeferina Risoleta. O garoto digitou uma resposta rápida para Sharp, dividindo as informações aparentemente irrelevantes que ele havia colhido na diretoria da escola, pela manhã, para que alinhassem suas ideias. Também mandou lembranças para Gaia, na mensagem.

Em seguida, abriu a mensagem do Zé. O caipora. O anão que mudava de cor. Um grande amigo de Anderson, compactado em um corpo tão pequeno.

> Ei, garoto!
>
> Tudo bem por aí? Por aqui, sim! Estou usando o computador que você deixou por aqui e me divertindo muito com esses jogos incríveis! Paciência, Campo Minado, Xadrez... Ah, que maravilha essas maquininhas podem nos proporcionar, não?

Anderson riu alto. Só alguém tão desinformado como o Zé para se deslumbrar com os jogos-padrão do Windows. Continuou lendo o e-mail.

> Venho lhe informar algumas coisas, que talvez você fique feliz em saber. Bom, não tivemos coragem de dizer ao Patrão que você ainda possui as suas memórias e que tudo não passara de um blefe de Elis.

– Elis, sua linda! – exclamou o garoto. Se não fosse pela semissereia, nenhuma das lembranças da sua viagem a São Paulo estaria dentro da sua cabeça. Na Organização, todos os mais chegados a Anderson sabiam que na verdade ele recuperara cada uma de suas memórias, tanto que trocava e-mails com grande parte deles.

Então, ele imagina que você esteja aí em Rastelinho, isolado de qualquer perigo que uma vida de ativismo radical possa lhe proporcionar. Entretanto, nosso querido Saci deixou algo passar batido no momento da sua despedida e me pediu para corrigir isso: o muiraquitã de Anselmo.

Anderson apertou o amuleto de tartaruga sob a camiseta. Teria de devolvê-lo?

Ele percebeu que algo aconteceu no momento em que o Boitatá tentou torrá-lo com suas chamas. Você não se queimou, e liberou uma grande quantidade de vapor ao seu redor. Como se você tivesse sido protegido por uma fina mas eficiente película de água que recebeu toda a carga das chamas, deixando-o incólume. Precisamente, foi isso mesmo o que aconteceu! Seu muiraquitã tem propriedades do elemento água, uma longa história... E Patrão, como bom observador e conhecedor de todas as histórias, não deixou o ocorrido passar batido, pois me pediu que fosse até sua cidade recuperar a pequena tartaruga. Triste, eu sei... Conversei com Sharp e ele me disse que Gaia o presenteou com ele. Na verdade, eu nem sabia que Anselmo o tinha passado à namorada antes de morrer...

E ele não o passou a ela. Não diretamente, pelo menos! Anderson soubera que o amuleto havia sido teletransportado, tinha se materializado sob o travesseiro da ruiva, no momento em que Anselmo era envenenado. Como se o talismã compreendesse a vontade do rapaz em seus últimos suspiros. Isso nem Zé nem Patrão imaginavam. E Anderson não sentia necessidade de explicar aquilo. Queria apenas entender por que deveria devolver algo que lhe havia sido ofertado.

Você deve estar se perguntando sobre a importância desse amuleto, meu caro. E eu explico: a posse dele foi conquistada através de uma espécie de celebração de que a Organização participa, de três em três anos. Talvez celebração seja uma palavra inadequada... Uma competição. E um encontro para debate. Sim, uma competição que ocorre durante um fórum, entre os outros grupos e entidades que compõem nossa rede de contatos. Você sabe, não existe apenas a Organização lutando contra a degradação da natureza.

Anderson sabia, mas bem por cima. Havia sido explicado a ele que existiam outros grupos pelo Brasil, que trocavam recursos com o Casarão. Pois eles eram avessos à utilização de dinheiro vivo em transações, tudo funcionava à base da boa e velha troca.

A Organização frequentemente enviava limões e verduras e recebia de volta soja, castanhas e outros grãos. Quanto a saber quem lhes enviava essas outras coisas, Anderson nunca se interessara em saber. Até agora.

Esse "fórum" acontece em um lugar secreto. Acredite, o lugar mais improvável que você possa imaginar não chega aos pés desse nosso ponto de encontro. E para chegar a esse lugar, é preciso seguir as orientações que os muiraquitãs indicam. Pare de tentar abrir a tartaruga com a unha, ela não é uma bússola ou um GPS.

Anderson largou o amuleto, emburrado. Às vezes pensava que Zé já o conhecia bem demais.

Existem quatro desses muiraquitãs. Eles são oferecidos como prêmio para os quatro melhores colocados nas gincanas que acontecem durante o fórum. E esses quatro grupos carregam o amuleto nos próximos anos, sendo informados em primeira mão onde que será o próximo encontro. Há três anos, nós fomos um dos primeiros colocados, graças ao Anselmo. Ele nos liderou, de certa forma, durante as gincanas, os duelos e as disputas. E fizemos questão de que ele carregasse o prêmio consigo.

Pois bem, estamos chegando a outro fórum e precisamos do amuleto para saber onde ele ocorrerá. Precisarei ir até aí buscá-lo.

– Uai, por que não me pede para enviar essa tranqueira pelo SEDEX, então? – pensou em voz alta, visivelmente irritado. Isso pouparia uma longínqua e cara viagem de Zé, que nem Carro Verde possuía mais.

Antes que você se pergunte, o Patrão não confia em SEDEX. Ele também não confia em telefone celular, tablet ou pastel de feira. Na verdade, você já sabe que ele não confia em ninguém. Ele só não vai pessoalmente até Rastelinho buscar o amuleto porque tem muitas tarefas a resolver por aqui. Tanto que ele também não vai ao fórum, eu é que serei o maior de idade (Que ironia! Eu, maior?), responsável pela saúde do grupo.

– Ha-ha, piadista. E olha que nem devia estar bebendo nessa hora.

E tem outra coisa:

Você não caberia em nenhuma das embalagens dos Correios.

Sim, queremos que você vá, Sr. Anderson.

Você praticamente nos liderou no topo daquele prédio, criou toda a estratégia para resgatar a Mãe D'Ouro. Sabe de cada uma de nossas fraquezas e qualidades, e sabe discernir o momento em que cada um de nós pode ser útil em prol de uma missão. Como um grande videogame de verdade. Anselmo adoraria que você desempenhasse a mesma função dele, acredite.

Portanto, prepare-se. Em três dias, apareceremos por aí para levá-lo para São Paulo, mais uma vez. Estamos trabalhando em uma nova desculpa, que não inclua hipnotizar seus pais de novo. Isso está fora de cogitação, pode ser perigoso. Aceitamos ideias para isso!

Tenho certeza (quase que) absoluta de que você aceitará nosso convite. Patrão nem ficará sabendo sobre a sua participação, ele cuidará do Casarão enquanto o fórum acontece. Mesmo que você resolva declinar o meu convite – saiba que Chris, Elis e Beto adoraram a ideia de levá-lo conosco –, eu estarei em Rastelinho daqui a três dias, para apanhar o amuleto. Com você incluso, ou não.

Nos dois casos, preciso de favores seus.

Primeiro: creio que entre hoje e amanhã o muiraquitã lhe dê dicas do local do fórum. Para isso, você precisa apenas dormir. Todos os possuidores de muiraquitãs sonharão com o local do evento. A magia contida na tartaruga lhe mostrará através dos sonhos. Portanto, durma com uma caderneta ao lado da cama. Você pode querer anotar o que vir durante a madrugada.

Segundo favor, mas este somente se você decidir vir conosco: você possui algum amigo em São Paulo, para ficar com ele durante os dias anteriores ao fórum? Escondê-lo na Organização, sem que o Patrão o perceba, creio que seja impossível...

Abraços efusivos do seu grande amigo,

Zé

Anderson acabou de ler o e-mail sentindo-se empolgado, tonto, ansioso, aflito e eufórico. Queria roer as unhas dos pés, mas ainda não tinha tomado banho. Poderia ser perigoso.

Por experimentar tantas emoções misturadas, o macarrão ao molho quatro queijos a seguir não lhe caiu muito bem.

< capítulo 3 >

UM VELHO E DESCONHECIDO AMIGO

Dos dois favores que Zé havia lhe solicitado, o que estava mais ao seu alcance era a informação do local do fórum, que necessitava apenas da maravilhosa arte do sono. Mas Anderson não conseguiu sossegar durante a tarde, e talvez fosse melhor esperar pelo sono noturno. Então, o garoto entrou no *chat* do BoA para ver se alguém da sua guilda poderia ajudar com o caso da hospedagem.

<EvilDEAD99> [Mage, Lv. 46]: bom, eu sou de sampa. Mas vc precisa pra q, exatamente?
<ShadowHunter>[Elf, Lv. 101]: soh ficar uns dias, coisa pouca! Vou visitar uns amigos ai, posso dormir até em sofa =)
<Bl@ckRider>[Ogre, Lv. 75]: se fosse aki em casa, de boa! Mas vc ta ligado q moro no

nordeste. Quando vier pra essas bandas da 1 toque o/

<ShadowHunter>[Elf, Lv. 101]: fechou, Black! Valew msm assim. Então, o q diz Dead???

<EvilDEAD99> [Mage, Lv. 46]: assim, por mim de boa... mas meus pais são meio chatoes, vcs tao ligado... Preciso perguntar pra eles...

<ShadowHunter>[Elf, Lv. 101]: ah, blz! Vc ve e me fala o + rapido possivel? Vou daqui 3 dias!

<EvilDEAD99> [Mage, Lv. 46]: sim, de boa ^^

<HeLLHaMMeR>[Dwarf, Lv. 71]: Shadow conhecendo td a guilda pessoalmente! Inveja, haiuhdaiuhsduh

<ShadowHunter>[Elf, Lv. 101]: vc conhece o povo no face, Hell

<HeLLHaMMeR>[Dwarf, Lv. 71]: num eh a msm coisa. E o Dead num tem Face

<EvilDEAD99> [Mage, Lv. 46]: sei la, num curto mto

<LelekLEKlek_Zika_PoWeR> [Elf, Lv. 35]: aiH mMaNuu XaDoOw tBm soOoW d samPAa qlq koIzaA Eh NõóòIxX

<Bl@ckRider>[Ogre, Lv. 75]: putz, de onde veio esse usuário de Orkut?

<HeLLHaMMeR>[Dwarf, Lv. 71]: eh um dos novos do clã, entrou ontem

<ShadowHunter>[Elf, Lv. 101]: opa, vlw Zikapower. Se o Dead não conseguir minha estadia te aviso! Vlw ae

<LelekLEKlek_Zika_PoWeR> [Elf, Lv. 35]: AiH fExoOoO mAnUuH eH nóòóIXxX PrAybOY d+ fLw qlQ kOizAH dAh 1 toq fLw !!!!!!1!!!

LelekLEKlek_Zika_PoWeR is offline

<EvilDEAD99> [Mage, Lv. 46]: passou como um furacão em nossas vidas

<Bl@ckRider>[Ogre, Lv. 75]: esse brother deve escrever com um teclado especial, ñ eh possível...

<ShadowHunter>[Elf, Lv. 101]: mas ateh q ele joga direitinho

<Bl@ckRider>[Ogre, Lv. 75]: pena q fala outra língua

<HeLLHaMMeR>[Dwarf, Lv. 71]: tinha q ser paulista, hishdiauhsd

<EvilDEAD99> [Mage, Lv. 46]: va catar pão de queijo, Hell

Logo após a conversa com os amigos de guilda, Anderson começou a pensar em alguma forma de convencer os pais a deixarem que ele viajasse, sem sugestão mental. E ainda havia o agravante "Anderson rebelde". Dificilmente seu Álvaro e dona Regina seriam simpáticos a essa viagem do filho, após o seu comportamento suspeito com relação ao novo emprego do pai. Resolveu enviar um e-mail a Sharp e Zé explicando sua desagradável situação pessoal. Talvez eles o ajudassem com ideias. Também aproveitou para perguntar a Sharp se haveria algum problema em ele dormir alguns dias no esconderijo da Primavera Silenciosa, caso os pais de Dead fossem avessos à sua estada. Zé não se conectava o tempo todo, mas como Sharp vivia 99,9% do tempo plugado, Anderson recebeu uma resposta quase que instantânea: "Deixa comigo. Bom saber dessas coisas, já tenho algumas ideias".

E, então, eis que chega a hora de dormir.

Sem tirar o muiraquitã nem durante o banho, lá se foi o garoto para debaixo das cobertas. Bloco e caneta do lado do criado-mudo, como sugerido por Zé. A mãe de Anderson estranhou que ele estivesse indo dormir tão cedo. O pai nada comentou. Ainda parecia magoado... Anderson sentiu vontade de abrir o jogo e contar tudo, mas sabia que essa opção era completamente descabida. Caso o fizesse, sua próxima viagem seria para um sanatório, não para São Paulo.

Virou-se de um lado da cama. E para o outro. Dobrou o travesseiro. Colocou-o sobre a cabeça. Mudou de ideia. Cobriu-se, descobriu-se. Tantas estratégias e nenhuma delas permitia que o sono se aproximasse. O pior de tudo era tentar dormir sabendo que algo excepcional aconteceria. Tentou contar carneirinhos, mas de repente teve a noção de que não sabia como era um carneiro de verdade, ao vivo. Ele só tinha uma imagem de desenho animado na cabeça, e toda vez que começava a imaginá-los pulando a cerca, lembrava-se do Frangolino tentando cuidar do rebanho, nos clássicos Looney Tunes. E aí começava a rir, perdendo mais uma batalha para o sono.

Tentou contar capelobos, mas aquilo o assustava. É, as lembranças daquelas criaturas e suas línguas sugadoras de cérebro não eram das melhores... Contar Sacis também era difícil, pois ele sabia que só existia um da espécie, o Patrão. E sua mente não conseguia relaxar com uma incongruência daquelas. Então, resolveu contar capivaras. Sim, elas eram fofas. E ele sentia falta de Capivera, o bichinho com problema de identidade de Valentina. E aquilo começou a surtir efeito. Suas pálpebras pesavam, e pesavam, e pesavam...

Quando chegou à ducentésima capivara, percebeu que tinha ido bem longe. Estava quase com sono, mas aí o fato de ter percebido que tinha contado até um número tão alto o fez se alarmar novamente. E lá se foi o sono.

Sentiu muitos minutos se passarem. Mais de meia hora? Uma hora? Não sabia. Sua cabeça funcionava a mil! Pensava em Zé, em Sharp, no Patrão que imaginava Anderson já afastado de todas as complicações que a convivência com as criaturas folclóricas trazia. Pensava no pai sendo entrevistado por Wagner Rios, em Wilson Caladão controlando o Esmagossauro em Asgorath enquanto ele tentava, em vão, sonhar. Cada pensamento que surgia no escuro por trás das pálpebras o levava a outra cadeia de pensamentos desconexos, que desviavam a sua atenção do sono. E aquilo o irritava. Estava acordado demais para adormecer. Aborrecido, arrancou a coberta com um gesto brusco. E logo sentiu a pele se arrepiar. Surpreendeu-se com a corrente de ar gelado que circulava e estranhou. A janela do quarto estava fechada, não estava? Sem acender o abajur, resolveu verificar se o vidro estava abaixado. Pôs os pés para fora da cama, tateando à procura dos chinelos.

Mas não os encontrou. Assim como seus pés não encontraram o chão.

Encontraram água.

Anderson arfou, assustado. Seus pés voltaram para cima da cama, molhados. Estava prestes a gritar e pedir ajuda, sem saber o que estava acontecendo, quando sentiu que a sua cama era claramente arrastada por uma correnteza. E então, como se nunca houvesse existido a escuridão do quarto de Anderson, a imagem se iluminou. E não houve momento de transição, pois os sonhos não precisavam de coisas que dessem sentido a seus acontecimentos.

E o fato de perceber que sonhava fez Anderson se acalmar e respirar mais devagar. Tanto que pôde dar uma boa olhada ao redor, de cima da sua balsa improvável.

De fato, a sua cama boiava em um rio escuro. Calmo, sem correnteza que oferecesse perigo à embarcação do garoto. O silêncio também imperava, no rio e em toda a margem altamente arborizada que acompanhava o trajeto e suas curvas. A corrente de ar congelado continuava, mas Anderson descobriu que ela era agradável. Ar fresco como jamais experimentara, a atmosfera perfeita, que parecia jamais ter sido tocada pelo homem e suas toneladas de dióxido de carbono. O céu também era azul, sem nuvens. O exemplo perfeito de um dia calmo.

Então, algo bateu levemente na popa da sua "embarcação". Anderson olhou para trás e descobriu ser outra cama. E atrás dessa vinha outra, e mais outra, e mais outra... Todas com pessoas dormindo tranquilamente, os volumes de seus corpos envoltos por cobertas, lençóis e edredons. Anderson pôs-se de pé sobre seu colchão e olhou mais para trás: como suspeitava, uma infinidade de camas vinha boiando pacificamente, com seus tripulantes completamente adormecidos. Seria aquele o lugar para onde todos iam durante o sono? E, de todos aqueles, apenas Anderson estava acordado?

Voltou os olhos novamente para a direção do fluxo do rio e viu que alguém estava parado à margem mais à frente, de pé sobre o gramado excessivamente verde. Não conseguia divisar o rosto do sujeito, mas podia afirmar que se tratava de um homem. Ou melhor, de um rapaz...

Na verdade, Anderson podia afirmar o nome do rapaz. Afinal, já havia sido aquela pessoa em um sonho não muito distante, e já havia morrido como aquela pessoa. Intoxicado por veneno de jequiranaboia. Engasgando, sentindo falta de ar...

A cama começou a flutuar para mais perto da margem, conforme se aproximava da figura. O muiraquitã, presente mesmo naquela viagem onírica, vibrou. E Anderson sabia que ele responderia à proximidade de seu antigo dono...

– Anselmo – disse. Não era uma saudação, nem uma exclamação de surpresa. Mesmo sem nunca ter visto o ex-membro da Organização, sabia que era ele com uma certeza que só não era maior que a lista de itens inúteis no inventário de Shadow.

– Anderson! – exclamou o outro, e estendeu uma das mãos gentilmente para que o menino desembarcasse da cama. – Finalmente, nos encontramos.

Era difícil olhar para o rosto de Anselmo e conseguir prestar atenção aos detalhes. Podia ver que ele era alto, pelo menos dois palmos a mais. Vestia jaqueta jeans com calças escuras, mas o rosto... Anderson sentia que era como se sua própria vontade o fizesse evitar focalizar os traços do rapaz morto. O que o fazia lembrar...

– Você está mesmo aqui? Nos sonhos? – Fez uma pausa longa demais, mas que não parecia incomodar Anselmo. Nesse tempo, pôde ao menos se assegurar de que seu cabelo era baixo, desbastado por máquina, castanho bem claro, e que seus olhos eram naturalmente semicerrados, passando uma sensação de calma e tranquilidade. Ele era branco, mais pálido que Chris. – Ou você é apenas uma projeção da minha mente? Desculpe se isso te ofende...

Anselmo riu, à vontade. Deu um tapinha no ombro de Anderson.

– Quando estamos fora do alcance de quem vive, não passamos todos de sonhos? Mortos e desejos do coração, todos além da barreira que permite nosso toque, nosso sentir?

Anderson coçou a cabeça. Aquilo era poeticamente complicado demais.

– Bem, eu só... estou dormindo!

Anselmo ergueu os ombros.

– E se você não acordasse daqui a pouco, que diferença faria?

Aquilo gelou a espinha de Anderson. Sentiu uma vontade súbita de voltar para sua cama e remar com as mãos e os pés para bem longe... Anselmo pareceu sentir sua mudança de humor e o tranquilizou, passando um dos braços sobre seu ombro. Começaram a caminhar para mais próximo das árvores.

– Você é um cara legal, Anderson. Não vejo pessoa melhor para orientar aquele bando de *noobies* da Organização. E para liderar o *ranking* do BoA, claro!

Anderson sentiu uma urgência de comentar sobre aquilo.

– Mas o seu avatar, Esmagossauro, ele está...

– *Shhhh*, tudo bem, tudo bem! Isso não é o mais importante, por hora. Existe muito mais em jogo. Chegará o momento em que você terá a oportunidade de resolver esse... probleminha.

Sem saber o que dizer, Anderson apenas aquiesceu. E Anselmo continuou.

– O mais importante agora é você começar a entender essas questões. E não se assustar com todo esse estranho mundo que permite que vivos e não vivos se comuniquem. O mundo dos sonhos. Afinal, o que é a morte?

Anderson sentiu vontade de responder que ela era o esqueletinho de manto negro e foice nos ombros. Anselmo não queria aquele tipo de resposta, apesar de parecer um cara legal e que riria em solidariedade à péssima piada do garoto. Então, resolveu balançar a cabeça, sem saber explicar a morte em palavras mais profundas.

– A morte nada mais é que um sono sem despertar. Se todas essas pessoas, flutuando no rio escuro, não voltassem para a Realidade dos Olhos Abertos, bem, elas seriam como eu. *Não vivos*. E você, neste momento? O que o diferencia de mim?

– Hum... Eu estou confuso e você não?

– Ha-ha... Boa, mas e além disso? Neste exato momento, você é igual a mim. Todos os dias em que você dorme, você morre para o mundo... e só desperta por acaso. Bom, toda essa coisa pode parecer mais complicada que os livros do Zygmunt Bauman que o Zé guarda naquela biblioteca, mas, quando se está do lado de cá, tudo fica mais claro, acredite.

Eles tinham parado de caminhar. Anselmo olhava para uma árvore estranha à frente, com ar solene e mãos enfiadas nos bolsos da jaqueta.

– O que é essa árvore? – perguntou Anderson, também a observando.

– É a pista da localização de Anistia.

– Anistia?

– É, esse é o nome da ilha em que acontece o fórum dos grupos.

– Ilha?!

– Relaxa. Você não precisa se preocupar com isso agora. Apenas olhe bem para essa árvore... Você a conhece?

Anderson balançou a cabeça.

– Nunca vi mais gorda, mas ela é bonita.

– Então, guarde bem essa imagem. Depois anote em algum lugar, quando acordar. É fácil desenhar essa árvore.

– Fácil pra você, que era... digo, *é* um baita artista! Aquela animação, O Legado Folclórico, é sensacional e... Espere! Você pôs um subtítulo nela, "do fogo ao vento, e o sono final". Sono! Tem algo a ver com isso tudo?

Anselmo deu um grande sorriso, contente em perceber que o garoto havia encontrado seu caderno de desenhos com tinta invisível. Quando se preparava para responder, um ruído ensurdecedor preencheu cada centímetro daquele sonho. Era grave, e ribombava sobre o próprio eco dezenas de vezes, mas não era um trovão. Era o som de um grande e pesado móvel sendo arrastado em um assoalho de madeira, amplificado um bilhão de vezes. O semblante do rapaz não vivo mudou, do tranquilo para o assustado, em um segundo.

– Droga, nem nos afastamos tanto da margem!

– O que está acontecendo, Anselmo?

– Você tem de correr, cara. Vamos! – E o puxou pelo braço, com urgência, correndo sobre a grama pelo caminho de volta, até a margem do rio escuro. Nesse curto espaço de tempo, Anderson sentiu o ar mudar, o vento tornar-se revolto, e o céu azul dar lugar a um cinza-chumbo bem mais aterrorizante que o ar poluído de São Paulo.

O ruído se repetiu, preguiçoso e devastador, como o bocejo de um lobo gigante prestes a engolir o sol.

– Que barulho é esse, cara?! – Anderson estava nitidamente assustado enquanto pulava de volta em sua cama e Anselmo empurrava-a para longe da margem, para onde a correnteza era mais forte. – Por que você não vem junto?

– Este é o meu lugar, *ele* não ligará para mim, mas você não pode continuar aqui, precisa acordar, *agora!* – Ele olhava freneticamente por sobre os ombros e depois para a direção da embarcação de Anderson, que se afastava cada vez mais rápido. – Boa sorte, meu amigo! Gostaria muito de estar do lado de lá, com vocês.

Anderson sentiu um nó na garganta, conforme a figura de Anselmo se tornava cada vez menor, acenando da margem do rio. Acenou de volta, de joelhos sobre o seu colchão, e só parou quando a forma humanoide gigantesca se ergueu no meio das árvores, de súbito.

Toda a luz se foi, pois aquele corpo bloqueava toda a iluminação escassa do céu cinzento. Era feito de sombras, e tudo que ficava abaixo dele também se tornava escuridão. Anderson pôde divisar a forma dos ombros, de longos braços, e então uma perfeita mão com cinco dedos se encaminhando em sua direção. E a cabeça, ao longe... Usava uma espécie de cocar negro. Seria também confeccionado de sombras?

A correnteza do rio aumentou e o vento também, fazendo outras camas se chocarem com a sua. As formas adormecidas se mexiam, inquietas, como se enfrentassem pesadelos. Anderson, por sua vez, segurou firme no estrado da cama, assustado. Viu Anselmo de relance, correndo pela margem, gritando e assobiando para a mão gigantesca, tentando chamar sua atenção.

– Anselmo, não! – gritou, temendo pelo amigo. E se aquela sombra imensa resolvesse esmagá-lo?

A mão parecia tatear no ar, sobre as camas, e não demoraria muito a alcançar a cama de Anderson, que deveria ter infringido alguma lei daquele lugar ao descer para a margem do rio. Ele fechou os olhos, sentindo um medo irracional, e desejou ardentemente estar de volta ao seu quarto, longe daquela ameaça desconhecida.

Então, sem aviso nenhum, o rio se transformava em uma espumante e terrível queda d'água. Anderson, de costas para a proa da cama, só percebeu a mudança no rio quando já estava caindo, e que o seu muiraquitã vibrava de forma descontrolada.

Antes de acordar com o frio no estômago e a desconcertante sensação de queda, a última coisa de que Anderson se lembraria seria da enorme e inexplicável mão negra, tateando o ar. E o ronco trovejante que continuou ribombando em sua cabeça um segundo depois de ele abrir os olhos em Rastelinho.

< capítulo 4 >

JOGANDO VERDE PARA COLHER ROXO

A manhã de aulas no dia seguinte ao sonho seria complicada, bem complicada. Anderson não conseguira dormir novamente depois do ocorrido naquele rio escuro. Tinha receio de se ver novamente flutuando em sua cama, sobressaltando-se com aquele ruído monstruoso e tendo de encarar aquela silhueta gigante se erguendo na direção dos céus. Melhor tentar estudar com sono.

Durante o café da manhã, seu Álvaro enviou um "bom dia" cauteloso ao filho. Anderson, por sua vez, não via motivos para ser mal-educado e retribuiu com polidez, sob o olhar atento da mãe. Em seguida, o pai abriu o seu velho e surrado *notebook* para a prática diária de conferência de e-mails e leitura das últimas notícias. E em certo momento algo parecia ter chamado a sua atenção excessivamente, pois chamou a esposa para se aproximar do monitor em tom confidencial. Como se o garoto não pudesse saber o que compartilhavam.

E Anderson não se importava, na verdade. Ainda não sabia se o pai tinha ido de fato conversar com Rios, se teria passado na entrevista e tudo o mais. O que mais queria agora era pensar em maneiras de conseguir seu "passe" para São Paulo, sem levantar suspeitas da família.

Por esse motivo, passara as primeiras aulas do dia pensativo e avoado, não respondendo à chamada e ganhando uma falta por isso. E também por esse motivo, durante o intervalo, não percebera o tapa que vinha de encontro à sua nuca enquanto tomava o seu suco de caixinha. O muiraquitã, que algumas vezes vibrava em situações de perigo, extremas ou não, até tentou alertá-lo do golpe. No entanto, Anderson estava longe. Muito distante, para dentro dele mesmo.

O tapa fez o canudinho machucar o céu da sua boca, derramando suco de pêssego na frente do uniforme. Algumas crianças em volta riram e apontaram, mas Anderson nem registrou vergonha no semblante. Virou-se rapidamente para ver quem era o piadista de mau gosto.

Havia três garotos. Everton, loiro e popular, engrossando o coro de risadas e apontando para a camiseta babada de Anderson; seu comparsa Alexandre, um grandalhão com falta de personalidade e que se sentia realizado como parceiro de um babaca de primeira; e Wilson Caladão, que ultimamente tinha passado a andar esporadicamente com aqueles tipos, talvez mais por senso de autopreservação que por coleguismo. Lembrando que a amizade entre ele e os dois valentões se resumia à ajuda irrestrita durante provas e trabalhos em grupo.

Mas o filho de Wagner Rios não ria nem apontava para Anderson. Pelo contrário! Estava vermelho e desviava os olhos do centro das atenções, como quem estivesse desconfortável e quisesse estar bem longe daquela situação.

– E aí, Pernalonga! Tá com o queixo furado? – Everton perguntou, levantando a camiseta sob o pretexto de estar coçando a barriga, mas na verdade apenas querendo mostrar o elástico da cueca de marca para as meninas em volta. Alexandre imitava o gesto, mas a sua barriga flácida impedia que o logotipo na cueca fosse visto. Contemplando cena tão ridícula, Anderson quase se esqueceu da dor no céu da boca.

– Ninguém quer ver a marca das fraldas de vocês, caras. Me poupem.

Pessoas rindo em volta, e agora o centro das atenções eram os dois exibicionistas. Alexandre, abaixando a camiseta do uniforme com raiva, flexionou os braços fortes e grunhiu:

– Ora, seu...

– Perdeu a noção do perigo, seu trouxa? – Everton se adiantava, queixo para a frente. A vontade de Anderson era de socá-lo bem naquele ponto. – Você anda muito folgado e é melhor maneirar senão...

– Senão *o quê*? – Anderson se adiantou com um pouco de rispidez, fazendo o suco de pêssego espirrar para os lados. – Senão você vai chamar o pai dele?

Wilson, um passo atrás dos brigões, ficou roxo ao ser apontado. Everton olhou para o amigo calado, pegou-o pelo braço e o arrastou até a frente de Anderson.

– Olha aí, pôs teu pai na jogada! Você vai deixar quieto? Quebra ele que a gente te ajuda!

Crianças fizeram uma roda ao redor dos quatro, alguns com o habitual coro de "briga, briga!". Um afoito Renato, que estava longe de Anderson no início do conflito, tentava atravessar a multidão enquanto mantinha o seu misto-quente recém-comprado na cantina intacto acima das cabeças dos espectadores.

– Bate nele, cara! – dizia Everton, sacudindo os ombros frágeis de Wilson, para que ele agredisse Anderson. – Se você começar a apanhar a gente te ajuda, vai!

Anderson, por sua vez, tentava dar passos para trás, para evitar a briga. Alguns moleques, querendo ver o circo pegar fogo, empurravam-no de volta para o meio do círculo. Mas ele não queria brigar! Não com Wilson, por mais que ele fosse filho de Wagner Rios. Não queria sucumbir àquele tipo de brutalidade e sabia separar o ódio que sentia pelo pai do garoto com a desconfiança que nutria pelo Caladão...

"...que provavelmente seria o hacker por trás de Esmagossauro."

Anderson pensou no assunto em um milésimo de segundo. Vai, talvez ele merecesse uns tapas, mas só se ele conseguisse confirmar suas suspeitas.

Wilson, abastecido pelos gritos de Everton e Alexandre, resolveu obedecer. Fechou os punhos e deu o soco mais esdrúxulo possível, meio que um tapa de mão fechada, fazendo Anderson ter tempo de comer uma paçoca antes de desviar do golpe.

"Briga, briga, briga!"

– Vamos lá, Caladão! Não deixa quieto, ele xingou teu pai! – gritou Everton.

– É, xingou teu pai! – ecoou Alexandre.

– Xinguei? – espantou-se Anderson, achando a situação meio ridícula. Wilson colocava a língua para fora ao tentar esmurrá-lo. – Eu só quis dizer que *vocês dois* são uns babacas, e isso porque estavam exibindo as freadas das cuecas!

– MATA ELE, CALADÃO! NÃO DEIXA QUIETO! – Everton estava irado, parecendo um louco apostando no seu galo de briga. Um galo *bem* esquisito. O muiraquitã de Anderson nem vibrava com os ataques do outro, tamanha ameaça física ele representava. Após Wilson praticamente anunciar a todo mundo mais um soco malfeito na direção do nariz do seu oponente, Anderson sentiu necessidade de acabar com aquilo.

Segurou o punho de Caladão e o puxou para baixo, aproximando-se do seu rosto.

– Chega, Caladão. – Anderson quase sussurrava. Não queria dar *showzinho* para aquele bando de urubus famintos por sangue. – Não seja pau-mandado desses dois aí. Afinal, *nossa briga de verdade só vai acontecer no Battle, certo?*

Wilson ficou vermelho. Depois, laranja, azul e roxo. Antes que completasse todas as cores do arco-íris, Anderson soltou o seu punho, mas ainda encarando-o significativamente. Sua última frase foi claramente sublinhada pela inflexão de voz, e, pela reação do filho de Rios, por um momento ele parecera não entender o significado dela.

Caladão deu um passo para trás, assustado. Então um brilho diferente apareceu em seus olhos. Uma espécie de coragem, talvez, que deixava os seus olhos cinzentos muito mais parecidos com os do pai.

– É. É isso aí, *noobie.*

Anderson arquejou, nem notando os gritos de incentivo à briga ao redor. Havia jogado verde para ver se colhia maduro e funcionou. Eis a confirmação, anunciada em um alto-falante dentro do seu cérebro:

"Wilson Caladão, filho de Wagner Rios, é o usuário por trás do perfil Esmagossauro."

Antes que pudesse pensar em mais alguma coisa, Everton se adiantou e deu um soco (e não um tapa de mão fechada) certeiro no olho esquerdo de Anderson. O garoto cambaleou e quase caiu, sendo segurado por alguém à beira do círculo de *espectadores.* Mesmo tonto, teve tempo de ver um misto-quente voando para as alturas enquanto Renato desabava sobre o valentão loiro, protegendo o amigo de um novo golpe e levando o outro ao chão.

Wilson deu alguns passos para trás, massageando o pulso torcido e se afastando do bolo de braços e pernas que eram Renato e Everton. Anderson tentava se equilibrar para enfrentar Alexandre, que também se encaminhava para ajudar seu comparsa.

Mas foi nessa hora que a inspetora chegou. E, cinco minutos depois, todos os envolvidos estavam na diretoria.

Anderson parecia um panda, graças a Everton. E Everton parecia o Zorro, graças a Renato.

Renato, por sua vez, tinha somente um vergão vermelho no pescoço, bem mais discreto que os tons de roxo-escuro de Anderson e Everton. Alexandre não parecia carregar nenhum hematoma. Ele tinha a proteção natural da gordura extra nas bochechas e na barriga.

Na diretoria, havia outras pessoas que pareciam outras coisas. O pai de Renato, por exemplo, parecia meio que envergonhado por estar ali recebendo sermão da diretora. Tentou contestar que o filho estava apenas defendendo o amigo de uma desleal peleja de três contra um, e ver o Sr. Valdemir defendendo-os fez Anderson sorrir por dentro. O homem era um palmo menor que o filho e cultivava um cavanhaque à *la* Raul Seixas. Não por coincidência, também usava uma camiseta do Raul. Aceitou a suspensão imposta ao filho com ar sério, mas piscou para Anderson discretamente antes de sair da sala, conduzindo o filho: *"É isso aí garoto"*. Por sorte, Wagner Rios não tinha ido pessoalmente buscar a sua cria, e enviara a motorista morena bonitona e de óculos escuros para o feito. Anderson sabia que seu Val tinha uma opinião formada nada favorável a respeito do empresário, e nada de bom poderia sair do encontro dos dois... Mas, claro, a opinião de seu Val só fazia com que Anderson simpatizasse ainda mais com sua figura.

Já a mãe de Everton, uma mulher até que jovem e que poderia facilmente participar de um *reality show* de mulheres ricas, veio buscar o filho dizendo que ele jamais faria mal a uma mosca, que era um bom menino, que tinha feito um comercial de talco antialérgico quando tinha só nove meses de idade (nesta parte, Anderson conteve o riso), que tinha sido coroinha da paróquia por um bom tempo, que era leal, que era bonito e que era mais um monte de coisas que não importava a ninguém mais a não ser ela mesma. Fuzilou Anderson com o olhar, arrastando para fora da sala o exemplo de ser humano que era Everton.

Seu Álvaro chegou um pouco atrasado, com um macacão de mecânico sujo de graxa. Tinha abandonado o trabalho na mecânica do amigo para vir buscar o filho e não parecia nada feliz. Parecia uma jarra de leite quente e espumante prestes a transbordar. Assentiu quando a suspensão do filho foi anunciada, desejou um bom dia a dona Maria Cecília e saiu em silêncio, com Anderson em seus calcanhares.

E aquela fora a última vez que ele vira a sua escola naquele ano.

– Foram eles que começaram, pai! - protestou Anderson, assim que alcançaram a calçada. O pai permanecia em silêncio, nitidamente aborrecido. – Ele me bateu depois de eu evitar ao máximo o outro moleque, eu nem...

– Filho – começou seu Álvaro, seco, porém não sem carinho por trás da atitude. Abaixou-se para ficar na mesma altura que o filho. – Não ligo se você começou ou não. O negócio chato é você ter se envolvido na briga. Dar trela, responder, fazer troça daqueles outros moleques... tudo isso é agressão, de uma forma ou de outra.

– Mas eu ia ficar quieto? Deixar passar o tapa que ele me deu no pescoço? O céu da minha boca continua doendo até agora, quer ver? – Ele abriu a boca e se inclinou para o pai enxergar, tentando falar ao mesmo tempo. – *Á eno? O éu da inha o-a? Á noeno aí, ó...*

– Anderson, não se trata disso. Você entrou na onda deles, deixou-se levar pelo ciclo da violência... Alguém bate, você revida. Esse alguém vai querer vingança em algum momento, e você também, depois de sofrer as consequências dessa vingança... Entende? Nunca para.

O garoto cruzou os braços.

– Eu deveria ter ficado quieto, é isso? Aguentar o tapa, calar a minha boca e quebrar o *círculo da violência*?

– *Ciclo.* Não, filho. Não estou dizendo para você ser passivo nessas situações, mas buscar outras formas de se retirar desses problemas, de se isolar da selvageria. Veja você, com este olho roxo... Ninguém sai ileso quando os dois estão dispostos a ir até o fim.

– Hum.

– E, na verdade, o que quebra o ciclo é a força que move a sua atitude de resposta ao ato violento. – Seu Álvaro se levantou. – Se você retrucar uma agressão com palavras, mas ainda assim suas palavras forem carregadas de ódio, então você não fez nada para se diferenciar do seu agressor.

Anderson achava que o pai estava sendo muito dramático. Ele não sabia como a briga havia se dado, e o garoto tinha certeza de que suas respostas haviam sido mais elaboradas para encabular os rivais do que agredi-los verbalmente.

– Sei lá, então eu acho que não sei o que fazer nessas situações.

Seu Álvaro voltou a andar, desta vez ao lado do filho.

– Sinceramente, eu também não sei mais o que fazer com você, filho. Esses dias você tem se mostrado muito... diferente. Primeiro com aquela atitude incompreensível com relação à minha entrevista com Wagner Rios....

– Falando nisso, deu certo? – perguntou Anderson, jogando toda a urucubaca mental possível para que tudo tivesse dado errado. Não queria seu pai como um empregadinho do seu inimigo.

– Só fiz a entrevista, estou aguardando resposta. Enquanto isso, fico na oficina do Luiz. O que eu dizia antes? Ah, sim. Você. Depois desse comportamento estranho, vem essa suspensão... Você nunca foi suspenso na vida, filho!

Anderson baixou os olhos para os tênis. "Isso, pai. Nunquinha." Ele só havia ido para São Paulo no começo do ano por causa da providencial suspensão na aula de Educação Física.

– Isso deve fazer parte do seu crescimento, esse aborrecimento todo sem sentido... Mesmo assim, preciso tomar providências antes que tudo isso piore. Cortar o mal pela raiz.

– Você vai me lobotomizar? – sugeriu Anderson, sem saber onde seu pai queria chegar com aquela conversa. Por um momento, estremeceu ao imaginar a internet da casa sendo cortada definitivamente.

– Eu e sua mãe estivemos conversando e...

– Acampamento de Correção de Jovens Problemáticos?! – gritou Anderson, já sentado à mesa, de frente para o pai e para a mãe. – Que é isso? Até parece um nome mais bonitinho para presídio de menores!

– Filho, nós já reservamos sua vaga por lá. Você vai e ponto – dona Regina disse, sendo enfática. O marido apenas olhava para o filho e o filho olhava para a mãe, sem saber o que dizer. Um impasse mexicano entre família. – Você é nosso filho único, e já tínhamos sido alertados que a puberdade seria uma fase complicada... Queremos garantir que você passe por ela de forma tranquila, e que aprenda a disciplina que não conseguimos passar a você.

– Que drama! – Anderson bateu com o punho na mesa, de leve. Aquele acampamento corretivo acabaria com todos os planos de ir para São Paulo e viajar para o tal de fórum que Zé havia lhe avisado. – Eu nem briguei direito na escola, vocês estão exagerando. E o fato de eu ter discutido com o pai ontem, foi apenas...

– Filho, não será tão ruim – disse Álvaro, tentando tranquilizar o filho e ligando o seu *notebook* velho. – Eu sei que parece exagero, mas não queremos cometer os erros de outros pais. Vamos fazer isso agora, enquanto você ainda pode aprender cedo e evitar muitos problemas! E o tal de Acampamento é muito bem referenciado, quer ver... Salvei o site aqui...

Seu Álvaro virou o *note* para Anderson, que estava quase vomitando com a perspectiva de passar alguns dias fazendo flexões comandadas por uma espécie de mistura de Supernanny com Jason Statham. Sem contar os outros caras problemáticos, que ele apostava que fossem crianças piromaníacas ou canibais. Então, viu a página inicial do site que encantara os Coelhos:

A.C.J.P.P.D.P.V.F.
ACAMPAMENTO DE CORREÇÃO DE
JOVENS PROBLEMÁTICOS E PORTADORES
DE DISTÚRBIOS DA PRIMA VERA FAWKES

Colocando sua criança na linha desde 1970
e transformando-a
de agitada a tranquila
de malcriada a educada
de baderneira a Silenciosa

– Isso é sacanagem, né? – perguntou Anderson, ao terminar de ler, mas sem tirar os olhos da tela. Algo ali estava muito esquisito...

– Viu? Eles já têm tradição nessas coisas – disse seu Álvaro, descendo a página para um monte de fotos do acampamento, com crianças sérias enfileiradas e de uniformes parecidos com o de escoteiros. Anderson ainda pensava em dois pontos muito peculiares no texto de apresentação do site.

Prima Vera Fawkes?

Deu um sorriso discreto, de canto de lábios, e pediu para o pai subir a página, no texto de apresentação. A palavra "Silenciosa" começava com maiúscula, sem motivo algum, diferente de todas as outras.

Logo...

– Pai, como você soube desse lugar mesmo?

– Recebi um e-mail de divulgação, vi hoje de manhã – respondeu, e Anderson lembrou-se do comportamento sigiloso do pai à mesa, checando a tela do *note* junto com dona Regina. – Enfim, você vai para lá com os monitores, depois de amanhã. O acampamento fica em São Paulo, mas não creio que você terá tempo de passear pela cidade...

Anderson quase gargalhou e teve de fazer força para continuar com a cara de enfado.

– Posso só dar uma olhada no site, pai? Curiosidade...

– Claro! Veja as fotos, os textos... Acho que você vai se divertir por lá no final das contas. Não queremos mandar você para um "reformatório" de fato, e o acampamento pode ser...

Mas Anderson não estava mais prestando atenção. Nem olhando as fotos. Estava vendo o nome da empresa desenvolvedora do site, no rodapé da página.

Site desenvolvido por Sharp&Gaia Web Solutions S/A

– Organização, aí vou eu...

– O que disse, filho?

– Nada não, mãe.

< capítulo 5 >

CRÂNIOS VOADORES

– Beto! – gritou Anderson ao descer do ônibus no Terminal Rodoviário Tietê. Havia sido uma viagem longa, de mais de seis horas. Foram seis horas de muita risada e conversa inteligente com a monitora *fake* do ACAMPAMENTO DE CORREÇÃO DE JOVENS PROBLEMÁTICOS E PORTADORES DE DISTÚRBIOS DA PRIMA VERA FAWKES, que o tinha acompanhado desde a rodoviária de Rastelinho até ali. Com uma peruca de cabelos castanhos encaracolados sobre os *dreadlocks*, e sem os habituais *piercings* pelo rosto, Gaia estava irreconhecível – e perfeitamente convincente como uma moça excessivamente comportada, sem as roupas de couro sintético. Ela usava um *tailleur* verde-claro. Talvez, o único traço verdadeiro que estava intacto eram os grandes e belos olhos verdes, que combinavam com as vestimentas.

– Deu muito trabalho para essa moça aí? – perguntou Beto, o Boto, abaixando a placa de "Bem-vindo, Anderson de Asgorath" e dando um abraço apertado no garoto. Estava de óculos escuros, o que disfarçava os seus nada convencionais olhos cor-de-rosa. – Soube que agora você é uma "criança problemática"!

– Ideia maluca dela e do Sharp – respondeu Anderson, não sem sentir uma ponta de culpa por estar enganando os pais novamente. De certa forma, também se sentia feliz por ser um dos responsáveis pelo estreitamento dos laços entre a Organização e a Primavera Silenciosa. Os dois grupos estavam bem próximos, ultimamente, e se ajudavam sempre que possível. – Acredita que eu quase não a reconheci assim?

– Falando nisso – disse Gaia, enfiando os alargadores na orelha e arrancando a peruca, voltando a expor os *dreads* ao mundo. Muitas pessoas olhavam para a discrepante imagem da moça de roupa social e cabelo maluco. – Eu já estava começando a passar mal, vestida desse jeito.

– E o resto do pessoal? – perguntou Anderson, enquanto Beto o ajudava com as malas.

– Quase todo mundo no Casarão, você só os verá amanhã. Chris está no estacionamento, com o Zé. Você vai matar a saudade do seu lobo-guará e do seu tampinha favoritos. Fingimos para o Patrão que saímos para dar uma voltinha...

– E Sharp está no QG da Primavera – acrescentou Gaia. – Falando nisso, você pode me dar carona até lá, Beto?

– Claro, Gaia. Assim que deixarmos o Anderson na casa do amigo dele... Qual é o nome do seu *brother*?

– É o Fê.

– Mas é Fê de quê? Fernando? Felipe?

– Acredita que eu não sei? Ha-ha, sério... Eu sempre o chamei de Dead, ou Evil Dead, por causa do *nick* dele para o Battle, mas ele me passou o endereço aqui, por mensagem. Vou inclusive mandar uma falando que estou indo...

Foram andando tranquilos e no mesmo bom-astral em que a viagem de Rastelinho a São Paulo se dera, até chegarem no estacionamento do Terminal. Para a grande surpresa de Anderson, lá estava o Carro Verde, que supostamente deveria ter sumido do mapa junto com o traidor Olavo, no dramático fim da missão de invasão da Rio Dourado.

– Uai! Vocês compraram outro, ou...

Beto balançou a cabeça, sombrio. Aquele era um assunto delicado para os membros da Organização.

– Uma semana depois de *ele* ter ido embora com a van, nós recebemos uma ligação do Detran falando que o carro havia sido encontrado abandonado em uma das BRs da vida, rumo ao Sul... Ele foi esperto, o maldito. – Beto quase espumava quando o assunto era Olavo. Não à toa, pois o arqueiro ameaçara sua noiva com uma faca envenenada. – Foi até onde deu com o carro, e sumiu no mundo com toda a grana que você botou naquelas mãos imundas...

O clima tenso da conversa só melhorou quando a porta do Carro Verde deslizou e um esfuziante Zé cumprimentou o mineiro. Estava um pouco escurinho – sinal de cachaça no organismo caipora do anão –, mas não menos simpático que sempre. Chris, mais descabelado que nunca, também saiu de trás do volante e deu um abraço no amigo e parceiro de aventuras.

Rodaram pelo trânsito do fim de tarde de São Paulo, conversando de maneira tão animada que parecia não ter transcorrido um dia desde a triste despedida de Anderson e seu cérebro enfeitiçado por Elis. Chris contou que algumas crianças novas haviam chegado na Organização e que estavam no processo de integração; Zé informou que a biblioteca tinha agora pelo menos cinco dezenas de novos títulos, incluindo quadrinhos. Por um instante, Anderson se animou em vasculhar o lugar e ver quais eram as novidades, mas se lembrou de que não poderia pôr os pés no Casarão... Pelo menos não enquanto o Patrão pensasse que ele estava inocentemente livre de apuros, em Rastelinho. E com as lembranças da Organização apagadas, claro.

– Pelo endereço que você me passou, é aqui perto – informou Chris, três quarteirões depois de ultrapassarem um cemitério. – A Aclimação é um bairro legal, eu gosto. Quer ir lá chamar para ver se o amigo está? Eu espero você entrar.

– Caso dê algum problema, você pode ir lá para o QG da Primavera, viu? – avisou Gaia. – Parece o interior da Millenium Falcon, só que mais bagunçado. Mesmo assim, você será bem-vindo!

Anderson sorriu, mas de maneira um pouco triste. Tinha algo na sua garganta que implorava para ser dito para Gaia e que ele evitara durante toda a longa viagem de Rastelinho até São Paulo, para não estragar o clima feliz em que se encontravam. A *cyberpunk* o olhou com um ar de quem percebera o comportamento esquisito e perguntou:

– O que foi, Anderson?

– Eu sonhei com ele, Gaia. – E depois acrescentou, baixinho: – Com Anselmo... E acho que foi por causa do muiraquitã.

Gaia deu um sorriso doce, que era bem contrastante com a aparência agressiva que ela ostentava. Anderson já a encarava de forma diferente, de qualquer maneira.

– Ele estava bem? No seu sonho?

– Sim... Creio que sim. Ele parecia ser gente boa.

– Ele *é*. – A garota suspirou, os olhos levemente marejados. – O melhor.

Então o Carro Verde parou e ela deu um beijo na têmpora de Anderson.

– Viremos buscar você amanhã, às dez! – avisou Zé, e Boto acenou pela janela. Anderson atravessou a rua, com a mochila e a mala, e se encaminhou até o sobradinho com o número que Dead havia mandado por mensagem. Era uma dessas de porta diretamente na rua, sem muros ou portões. Apenas um degrau entre a calçada e a sala. Anderson acenou para a van antes de tocar a campainha da casa, que fez um som estridente demais. Pelo menos quatro trancas foram abertas do lado de dentro – o que para Anderson, rastelinhense, era um exagero de segurança – antes de uma menina abrir a porta, olhando-o de cima a baixo. Tinha a pele da cor de café com leite e traços que poderiam ser árabes. Os cabelos eram escuros, presos em um rabo de cavalo, e vestia uma camisa xadrez larga e despojada.

– Oi. O Dead está? Hã, digo... desculpe, o Fê está?

A menina deu um tempo antes de abrir a boca.

– Você é o Anderson?

– Sim, sou eu! – e deu o seu melhor sorriso amarelo. Estava constrangido de chegar e não saber nada da família do seu amigo virtual. – Ele deve ter falado de mim, né? Você é irmã dele?

A garota deu uma espiada para dentro de casa, meio que cautelosa, e fechou a porta atrás de si, descendo o degrau até Anderson.

– Droga, eu acho que não foi uma boa ideia. Eu quis ajudar, mas...

– Hein? O que não foi uma boa ideia? Não entendi.

Ela mordeu os lábios e encarou o garoto.

– Você vai ter de fingir algumas coisas para dormir aqui, ok? Eu já falei que meus pais são chatos e...

– Peraí, você falou o quê? Não estou entendendo...

E então uma voz de tocador de trombone veio de dentro da casa.

– Filha? Quem está aí?

– Droga! – praguejou ela, com um grito sussurrado, e Anderson olhou para a van, confuso. Da janela, Chris levantou um polegar e mexeu a boca de forma que o menino entendesse: *Tudo bem?* Anderson levantou os ombros. Sinceramente, não sabia.

– Cadê o Fê? Se tiver algum problema eu...

– Bom, um *briefing* rápido: você é menino, mas *não* gosta de meninas. Simples assim. Meu pai nunca deixaria um garoto desconhecido dormir aqui dentro de casa. Então eu disse que você é um amigo lá da escola, você vai ter de fingir e pronto. Ok? É só...

– Quê? – Anderson estava embasbacado. Era muita informação de uma só vez. – Escuta, não é melhor eu falar com o Dead e... Droga! Eu quis dizer o Fê, e...

– Pô, Shadow! – A menina sussurrou outro grito e deu um tapa de leve no seu ombro. Estava um pouco vermelha nas bochechas. – Eu sou o Dead! E "Fê" é de Fernanda. É bom você saber.

Anderson arregalou os olhos, esquecendo-se de que deveria piscar de tempos em tempos.

Dead era uma garota?

– Filha? – chamou a voz grave, abrindo a porta e revelando um homenzarrão de quase dois metros, de semblante nada amistoso. Parecia um sarraceno de calças jeans e camisa que havia perdido sua cimitarra. – Aí está você. E *ele*. Então, este é seu amigo...

– Anderson! – completou Fernanda, sorrindo de maneira nervosa. – Sim, ele é uma graça, pai! Ele é primo da Tainá, lá da escola, e dono de vários blogues sobre *Once Upon a Time*, *Glee*, *True Blood*, *Vampire Diaries*...

– Ah, sim. – Anderson não conseguia soar empolgado, por mais que tentasse. – *Show. Adooooro.*

– Hum – fez o pai, estendendo sua mão para o visitante, com um meio sorriso cortês, mas não desprovido de certa desconfiança. – Seja bem-vindo. Vamos entrar, não é bom ficar aqui fora a essa hora, e... E esse carro parado aí na frente?

Os garotos viraram-se e Chris tocou a buzina de leve, querendo saber se tudo estava ok. Não sem hesitar, Anderson lançou um tchau gracioso com os dedinhos e soprou um beijo no ar, na direção do Carro Verde. Chris soltou uma risada divertida com o cenho franzido e deu a partida na van.

E Anderson entrou na casa de Fernanda. Também conhecida como EvilDEAD99.

– E aquelas fotos das *cosplayers* de Sailor Moon, de sainha e tudo? – Anderson cochichava, pasmo, olhando para aquela menina que dizia ser um dos seus parceiros de guilda. Estavam no quarto da irmã mais velha de Fernanda, que tinha viajado para Porto Seguro, já de férias da faculdade. – E todas aquelas fotos da Scarlett Johansson, aquele papo de Hot Spicy Channel, as imagens que você...

– Eu tinha de sustentar o disfarce, ué! – exasperou-se a garota, abrindo os braços e caindo sentada na cama. – Já tentou jogar qualquer coisa online com *char* de garota? É impossível ser menina e não ser assediada em jogos assim. Sei lá, os homens ficam babacas na presença de mulheres *gamers*. Vai dizer que não? Vocês são bobos pra caramba. E como eu amo BoA, resolvi jogar com personagem masculino e fingir ser menino. Pode me condenar, mas eu te descolei hospedagem gratuita!

Anderson olhou para o carpete. Não queria parecer ingrato, mas aquilo tudo era muito confuso. Não por preconceito contra jogadoras, mas por ter sido enganado por tanto tempo. De repente todo o comportamento introspectivo de Dead fazia muito sentido, sem ter perfis nas redes sociais e coisa e tal.

– E aí, vai ficar de bode por ter descoberto que eu sou uma garota? – perguntou Dead, cruzando os braços. – Desculpe, mas isso seria bem babaca de sua parte.

Anderson riu de leve. Só sentiu um pouco de vergonha de todas as baboseiras e molecagens compartilhadas anteriormente com a garota. Se bem que ela não parecia se importar... Mostrou a palma de uma das mãos aberta para ela, que abriu um sorriso e bateu com força em resposta.

– A parceria da guilda permanece até fora de Asgorath – sentenciou Anderson, em tom quase formal. – Mas sacanagem você dizer para o seu pai que eu sou gay. Não por nada, mas eu não sei imitar direito e fazer trejeitos...

– Mas você não precisa ser um estereótipo gay de novela, poxa. Aquele beijinho pro cara da van foi forçado pacas, por sinal! – Nesse ponto, Dead caiu de costas na cama e riu por quase três minutos. Quando se recompôs, enxugando os olhos, encarou um Anderson com expressão de tédio. – Apenas se comporte normalmente, e negue qualquer indireta do meu pai que sugira que você goste de meninas. Fechou?

– Fechou... Teu pai é tão desconfiado e bravo quanto parece?

– Ah, ele é legal, mas também é um pouco exagerado e superprotetor. Quando eu reclamo que ele me prende demais, costuma dizer que depois que eu fizer quarenta anos eu posso sair com quem eu quiser e ir aonde eu quiser.

– Caramba, que tenso – espantou-se Anderson, reparando que Dead (Fernanda! Aquilo era muito engraçado!) não parecia ser muito avariada pela corujice do pai. – Então você nunca... Sei lá, saiu com um garoto? Ou beijou um?

Ela olhou para o alto, torcendo a manga da blusa, como se tentasse recordar.

– Uma vez eu beijei um pôster em tamanho real do Robert Pattinson – respondeu vagamente. – No rosto.

Alguns segundos de silêncio, até Anderson interrompê-los.

– Putz, que mau gosto!

Após quase uma hora de conversa divertida, a mãe de Fernanda apareceu na porta do quarto e os chamou para jantar. Dona Marta era uma senhora muito simpática, de movimentos ágeis, e fez questão de preparar a mesa de maneira vistosa e farta.

– Liga não, minha mãe é exagerada. Tem comida aqui pro mês inteiro.

– Hum, mas esse creme está uma delícia – disse Anderson, sob o olhar atento do pai da amiga, que ele descobriu se chamar Salim. – O que é?

– *Babaganuch.* É feito de berinjela! – respondeu Fernanda, sentada ao seu lado, empurrando pedaços de *kafta* para o seu prato. – Experimenta isso, com molho de hortelã!

– Ah, me desculpe! Eu não como carne – disse Anderson, sob um olhar levemente ofendido de dona Marta. – Nada contra a comida, que está um delícia! É que eu sou vegetariano.

A mãe deu um sorrisinho compreensivo, e então encheu o prato do garoto de *homus*. O pai, seu Salim, olhava-o analiticamente por cima do garfo que segurava. A filha tentou articular alguma coisa.

– *Eu não savia difo, que focê era fechetariano.*

– Filha, não fale de boca cheia. Já disse.

– *Tesculfa!* – Fernanda engoliu o *tabule* que preenchia suas bochechas e completou: – Mas você não deveria se importar com isso, pai. Essa é uma das maneiras que desenvolvi para repelir meninos.

Dona Marta riu de leve e acariciou a mão que o marido mantinha sobre a mesa, emburrado com a resposta da filha. Anderson deu a risada mais escrachada que sua espontaneidade conseguiu produzir. O que atraiu o olhar inquisidor do seu Salim para si.

– O que não é meu caso, obviamente – disse o garoto, tomando um gole de suco, e sem se esquecer de levantar o dedo mindinho.

Após o jantar, Anderson e Fernanda se perderam no Playstation, em jogos cooperativos, por quase uma hora e meia. Quando o sono chegou para toda a família dos anfitriões, que costumava dormir cedo, ele ainda estava elétrico sobre o travesseiro. Choramingou ao imaginar que poderia experimentar mais uma bela noite de insônia. Mexeu em seu muiraquitã, imaginando se ele o transportaria a algum outro sonho curioso. Ou tenebroso.

Como dormir não parecia ser a opção mais fácil à mão, Anderson resolveu deixar o quarto da irmã de Fernanda e ir tomar um copo de água na cozinha. Afinal, Dead tinha declarado que ele podia ficar à vontade para usar o banheiro no corredor ou assaltar a geladeira da cozinha. Anderson desceu as escadas na ponta dos pés, para não acordar o pessoal. Principalmente seu Salim, que a qualquer momento poderia encurralá-lo em um beco sem saída de perguntas perigosas.

O andar térreo do sobrado estava mais fresco que os quartos acima. Anderson nem acendeu as luzes para passar pela sala, já que o brilho da lua entrava pelas frestas nas cortinas e dava um tom azulado ao cômodo ricamente mobiliado. Ficou observando as gravuras emolduradas nas paredes, os diversos tapetes que revestiam os tacos. Dezenas de estatuetas de elefantes, camelos e odaliscas. Sobre as prateleiras e móveis, fotos de Dead bebê no colo do pai e da mãe, Dead bebê dormindo, Dead nem tão bebê chorando no colo do Fofão, Dead com a equipe de handebol na escola, Dead e a irmã mais velha abraçadas... Anderson deixou um sorriso escapulir. Devia ser interessante ter um irmão. Nunca tinha parado para pensar como seria ter um amigo com os mesmos interesses dentro de casa. Se bem que a irmã de Fernanda era bem mais velha e parecia bem menos inclinada a *games* e esportes. Mesmo assim, as fotos mostravam garotas felizes.

Pegou o seu copo de água no filtro e voltou para se sentar no sofá, confortavelmente envolvido pela penumbra e pelo brilho da lua no chão.

Se não dormisse naquele ambiente tão tranquilo e aconchegante, Anderson não seria humano.

Estava de volta no rio escuro. Desta vez, surfando um sofá. Algumas camas-jangadas também flutuavam na correnteza, longe da vegetação da margem.

E foi justamente olhando para as plantas ribeirinhas que Anderson viu Anselmo correndo, tentando acompanhar a velocidade do sofá.

– O que foi aquela coisa no último sonho?! – gritou Anderson com as mãos em concha, e recebeu um único gesto de Anselmo em resposta: o indicador na frente dos lábios e um olhar severo. Anderson ergueu os ombros, sem entender. E então ouviu um barulho muito alto, de vidro sendo estilhaçado, que invadiu toda a imensidão daquele mundo de sonhos. – E o que foi isso?!

– Alguma coisa do lado de lá! – respondeu Anselmo sem parar de correr, parecendo preocupado. – Se eu fosse você, iria tentando acordar desde já. Só por precaução.

– Quê? Do que você está falan... *Gasp!*

Anderson engasgou e levou as mãos à garganta. Caiu sentado no sofá, mergulhando os pés na água do rio. Ainda sem conseguir respirar, e lembrando-se da sensação de desespero quando sonhara que ele próprio era Anselmo na hora da sua morte, olhou para o seu amigo, como se pedisse ajuda.

– Você vai ter de lutar, agora. – Anselmo afastou os braços e gritou ao mesmo tempo em que as palmas se encontravam com um grande estalo. – ACORDE!

Sua visão estava turva, então não adiantou muita coisa ele ter aberto os olhos. Sentia que estava de volta à sala de Fernanda, assim como sentia um aperto no peito que impedia a entrada de ar nos seus pulmões. E também ouvia palmas repetidas, como se fossem ecos da palma de Anselmo. Além disso, escutava um riso frenético, como o de uma hiena, bem rente ao seu rosto...

Ao contrário do ar em seus pulmões, a sua visão voltou. Uma pena, pois aquela seria uma das imagens mais horríveis de toda a sua infância. Já vira algo com aquele rosto na capa do álbum de uma banda... do Iron Maiden, talvez. De um álbum chamado *Killers*. Sim, era isso! Cabelos longos e sem vida emoldurando um rosto cinzento, ressecado e velho. A boca lembrava os sorrisos das abóboras do Halloween americano. Recortada e negra por dentro, um esgar maligno e ao mesmo tempo divertido. Era de lá de dentro que saía a risada asmática de hiena. E também um odor de dois milhões de pés de meia de maratonistas usadas.

Ainda sem conseguir se mexer muito, um apavorado Anderson Coelho fez uma análise por completo da... coisa. A coisa que estava agachada em seu peito, oprimindo-lhe a respiração. A coisa magra, nua e sem nenhuma indicação de masculino ou feminino entre as pernas ou em qualquer outra parte. A coisa que tinha um corpo de Smeagol, porém com pernas mais curtas, que terminavam em gigantescos pés de quatro dedos. A coisa que ria da falta de ar do garoto como se aquilo fosse mais engraçado que qualquer programa de comédia da televisão – e, nesse caso, talvez fosse mais engraçado mesmo. Os programas atuais andam péssimos, só não piores que os próprios humoristas em si. Não ligue a televisão no sábado à noite.

E ela batia palmas, feliz da vida. Anderson tentou empurrá-la para longe, mas ela praticamente não se mexia. Tinha uma bigorna fedorenta sobre si e precisava tirá-la dali antes que ele virasse um inquilino permanente no mundo de Anselmo.

Olhou para o lado, para o braço do sofá. Além de pontos negros dançando em seu campo de visão e anunciando um estado de inconsciência que se aproximava, Anderson viu o copo em que ele tomava água antes de adormecer, pela metade. Esticou o braço e lembrou-se da metáfora do copo "quase cheio ou quase vazio". Tudo era questão do ponto de vista e do otimismo, diziam. Mas, diferente do copo, Anderson estava bem mais para "morto" do que para "vivo". Não era questão de ter uma visão pessimista. Era questão de que ele precisava se livrar daquela monstra que o sufocaria até a morte.

Agarrou o copo e o espatifou contra a lateral do rosto da criatura, que rolou para o chão com um som gutural. Anderson também foi ao chão, arquejando e sentindo um grande caco de vidro enterrado na palma de uma de suas mãos. Doía mais que arrancar a tampa do dedão do pé em um tropeção, mas ele não tinha tempo para pensar na dor. Sentiu nos joelhos outros inúmeros cacos de vidro espalhados pelo tapete... Não poderiam ser todos daquele minúsculo copo. Lançou um olhar para uma das janelas e viu que ela estava quebrada. Talvez a coisa tivesse entrado por ali, isso explicaria o barulho de vidraça explodindo que invadira o seu sonho lúcido.

Falando nisso, lá vinha a coisa, quicando em sua direção, com aquela risada amalucada. As mãos dela também não eram nada pequenas. Quatro dedos longos em cada uma delas, com unhas de dar inveja ao Zé do Caixão. Quando a criatura desproporcional saltou sobre Anderson, ele fintou para o lado e ela atingiu o encosto do sofá com tudo, fazendo-o virar por cima dela e providenciando alguns segundos para que o garoto pensasse em algo. Enquanto deveria estar procurando por algo que lhe servisse de arma, só conseguia desejar que Dead e sua família não acordassem... Não queria responder a perguntas para as quais não tinha a mínima ideia da resposta. Talvez, se Tina estivesse por ali, ela poderia lhe dizer que tipo de bicho era aquele.

Bicho. Seria um bicho-papão?

Aquelas respostas deveriam aguardar, pois o suposto bicho-papão estava mordendo a sua canela dolorosamente. Puxou a perna e tentou chutar aquela cara cinza, mas a coisa desviou com muita agilidade e ainda por cima tentou arranhar seu rosto. Se tivesse acertado, Anderson precisaria explicar aos pais como perdera um olho no acampamento para crianças. Mas o garoto se esquivou do ataque e cambaleou para trás, na direção da janela quebrada. Tropeçou em algo grande no caminho e caiu de costas ao lado do objeto que causou seu escorregão.

Um crânio humano. Amarelado, de olhar vazio e boca sorridente, como todos os crânios. *Aquilo* fazia parte da decoração da sala de Fernanda?

– Eu não tinha casa de amigo mais sinistra para me hospedar, não?

A coisa respondeu com a risada asmática e o sorriso de abóbora. Havia enroscado os pés e o pescoço na cortina com estampas de flores e a arrancado dos trilhos sobre a janela. Vinha lentamente na direção de Anderson com uma espécie de véu de noiva improvisado, derrubando porta-retratos e badulaques de cima dos móveis do seu Salim. Anderson se desesperava a cada ornamento que ia para o chão, rezando para que – além da vidraça da janela e o trilho da cortina – nada se quebrasse na bagunça.

Foi nessa hora que seu coração quase saiu pelo nariz. Mais três crânios entraram à força pelas outras janelas, causando uma chuva de cacos de vidro, estragos na decoração e fazendo com que o garoto descobrisse como aquele primeiro havia parado ali no chão da sala. A criatura cinzenta o tinha usado para invadir a casa. E isso só podia significar uma coisa...

Mais três criaturas cinzentas. Esgueiravam-se para dentro da sala e o cercavam com seu coro de risadas asmáticas.

Era uma tocaia. Anderson estava cercado por quatro "coisas" idênticas que ele não sabia o nome. Apenas uma delas estava enroscada em uma cortina. A primeira, que quase o sufocara durante o sono. Sem pestanejar e sentindo o velho ímpeto de coragem, avançou para ela e agarrou um bom tanto de cortina. Depois, girou-a sobre a cabeça como uma maça medieval, surpreendendo-se com a leveza da criatura. As outras três silvaram, ariscas. Ele jogou a sua noiva com véu de cortina bem sobre a criatura mais próxima, que foi atingida com ferocidade. A noiva ficou lá, imóvel sobre a outra, embrulhada e embolada naquela confusão de pano. Sem perder tempo, pegou um dos crânios estilhaçadores de vidraças e atirou contra outra que esperava bem no limiar da janela. Acertou bem no meio do rosto sem nariz, arremessando-a de volta para a rua com um ruído surdo.

A única que restava de pé saltou em um bote e Anderson não teve tempo nem reação. Ela agarrou seu pescoço e o derrubou, caindo com os pés sobre seu peito. Pulava e guinchava, pisoteando sua barriga e fazendo com que sua vítima expelisse todo o ar dos pulmões.

– Saaaaaai.... uff! Desgraaaça... uff!

Então, todas as luzes da sala se acenderam, e a temporada de pisotear Anderson Coelho teve fim. Um berro irado veio do alto das escadas.

– QUE PORCARIA ESTÁ ACONTECENDO AQUI?!

Seu Salim, segurando uma espingarda, apontava para o seu rosto. Nada bom. Sua esposa, assustada e com as mãos sobre o peito, vestia um robe lilás. E Fernanda, com cara de sono e algo mais. Parecia mais intrigada que assustada. Os três encaravam Anderson, que arfava, tossia e apontava para a cortina embolada a alguns passos, que ainda deveria guardar um dos bichos. Os outros tinham sumido na velocidade da luz, assim que as lâmpadas se acenderam.

– Não... *gasp!* Não fui eu... *cof, cof!* Eu só... vim pegar um copo de *cof, cof...*

– Respira, Anderson! – Dead desceu até onde ele estava e o ajudou a se levantar. – Calma. O que pegou aqui?

– Explique logo, moleque!

– Pai! Pare com isso! Você não viu umas... pessoas saindo pela janela assim que chegamos? Você realmente acha que o Anderson faria isso de bobeira?

Apoiando-se na amiga e respirando fundo, foi até a cortina embolada. Bom, seria melhor mostrar um dos monstros para seus anfitriões do que levar a culpa por estragar todo aquele cômodo. Talvez pudesse avisar Elis e ela apareceria na manhã seguinte para fazê-los esquecer da visão da coisa magra e cinzenta.

Chutou a cortina e logo estranhou. Não parecia haver nada ali. Puxou todo aquele pano e não havia nada. Nem sombra dos horrores arremessadores de crânios. Como eles tinham fugido tão rápido? Em um momento eles estavam lá, cercando-o e pisoteando-o... Então, quando a luz era acesa, todos se evadiam mais rápido que um esquadrão da SWAT?

"É, é bem isso", pensou. "Conforme-se, Anderson. Sua vida não é mais normal há alguns meses."

– Estavam... assaltando a casa – murmurou, pegando um dos crânios do chão e mostrando-o para seu Salim. Em seguida, deixou o fluxo de criatividade mais absurdo de todos escorrer do seu cérebro para sua boca. – Eram assaltantes góticos, profanadores de túmulos e de residências de família.

Precisou repetir a sua versão do assalto mais macabro e sinistro de todos os tempos para a polícia, que tomou nota de suas palavras e ficou com o número do seu documento de identidade. Precisou descrever os criminosos, e ao fazer isso foi o mais vago possível: usavam preto, eram baixinhos, não dava para enxergar o rosto deles. Não mostrou a mordida em sua canela. Para sua sorte, a polícia constatara que alguns túmulos tinham sido violados no Cemitério da Aclimação, ali perto. Anderson ficou mais sossegado depois de ouvir isso. E também um pouco mais assustado, em parte.

Quando acabou de prestar depoimento aos guardas – sempre acompanhado pela família de Fernanda – já eram quase oito horas da manhã e Chris havia lhe dito que o buscaria às dez. Logo, seria uma perda de tempo tentar dormir apenas duas horas. Enquanto dois senhores vidraceiros substituíam as janelas quebradas, Anderson resolveu tomar muito café para ficar bem acordado e estar disposto para a atividade conjunta com o pessoal da Organização.

Quando o Carro Verde estacionou em frente ao sobrado, Dead o acompanhou até a porta e disse que ficaria em casa o dia todo.

– Depois dessa noite, eu duvido que meus pais vão querer sair ou qualquer coisa assim... Do jeito que eu conheço o meu velho, ele vai dormir na sala com aquele trabuco enferrujado dele no colo.

Anderson riu, sem graça. A garota dizia aquilo com um ar esquisito, mas não do tipo que o incriminava. Parecia querer dizer que ela também vira algo estranho, mas que não estava muito certa do que havia visto.

Despediu-se da amiga e entrou na van lotada, sendo recebido com vivas pelas crianças e pela arara que voejava escandalosamente. Tina, sorrindo de orelha a orelha, ia lhe dar um beijo na bochecha, mas bem na hora Capivera se lançou sobre o peito do garoto e começou a lamber sua cara.

– Ai, ai, garota! Calma que eu estou um pouco machucado aí... He-he, bom ver seu focinho redondo, sua coisa fofa!

– Machucado? – perguntou Tina, alerta. – O que aconteceu?

– Eu estava doido para perguntar – disse ele, enquanto tomava amistosos tapas na cabeça de Haroldo, Beto e Laís. – O que é cinza, magro, cabeludo, ri como uma hiena e pisoteia o nosso...

– Pisadeira! – exclamou Tina estalando os dedos. – *Ecaaaaa*, você viu uma?

– Uma, não. Várias.

Anderson contou o que aconteceu, e Tina ouvia tudo com uma das mãos no queixo e jeito de especialista. Kuara pousou no ombro de Anderson e também escutou com atenção o relato. E em silêncio, o que era um milagre. E depois que Anderson acabou de falar, a garota confirmou que se tratava da criatura suspeita.

– Pisadeiras, hein? – Kuara estalou o bico, olhando de Anderson para Tina. – Não é esse o bicho que ataca quem se urina durante o sono?

– Eu não me urinei na cama! – indignou-se Anderson, falando alto demais, mas não o suficiente para ser ouvido na baderna interior da van.

– Não! – disse a garota, abanando o ar, parecendo não se importar caso seu amigo ainda precisasse de fraldas durante a noite. E isso era uma das coisas que Anderson achava demais em Tina. Nada era estranho demais para ela. – Quem ataca os mijões é o Mão de Cabelo. Um bicho bem estúpido, por sinal

– Hum. Eu sabia. – resmungou Anderson, lançando um olhar torto para Kuara. – Só quis deixar claro... que eu *nunca* fiz por merecer o ataque do *Mão Cabelosa*.

– *É Mão de Cabelo*! E, mesmo assim, Kuara não errou tanto...

– *A-ha*, eu sabia! – grasnou o pássaro, abrindo as asas e dando uma risada de triunfo – Mijão!

– E de pensar que eu estava com saudade desse animal. Posso colar o bico dele, Tina? – Anderson tentou segurar a arara, mas ela voou para o banco de trás com rapidez. – Continue. Lembrando que eu nunca fiz nada daquilo durante meu sono. Por que Kuara não errou tanto?

– Bom, pelo fato das pisadeiras e do Mão de Cabelo serem criaturas noturnas e que atacam durante o sono das vítimas. No caso das mostrengas que você enfrentou, elas gostam de viver em cemitérios, onde podem dormir em covas abertas e brincar de desenterrar ossos velhos.

– Jura? Tipo, desenterrar crânios também, certo? Que adorável! Bom, tinha um cemitério perto da casa onde eu estava, o da Aclimação. Devem ter vindo de lá.

– Provavelmente! Continuando: elas também conseguem se esgueirar com velocidade absurda e seus ossos se achatam com facilidade. Podem se espremer por vãos e buracos como se fossem ratazanas. Aí elas invadem o seu quarto de mansinho, sobem no seu peito e começam a pisoteá-lo e a esganá-lo...

– Também conheço essa parte.

– Antigamente, quando a população delas era maior e os cemitérios mais afastados dos centros urbanos habitados, elas atacavam com mais frequência e matavam muitas pessoas. Aí, familiares e médicos pensavam que a pessoa tinha "morrido dormindo".

– Sei. Que horrível! Bom, mas elas atacam qualquer um, sem nenhum motivo aparente?

Tina apertou os olhos, tentando se lembrar do que havia lido a respeito das pisadeiras.

– Que eu saiba, elas farejam pesadelos. Você estava tendo algum sonho ruim?

A pergunta pegou Anderson de surpresa. Não havia sido um pesadelo, de fato. Foi apenas um daqueles sonhos... estranhos. Ele estava consciente de que dormia, e conseguia se comunicar com o falecido Anselmo. Inclusive, ele o alertara de que precisaria acordar e lutar. Aquele tipo de viagem onírica que o muiraquitã lhe proporcionava, e...

O muiraquitã.

Anderson perguntou a si mesmo se o amuleto poderia ter atraído as pisadeiras. Supostamente, muiraquitãs deveriam protegê-lo, certo? Pensou em contar a Tina sobre seu canal de comunicação com Anselmo, para que tentassem traçar um paralelo com o aparentemente aleatório ataque noturno. Aquilo levantaria ainda muitas questões, e a curiosidade da garota seria muito maior que a capacidade de Anderson de sanar as suas dúvidas. Resolveu deixar para depois e prometeu que um dia deixaria Tina a par de tudo a respeito dos sonhos e de Anselmo. Afinal, ela era uma das grandes amigas do membro falecido da Organização.

– Sim, tive uns pesadelos – mentiu. – Sonhei que o HD do meu computador entrava em combustão espontânea. Escuta, e o resto do pessoal? A Elis, o Zé, o Reinaldo e o... Pedro.

– Ah, já estão todos no Ibira.

– Onde?

– No Parque do Ibirapuera! Eu falei dele na outra vez que você veio. O Chris fez uma viagem até lá mais cedo e já deixou um povo. Até a Gaia, o Sharp e mais um cara da Primavera Silenciosa estarão por lá. Só ficou o Patrão no Casarão, e todo mundo entrou no jogo de esconder que você está com a cabeça intacta. A maioria ficou bem feliz quando soube que sua memória voltou, sabia?

Anderson sorriu, por dentro e por fora. Era gostoso sentir-se querido, precisava confessar. Sabia que era querido no Battle of Asgorath, ali a amizade de Shadow também significava pontos de experiência compartilhados e proteção das boas. Ali fora, no mundo real, era diferente. Ele também sabia que a "minoria que não ficara bem feliz com o retorno da sua memória" se tratava de Pedro. Pensou no menino, se ele ainda continuaria irascível como antigamente, mesmo depois do sequestro e de ter sido culpado injustamente de trair a Organização, quando o verdadeiro culpado era Olavo.

Alguns minutos depois, já nas imediações do parque, Chris estacionava a van ao lado da estrutura do Auditório Ibirapuera, que Tina explicou ser uma casa de *shows* e espetáculos bem bacana. Sobre o gramado, conversando e tomando sol, correndo e pulando corda, rindo e plantando bananeira, estavam todos os coletes marrons restantes da Organização. E Anderson sentiu o nível de alegria subindo do estômago até sua boca, forçando-o a sorrir e extravasar todo aquele sentimento bom. Foi recebido com mais vivas e abraços dos outros, um solene e indiferente olhar de peixe morto vindo de Pedro e um abraço especial de Elis, acompanhado daquele aroma indefinível dos seus cabelos negros. Passado o torpor habitual que a presença da semissereia causava, Anderson não pôde deixar de reparar em uma coisa:

– Você ainda está grávida? – ele apontava para a sua barriga, apenas um pouco maior do que estava no começo do ano, durante a missão da Rio Dourado. E depois olhava perdidamente para Beto, que se aproximou sorrindo e abraçando a noiva pelos ombros. – Como assim? O bebê aí esqueceu de nascer?

– A gravidez de um filho de boto nunca é muito normal – disse ela, com aquele sorriso de fazer pedreiro cair do andaime. – Se a concepção já é totalmente diferente...

– Ok, ok – interrompeu Anderson, enfiando os dedos nos ouvidos. – Essa parte eu não preciso ouvir, já entendi.

– Não tem nada de mais, velho – disse Beto, enquanto a sua amada ria da cara de Anderson. – É um lance realmente diferente dos humanos, o dia que você quiser escutar eu conto, mas o período de gestação da Elis pode chegar a até vinte meses. Pessoalmente, já soube de casos de até seis meses...

– Mas o lado bom disso tudo – começou Elis, com ar sonhador e as mãos nos bolsos das calças – é que, enquanto eu estiver assim, o meu botinho lindo terá de satisfazer todos os meus desejos de comilança.

– Não sei se consigo sobreviver a praticamente dois anos de pedidos esdrúxulos, velho – desabafou o futuro pai, com um pânico quase autêntico no olhar cor-de-rosa. – Ontem ela me fez levantar às três da manhã porque estava com desejo de sorvete de amora com cobertura daqueles ursinhos de goma coloridos. Ela me pede umas coisas que fazem aquela nossa missão do Boitatá me dar saudade, de tão suave que foi.

Anderson gargalhou enquanto Elis cruzava os braços e fingia estar brava por ter sido comparada ao Boitatá. Beto pediu desculpas e beijou a moça, dizendo que fora realmente injusto.

– O Boitatá é bem mais fácil de lidar. AI, PARA DE ME SOCAR! Esse braço vira uma barbatana e eu preciso dele para nadar!

Anderson realmente gostava de ver os dois juntos. Ficou imaginando se o seu pai e a sua mãe tinham essas brincadeiras quando mais jovens. Quase suspirou de saudade de casa, quando lembrou que estava muito bravo com seu Álvaro e dona Regina. Então voltou a atenção para o seu casal preferido mais próximo.

– Mas e aí, e o bebê? Menino? Menina? Peixe?

– Ah, ainda não dá pra saber, uma pena... – respondeu Elis, parando de golpear o braço de Beto. – E botos são mamíferos, Sr. Coelho!

– Opa, mancada minha. Vou até me retirar depois dessa.

Deu uma volta para conversar com o restante do pessoal, e também para falar com Gaia e Sharp, que acabavam de chegar ao encontro, acompanhados de outro rapaz tão peculiarmente vestido quanto os dois.

– Anderson, deixe eu apresentá-lo ao Fratura – disse o líder da Primavera Silenciosa, após apertar a mão do garoto. – Fratura, este é o cara que permitiu nosso ataque ao sistema central da Rio Dourado. Pode chamá-lo de Shadow, se quiser. Eu tenho certeza de que Anderson gostará!

Fratura nada disse, apenas se adiantou até o garoto e apertou a sua mão efusivamente. Era sério, como Sharp, mas de uma gentileza gritante mesmo em sua mudez. Negro, alto como um jogador de basquete da NBA e muito magro. Também usava *dreadlocks* que começavam no topo da cabeça e caíam pelas costas. Usava alargadores de madeira nas orelhas e um *piercing* de argola no septo nasal. Roupas gastas e repletas de *patches* e nomes de bandas com logotipos irreconhecíveis. Resumindo, o tipo de pessoa que se passava por amigo de Sharp e Gaia sem sombra de dúvida.

– E vocês descobriram mais alguma coisa sobre os servidores do Battle? – perguntou Anderson, curioso com relação à ligação da Rio Dourado com a produtora do seu jogo preferido, a Hawkwind. Infelizmente, a resposta de Sharp não era completamente satisfatória.

– Estamos trabalhando duro para descobrir isso. Até agora, o que conseguimos foram rumores de que a empresa de Rios comprou mais de quarenta por cento das ações da Hawkwind, o que o tornaria um acionista majoritário. – Sharp cruzou os braços e fez cara feia. Falar sobre o dono da Rio Dourado sempre o deixava profundamente irritado, e isso fazia com que Anderson imaginasse se haveria mais alguma coisa que causasse aquele ódio, tirando todos os conhecidos conflitos ideológicos.

Gaia levantou boas questões acerca do assunto, e Fratura apenas balançava a cabeça, mirando o chão com os olhos desfocados, o que quase fez o garoto mineiro perguntar se ele era mudo. Antes que isso acontecesse, Zé chamou Anderson para um canto afastado dos outros.

– E então, teve algum sonho que possa nos ajudar? – perguntou com a voz fina de ansiedade, esfregando as mãozinhas.

– Ah, sim. – Anderson tirou a mochila das costas e pegou o seu bloco de anotações. Folheou-o até encontrar o desenho apressado que fizera após despertar do primeiro e sinistro encontro com Anselmo. Entregou o caderno para o meio-caipora. – Essa árvore aqui...

Zé olhou o desenho e torceu todos os músculos disponíveis em seu rosto.

– Tem certeza de que isso é uma árvore?

– O quê? Não, isso é uma pisadeira que eu rabisquei! É o desenho do outro lado, vira o caderno...

Zé abriu um sorriso e devolveu o caderno a Anderson.

– O que foi, esse desenho tá mais bonito?

– Não muito. Isto é uma araucária! Este foi o sinal do sonho?

– Sim, o próprio... – Ia dizer que o *próprio Anselmo* havia confirmado que aquela árvore estranha era um sinal, mas resolveu deixar o assunto para depois, mais uma vez. Ainda não estava preparado para falar das suas experiências com sonhos lúcidos. – Digo, sim... O próprio sinal!

– Isso só pode significar uma coisa: Campos do Jordão. Não será a primeira vez que a ilha atracará por lá!

Ilha. Anselmo havia dito algo a respeito de uma ilha chamada Anistia, mas a sentença "a ilha atracará por lá" não fazia o menor sentido.

– Explica, por favor?

– *Aaah*, Sr. Anderson... Creio que tenha chegado a hora de descobrir tudo a respeito da ilha de Anistia. Um pedaço de terra que não pertence a lugar algum, e que ao mesmo tempo é de todos nós!

Anderson suspirou profundamente e sentou-se na grama. Era hora de conferenciar com José da Silva Santos, e aquilo nunca levava pouco tempo. Também tinha a ligeira impressão de que estava prestes a se enfiar em outra enrascada das grandes.

– Lá vem.

< capítulo 6 >

O LUGAR QUE NÃO ERA LUGAR ALGUM

– Você aprendeu na escola o que são capitanias hereditárias? – perguntou o baixinho, e Anderson disse algo com um sussurro dolorido.

– Aulas da professora Mariley, me perseguindo em plena São Paulo...

– O que você disse?

– Nada, não. As capitanias hereditárias não eram aquelas faixas gigantescas de terra em que o Brasil era dividido? Que o rei de Portugal distribuiu aos nobres, ou coisa assim?

– Exatamente! – Zé parecia extremamente feliz com a resposta do garoto, como se ele tivesse acertado a pergunta que valia cem mil reais. – E isso pouco depois do descobrimento, lá pelo início do século XVI. As terras passariam de pai para filho. Os donos das capitanias foram então incumbidos de tornar prósperas suas terras, e de administrar seus territórios da maneira que melhor lhes aprouvesse...

"O problema é que essas imensas faixas de terra, que eram o nosso país ainda sem as delimitações atuais de territórios dos estados, não estavam vazias. Não eram terras abandonadas, inabitadas ou mesmo improdutivas. Eram a morada de índios. De gente que não tinha nada a ver com os problemas e decisões da Coroa portuguesa, e que seria expurgada de seus lares para que trabalhassem como escravos para os usurpadores recém-chegados. E se eles não quisessem servir aos europeus, eles teriam apenas uma única opção: morrer."

"E então, lá para cima do país que ainda não se chamava Brasil, mais precisamente na faixa territorial conhecida como Capitania de Itamaracá, na região que hoje é o estado da Paraíba, havia uma aldeia de índios. Não de uma das tribos tradicionais, das mais conhecidas. Era uma aldeia formada pelo resto de várias outras tribos que se despedaçavam rapidamente desde a chegada dos portugueses. Tabajaras, icamiabas, tupinambás e pipipãs. Índios destituídos de seus lares, caciques que perdiam suas lideranças para o fogo primitivo das armas europeias. Era uma comunidade de perdedores, desabrigados. De fracassados perante o poder. Um ajuntamento das vítimas do progresso. E eles não tinham um nome. Apenas ficavam ali, naquele grande matagal à beira-rio, tentando sobreviver com o que havia sobrado de dignidade e com o que a natureza continuava lhes oferecendo, mesmo após a derrota. Mesmo após o extermínio aos seus costumes e cultura."

"E não eram só índios que viviam naquele lugar. Você pode imaginar que àquela época a quantidade de criaturas folclóricas era bem mais acentuada. A região era repleta da mais diversificada fauna fantástica, que vivia em plena comunhão com os humanos, que a respeitavam e completavam aquele saudável ciclo de convivência. Você poderia andar pela mata e encontrar dezenas de Mães D'Ouro chamuscando, passear sob a copa das imensas árvores e ver as numerosas famílias de mapinguaris se pendurando preguiçosamente... Ah, sim! Espero que você tenha estudado o que são os mapinguaris, Anderson. Existem vários deles por lá, e eles exigem cuidado especial!"

– Claro que eu estudei os mapinguaris, ora – disse Anderson, não fazendo sequer a mínima ideia do formato de um mapinguari. A única coisa que lhe vinha à cabeça era uma fruta. Mapinguari seria um bom nome para uma fruta do tamanho de uma manga. – Pode continuar a história, Zé, porque eu manjo tudo sobre mapinguaris.

– Pois bem! E naquele lugar, caso você corresse para onde a mata era mais fechada e as árvores quase se entrelaçavam, podia encontrar uma verdadeira aldeia de caiporas e flores-do-mato, que são as mulheres caiporas. Eram os meus antepassados, quando ainda não tinham se tornado uma espécie de andarilhos solitários, defensores da fauna e da flora! Viviam todos juntos, próximos à encosta de um grande rochedo e de um riacho que desaguava no grande Rio Paraíba, e nem os índios chegavam até ali, pois os humanos estranhamente caíam adoecidos se ficassem muito tempo na área dos anões do mato, sem que ninguém soubesse o motivo. E os caiporas também eram uma espécie de zeladores daquela reserva. Nada era caçado sem a permissão deles, nenhuma árvore era cortada sem necessidade.

"Até os primeiros homens de calças aparecerem. Chegaram em um grupo pequeno, com apenas um intérprete indígena, carregando bandeiras brancas hasteadas e muitos mostrando as palmas das mãos para cima. Queriam dizer que estavam em paz, claro, mas a mensagem que traziam de forma alguma era amistosa. Através de uma carta, com um selo real – que nada significava àquela gente – timbrado ao seu final, eles diziam que os senhores daquela terra, através da palavra do rei, requisitavam toda a região para seus interesses. E que por extrema misericórdia e benevolência não exigiam a retirada de seus lares dali. O preço a pagar seria apenas lealdade à Coroa, disposição para trabalharem em seus garimpos – ou seja, que se tornassem escravos simplesmente porque homens estrangeiros pediam que se ajoelhassem –, e um último detalhe: que se convertessem à sua religião."

– Algo me diz que eles não receberam bem a proposta maravilhosa – disse Anderson, que se deixara levar pela narrativa de Zé a ponto de imaginar-se na pele vermelha dos índios. Não gostaria que qualquer um chegasse à sua porta, em Rastelinho, e lhe impusesse o que deveria ser feito. Que deveria deixar seu computador à disposição do forasteiro. Que a partir dali teria de considerá-lo seu chefe absoluto e que toda a sua opinião sobre Deus e o mundo deveria coincidir com a do invasor. Ninguém com boas intenções chega a algum lugar cortando raízes de árvores que ainda dão frutos.

E, após este pensamento, lembrou-se de Wagner Rios e seus tentáculos em Rastelinho

– Certamente, a receptividade da ideia foi negativa. – Zé não estava mais tão esfuziante nessa parte da história. Parecia estar descendo a marcha, como se estivesse se preparando para contar coisas tristes. – Os índios, cansados de ser jogados para lá e para cá como estorvo, decidiram que não sairiam da região. Argumentaram que era um lugar pequeno, que não faria falta aos novos senhores das terras ao redor, e pediram que fossem deixados em paz com o que lhes restava de dignidade.

"Com essa mensagem, os homens foram embora. E com outra mensagem eles voltaram, semanas mais tarde: que se não jurassem lealdade aos novos senhores, seriam exterminados... E, meu caro Anderson, acho que todo caipora que se preste sabe as palavras que um dos caciques dirigiu ao intérprete indígena, mas olhando bem no fundo dos olhos do homem branco ao lado dele, o homem que lhes pedia o absurdo. *Nós não estamos sós nesse lugar,* disse ele. *Nós dividimos o que a terra nos oferece com as coisas selvagens que aqui vivem. Elas não serão domesticadas, tampouco atenderão aos pedidos do Rei, do coronel ou de seja lá quem for que carregue uma arma tão afiada quanto as palavras dolorosas que você traz. Elas, as coisas selvagens, vão lutar por essa terra, e não ouvirão as propostas de escravidão voluntária que nós fomos obrigados a escutar.* Então, assim que o intérprete traduziu aquelas palavras para o português, o cacique acrescentou: *E como vocês mesmos dizem, nós somos selvagens. Que recebam nossa resposta conforme o esperado por vocês.*"

Zé tinha os olhos marejados, e era impossível para o garoto encará-los. Tinha conhecimento apenas de duas versões daquele meio-caipora: ele alegre, branquelo e falante, com voz de gralha, ou ele sisudo, negro e calado, cheio de aguardente de açaí, em seu estado selvagem. Vê-lo triste era algo que nunca imaginara, e aquilo doía, de alguma forma. Como em nossa primeira infância, quando descobrimos que nossos animais de estimação não viverão tanto quanto nós.

– Existiam caiporas escondidos por toda a mata ao redor, Anderson. E eles testemunharam o primeiro movimento dos índios. Uma lança tupinambá voou no peito do homem que ditava suas vontades ao intérprete, e em seguida aconteceu a matança. Os brancos sacaram suas armas, mas os índios foram mais rápidos e avançaram. Ajudados pelos da minha espécie, que deixaram o esconderijo do mato rasteiro, os invasores não tiveram sequer a chance de revidar.

"O intérprete indígena, coberto de sangue que não era seu, foi deixado vivo. Trêmulo, ouviu as últimas instruções do cacique. *Apesar de estar conspirando contra os de seu próprio berço, você viverá para contar aos homens do além-mar o que viu. E lhes dirá que neste lugar só existem selvagens.* O intérprete baixou os olhos, e assentiu. Antes, teve de ouvir uma última frase do cacique: *Não sei se tenho pena ou nojo de ver um igual trabalhando para os invasores.* E, então, todos lhe deram as costas, deixando-o voltar a sós com aquelas palavras em seus ouvidos e muito mais em seu coração.

– Então, a coisa não foi tão ruim assim – disse Anderson, aliviado. Uma bola rolou até perto de onde ele estava, e ele a devolveu para Haroldo sem nem olhar direito, de tão imerso que estava na narrativa. – E onde nisso tudo entra a tal ilha de Anistia?

Zé apenas mostrou-lhe uma das mãos espalmada que dizia: "Espere para ver".

– Os brancos se reorganizaram. Desta vez chegaram às centenas, armados até os dentes. Vieram em embarcações pelo rio e também pela mata, tentando encurralar a resistência que havia se formado. Alguns carregando tochas pretendiam pôr fogo na mata. Queriam o pedaço de terra a qualquer custo, mesmo que o custo fosse sua riqueza.

"Mais uma vez, o intérprete indígena voltou. Agora do lado do coronel que liderava a investida. E assim que a primeira flecha foi disparada de dentro da mata e mais nenhum diálogo precisaria ser entendido, ele correu para as árvores, chorando de vergonha e pesar, e nunca mais foi visto. Dizem que talvez ele tenha sido vítima de um dos incêndios causados pelos invasores.

"Ao invés de baterem de frente com a organizada tropa que lutava aos moldes europeus, os índios recuaram. Para dentro da mata, para o território que conheciam. E ali começou a derrocada dos invasores. A própria natureza se encarregava de eliminar boa parte deles. Mapinguaris arrancavam cabeças com os dentes, mãos-peladas devoravam arcabuzeiros e espantavam os cães de caça dos homens brancos, enquanto Mães D'Ouro apagavam e absorviam as chamas dos focos de incêndio criminoso.

"E pense na perplexidade das unidades montadas, que aguardavam nos limites da selva sem poder avançar na mata fechada, ao verem ondas de anões negros disparando flechas envenenadas com as zarabatanas, montados em gigantescos porcos-do-mato. Um enxame de caiporas raivosos e organizados foi a última coisa letal vista por muitos dos invasores.

"Mas o lado que defendia sofreu baixas. Muitas delas. Inclusive o cacique que tomara a frente na batalha, trespassado por um facão de um fazendeiro, que mal pôde comemorar o feito. Teve a cabeça prontamente esmagada por uma borduna indígena.

"A população do local diminuiu drasticamente. Tanto a fauna fantástica como os índios. Crianças, mulheres e velhos. Muitos deles foram mortos com armas em mãos, pois a guerra não distingue idade nem sexo. E após aquele derramamento de sangue que durara todo um dia, os pássaros contavam aos que tinham capacidade de ouvir que mais uma comitiva de homens brancos chegava para reforçar a batalha pela manhã.

"Nesse momento alguém, provavelmente um dos caiporas, foi até o lugar onde os homens adoeciam e adentrou o riacho ao lado do rochedo. Lá, aquele ser da terra implorou para que a Senhora das Águas e mãe de nossa amiga Elis, Iara, ouvisse seu pedido desesperado. Ele pedia que algo fosse feito por ela, para impedir o avanço dos invasores que chegariam junto com o nascer do sol. Mesmo sem provas de que estava sendo ouvido, argumentou que naquela aldeia de refugiados havia muitas icamiabas, índias feiticeiras que também eram como filhas para a Senhora das Águas. E gritou, dizendo que muitas delas tinham agora seu sangue derramado por aquelas terras.

"A Mãe D'Água o escutou. Iara apareceu no riacho, emergindo das águas límpidas, e perguntou se aquele ser da terra gostaria de um acordo. Mesmo sem saber qual acordo seria, ele se ajoelhou e disse que sim, tudo por aquela gente, seres e plantas. A sentença dela também ficou conhecida entre os caiporas, que foram parte importante nessa negociação inédita até então. *Toda essa gente perdeu suas raízes e agora podem perder a vida, muito antes de poderem criar novas raízes neste lugar. Vocês agora flutuarão através dos meus domínios, a água doce, e nunca terão uma raiz. O que não significa que não terão uma casa. Vocês serão como sementes transportadas pelo vento, indo para onde precisarem que vocês floresçam, acolhendo os desenraizados. Que, como uma vitória-régia, vocês viajem através do meu reino, seja ele o grande Amazonas ou um fino córrego. E que o senso do coletivo os guie para onde forem necessários. Que esta terra se torne uma ilha que flutua e que acolhe. E que seja uma prova da amizade entre a Terra e a Água.*"

– Dizem que houve um tremor sentido a muitos quilômetros de distância – falou Zé, ficando quieto em seguida. E somente nessa pausa Anderson percebeu que tinha se esquecido de respirar nos últimos minutos. Seu muiraquitã ficara quente, como se também estivesse atento à narrativa do meio-caipora, que retomou a palavra. – Uma placa de terra mais ou menos do tamanho deste parque se desprendeu do continente, se *desenraizou*. Era uma nova ilha, formada por magia da água em conjunto com a súplica da terra. Dizem que enquanto o processo se dava, os reforços dos homens da capitania chegavam ao limiar da selva, gritando que poderiam esquecer toda a matança proporcionada pelos índios se eles jurassem lealdade e aderissem à conversão. Poderiam conceder a anistia a todos, o perdão diplomático e político pelos "crimes" que haviam cometido. Como se os criminosos fossem os que se recusavam a deixar aquelas terras... A resposta não veio da boca dos índios, e sim do chão que rachou aos pés dos invasores. A resposta foi a terra se afastando para o meio do rio, para longe dos perplexos homens que testemunhavam aquele fenômeno. E foi ali que o nome da ilha flutuante foi decidido. Anistia. Eles não precisavam do perdão dos brancos para viver. Eles é que viveriam tentando perdoá-los por suas perdas e tanto sangue derramado. Viveriam para conceder a anistia a quem não lhes ofereceu escolha.

– Uau – foi o que Anderson conseguiu dizer, após toda a sua comoção. – Quer dizer que é para esse lugar que vamos... Anistia. E como a ilha irá até Campos do Jordão, digo... Existe um rio tão grande por lá que passe um punhado de terra do tamanho do Ibirapuera?

– Como eu disse nas palavras de Iara, ela autoriza que a ilha passe em qualquer fluxo de água doce, seja qual for o seu tamanho. A ilha se compacta e se descompacta, se espreme entre desfiladeiros e o que for preciso, e depois se redimensiona, sem que quem esteja nela perceba as mudanças. É magia avançada da água, claro. E como qualquer coisa na magia, difícil de explicar, mais difícil de entender.

– Sei. – Anderson balançava a cabeça, de fato sem entender muito bem. Ele já estava pensando em outra dúvida. – E como eu pude sonhar com a localização da ilha? Tipo, quem a controla?

– Você sonhou com a ilha por causa do muiraquitã, como você bem sabe. Os amuletos foram feitos da lama no fundo do rio em que Iara se encontrou com o caipora que a invocou.

– *Os* amuletos? Plural, mesmo?

– Sim. Após pronunciar a sentença que desprendeu Anistia da terra, ela sumiu por breves instantes da superfície e mergulhou no rio. Voltou depois de alguns segundos com uma das mãos cheia de lama verde-azulada, e a depositou nas mãos do caipora da súplica. Quando ele olhou o que havia recebido, notou quatro muiraquitãs na forma de animais. – Zé pigarreou, tentando se lembrar de algo. – Ela disse algo como "A ilha irá de acordo com a sua vontade, morador da mata. Use esses quatro muiraquitãs com sabedoria, que eles o obedecerão e protegerão". Bom, aí aqueles amuletos repletos de magia transformaram o caipora no Grande Caipora. E ele se mesclou à ilha, em uma espécie de simbiose.

– Como o uniforme negro do Homem-Aranha, que tem vida própria e se tornou um só com o Venom?

– Não faço a mínima ideia! – respondeu Zé, com uma súbita volta de toda a sua alegre sinceridade e ignorância acerca do mundo *nerd* de Anderson. – Por um bom período, o Grande Caipora usou os amuletos para controlar a navegação da ilha. Resgatava aldeias, animais em extinção, mais tarde sobreviventes de massacres em quilombos... Anistia se tornou uma reserva para tudo o que havia de raro em terra. Mas foi chegando o tempo em que não havia mais índios a ser resgatados, pois praticamente não havia mais índios no Brasil inteiro. Também não havia mais escravidão, apesar da opressão continuar por aqui... Os caiporas que viviam em Anistia se espalharam pelas matas densas que sobraram no país, pois jamais gostaram muito da ideia de viver cercados de água. E acho que o Grande Caipora passou a ficar um pouco... solitário. Excêntrico, talvez. Então, em algum momento ele percebeu que não precisaria mais dos muiraquitãs para mover a ilha, pois ele estava impregnado da magia e Anistia já obedecia à sua vontade. A respeito dessa parte, não faço a mínima ideia de como ele se desfez dos amuletos, para quem os entregou. Só sei que, nos últimos trinta e tantos anos, nós nos reunimos em Anistia para o fórum, e os amuletos sempre são o prêmio para os melhores colocados nas gincanas, que foram ideia do Patrão, da Iara e de mais alguns fundadores de grupos parecidos com a Organização. Como o meu primo Inácio, lá do Rio de Janeiro!

Anderson não imaginava que Zé tinha um primo, e decidiu que outra hora descobriria se ele também era um meio-caipora que mudava de cor como aqueles anéis emocionais que as meninas adoravam na sua escola. E aquela longa história explicava também a origem do seu muiraquitã de tartaruga, que no momento se encontrava morno sob sua camiseta.

– E quando vão para Anistia, vocês conseguem falar com o Grande Caipora? Ele deve estar velho pra caramba, né? Um *highlander* anão que viaja em uma ilha flutuante...

Zé gargalhou, ajudando Anderson a se levantar. Muito provavelmente também não fazia a mínima noção do que seria um *highlander.*

– Não. Ninguém nunca mais o viu... Ele se tornou um recluso, meio que um ermitão. Mas se Anistia está por aí, em lugar algum, ele também deve estar por lá.

Anderson caminhou silenciosamente ao lado de Zé, até um bebedouro. Seu muiraquitã vibrava, como se soubesse que os dois estivessem falando dele até há poucos segundos. Ou ele estaria mais uma vez querendo alertá-lo sobre um perigo?

Cada vez mais Anderson tinha a sensação de que a visita a Anistia seria muito mais que uma viagem.

– Muito bem, todos vocês! – gritou Beto, enfiando os dedos na boca e fazendo um assovio de estourar os tímpanos. Sob o sol escaldante e sobre a grama fofa, reunia-se toda a tripulação da Organização, que agora fazia silêncio. Até o prédio do Auditório Ibirapuera parecia querer escutá-lo. – Estamos chegando perto de mais um fórum na ilha de Anistia. E sei que, daqui, poucos já estavam na Organização na última vez. Se bem me lembro, a equipe era Chris, Elis, Zé, a Cássia, que se mudou, o Anselmo, eu e o... Bem, vocês sabem.

Anderson entendeu que o sétimo e último nome omitido havia sido o de Olavo. Pelo visto, Beto não se recuperara do susto de ver a noiva e futura mãe de seus filhos sendo feita refém pelo arqueiro traidor. Na verdade, ninguém mais gostava de tocar no assunto "Olavo". O garoto, que estava com uma dúvida imediata, aproveitou que Beto explicava um pouco sobre Anistia às outras crianças para cochichar uma pergunta no ouvido de Tina.

– Quem é Cássia?

– Ah, ela era da Organização também! – respondeu, também aos sussurros. – No último fórum em Anistia, ela se engraçou com um rapaz do Rio de Janeiro, o Otto, e acabou se mudando para lá. Eles devem ter se casado! E talvez você a conheça na ilha. A equipe deles não pode desperdiçar o talento dela com a corrida... Ela tem uns pernões, sabe?

Anderson não pôde deixar de se lembrar do seu apelido em Rastelinho, Pernalonga. Isso era por causa do sobrenome Coelho, e não por causa dos seus cambitos nada atléticos.

– Sei. E são sete pessoas que podem viajar até lá, né?

– Sim, sete!

– E então – a voz de Beto se elevou e ele fez um gesto divertido para que ele e Tina prestassem atenção –, neste ano, teremos a liderança do nosso amigão Anderson, que mandou bem na última missão da Organização, e vai escalar os sete membros que visitarão Anistia para o fórum. Alguma pergunta?

– Vamos logo para as atividades, Rosinha! – gritou Chris, e Beto atirou um de seus tênis em sua direção.

As crianças e adolescentes da Organização se juntaram aos três membros da Primavera Silenciosa, e se divertiram em atividades que Anderson conhecia bem, como o velho cabo de guerra e o jogo de queimada. O garoto participou um pouco de todas, mas na maior parte do tempo ele ficou do lado de fora, observando o pessoal e fazendo anotações em seu caderninho. Beto não desgrudava do seu lado, e ficava apontando quem fazia algo interessante, chamando a atenção de Anderson para as qualidades do pessoal.

– Está vendo a Elis? Mesmo gestante consegue se esquivar esplendorosamente... VAI, AMOR! É ISSO AÍ, NINGUÉM ACERTA VOCÊ!

Acho que você está deixando o coração falar mais alto – disse Anderson, tentando fazer o ouvido voltar ao normal depois do grito de Beto. – Não existe o risco da bolsa dela estourar bem lá na ilha?

– Acho difícil. Mas confesso que lá seria uma ótima maternidade para o bebê! Muita gente para cuidar dela, inclusive as suas parentes de lá do norte, que estarão no fórum.

– Bom, então eu já poderia escalar você e a Elis, certo? Seria uma boa. Você é esguio, já te vi em ação. A Elis está ótima nesse jogo de queimada, e vocês dois devem nadar muito bem, se houver alguma competição aquática – e acrescentou em voz mais baixa –, se bem que nunca te vi transformado no peixe cor-de-rosa...

– Boto não é peixe, inferno. Mas não creio que eu possa ir, Anderson. O Patrão tem uma missão para mim enquanto vocês estiverem fora. E eu volto rápido para cuidar do Casarão junto com o velho!

O menino mordeu o lápis. Já contava com o conhecimento e a experiência do Boto, mas teria de improvisar. Anotou o nome de Elis no topo da folha, e em seguida escreveu outro nome logo abaixo. *Chris.*

– Boa escolha. Ele é ágil, dá uma olhada naquilo...

Gaia, que também participava do rápido jogo de queimada, tentava acertar Chris com a bola, mas ele se desviava com facilidade e tempo para fazer firulas. Sua agilidade de lobo, aguçadíssima mesmo em sua forma humana. Sharp e Fratura, até então sérios e sisudos, davam muita risada ao ver as vãs tentativas da amiga.

– Verdade, ele tem de ir mesmo. E ele poderia se transformar em lobo, em alguma competição ou gincana? Ou existem regras que não deixariam?

– Na verdade, não pode. Nem todos os competidores possuem habilidades especiais. O passeio fará bem a ele, de qualquer forma. Não é sempre que o Chris pode ir para o meio do mato e fazer a sua Transformação Insana.

– Transformação Insana? Mas que...

– Olha ali, o Zé entrou no jogo! Pretende levá-lo?

– Hã... sim, claro. Principalmente se ele puder beber a cachaça tônica dele – observou Anderson, anotando o nome de Zé abaixo do nome de Chris, mas sem se esquecer de rabiscar algo na margem da folha, em letras miúdas, para consulta posterior: *Transformação Insana?*

O jogo de queimada acabou, e todos começaram a fazer o que bem entendiam. Subir em árvores, correr, brincar de pega-pega. Anderson observava enquanto Haroldo apostava com outros garotos menores e Tina, para ver quem subia mais rápido em uma árvore grande e antiga. E ele subiu muito mais rápido que todos, fazendo com que o garoto começasse a escrever seu nome na folha. No entanto, na hora de saltar da árvore, ele pisou de mau jeito e torceu o pé, indo ao chão e fazendo uma careta de dor. Anderson e Beto se adiantaram para ajudá-lo, e Sharp se ofereceu para levá-lo até a enfermaria.

– Pode ser uma lesão séria. Vamos lá, apoie-se em mim.

Haroldo foi junto com o *hacker*, também acompanhado pelo silencioso Fratura. Assim, os únicos três homens de *dreads* presentes se afastaram, e ocorreu a Anderson se ele não poderia chamar o pessoal da

Primavera Silenciosa para a equipe. Então imaginou que ele não poderia afastá-los das buscas pela verdade sobre os provedores do Battle of Asgorath. Eles eram a frente de batalha virtual na guerra contra Wagner Rios, e não poderiam ser privados de suas armas, os computadores e o acesso à internet.

– Daqui a quantos dias embarcamos para a ilha, Zé? – perguntou, aproximando-se do anão.

– Depois de amanhã! – respondeu o caipora, e Anderson riscou o nome de Haroldo, pois não parecia que ficaria bem em dois dias. Antes de Sharp levá-lo, conseguiu dar uma espiada no tornozelo dele, estava bem inchado.

Contando com ele próprio, havia mais três vagas. Pensou que no fórum anterior eles contavam com Anselmo, Olavo e Beto na equipe. Três caras grandes, fortes e que podiam fazer muita diferença na competição. Sem contar Cássia, a pernuda. Anderson olhou ao redor, e só viu crianças... Deveria escolher três delas, e torcer para encontrar boas habilidades naqueles corpos jovens. Seria uma derrota feia para a equipe, e uma derrota pessoal ainda maior se ele não conseguisse manter o muiraquitã de Anselmo na Organização, e tivesse de passá-lo para outro grupo...

– Na ilha tem competição de tiro ao alvo, sabia? – disse Chris, indo até o Carro Verde e pegando um punhado de arcos de treino. Elis e Beto começaram a montar os cavaletes com os alvos, e Anderson sentiu um friozinho gostoso na barriga: ali estava algo que podia fazer com que ele se sentisse merecedor por estar em sua própria lista.

Começaram a fazer fila para pegar suas armas, e Anderson também se posicionou para receber um arco. Mas o que recebeu foi uma das mãos de Zé em seu joelho. Claro, se Zé não fosse um anão, aquela mão teria parado no peito de Anderson, impedindo-o de pegar um arco.

Poxa, eu quero atirar também! Não vale me deixar só aqui na caneta...

– Mas você vai atirar também, meu velho – disse Chris, aproximando-se dos dois e retirando uma maleta esquisita de dentro da van. Parecia um desses *cases* para guardar e transportar instrumentos musicais. E um cavaco, pelo tamanho.

– Eu vou mandar uma do Exaltasamba enquanto o povo se diverte, é isso? Desculpe, só sei tocar instrumentos no Rock Band.

– Abra a maleta antes de resmungar – disse Chris, rindo. – Parece o Saci.

O garoto destravou as linguetas e abriu a maleta. Em um primeiro instante, não entendeu o que era aquele negócio. Parecia um... sabre de luz Jedi, preto e cinza, mas com umas pontas estranhas... Retirou-o do buraco que era da sua exata forma, e percebeu que o centro do treco era emborrachado.

– Mas o quê...?

– Aperte esse botão azul – sugeriu Chris, antes que ele completasse sua pergunta.

Anderson o fez, e um segundo e alguns cliques depois, estava segurando um reluzente e imponente arco.

– Caramba! – gritou, perplexo. E então se lembrou de algo parecido, nas mãos de uma certa pessoa. – Isso é...

– Sim, é o arco retrátil reserva que Olavo deixou para trás antes de sumir – esclareceu Zé. – Entramos em um consenso, e não enxergamos melhor dono para ele que você. Fica de presente de Natal adiantado, ok?

Anderson sorriu, sem palavras para agradecer aos amigos. A arma era um pouco menor que os arcos de treino, mas parecia ser até mais proporcional ao seu tamanho e medidas.

Observou a própria sombra alongada no chão, segurando o arco. Enxergou orelhas pontudas nela.

Anderson atirou o suficiente para deixar os ombros doídos e os antebraços exaustos. O seu novo arco era preciso e confortável, mas ele ainda precisaria de tempo para se acostumar ao seu peso, que era leve demais. Voltou à sua tarefa de escolher os três últimos membros da comitiva que iria até Anistia, e aquilo não seria fácil. Muitas crianças não faziam questão de ir, ou não pareciam muito seguras de viajar até um lugar tão estranho e cheio de histórias tristes.

No final das contas, era como escalar uma seleção entre os melhores da sua guilda, baseando-se nas habilidades individuais de cada um. Shadow, Hellhammer, EvilDead (que era uma menina, oh céus, e ele jamais conseguiria imaginar um mago *homem* novamente) e BlackRider se completavam por suas habilidades individuais. Um era bom em magia, o outro no corpo a corpo, outro na agilidade e velocidade e outro na resistência. Na Organização talvez não existisse ninguém para suprir a necessidade do corpo a corpo. Todos eram magros, ninguém com músculos em excesso. A parte da resistência e velocidade ficava por conta de Chris, que já provara dominar os dois quesitos em diversas ocasiões. Na luta contra os capelobos, e na missão de resgate da Mãe D'Ouro.

Elis seria uma boa nadadora, e teoricamente seria o "mago" da equipe. Ele também sabia que o bebê do Boto, em sua barriga, ampliava suas capacidades mágicas. Zé era acrobático, cauteloso e ágil. O ladrão, o gatuno da equipe que poderia muito bem passar despercebido onde quisesse.

Anderson ainda não poderia se considerar o elfo do grupo, porque não estava à altura de um atirador impecável. No entanto, tinha o trunfo de saber montar uma boa estratégia, e aquilo podia ser decisivo em alguma gincana contra os outros grupos.

Mas nem tudo seria idêntico a um processo de seleção dentro do seu *game* favorito. Havia fatores reais, que pediam pessoas certas nas funções certas. Pensando no ambiente em que se daria a competição, precisava de alguém que soubesse quem eram as criaturas ainda desconhecidas que poderiam ser encontradas na mata de Anistia. Anderson/Shadow sabiam muito bem quais regiões de Asgorath escondiam grifos, basiliscos e mantícoras, e saberiam reconhecer qualquer uma das criaturas só de dar uma boa olhada. Agora, que bichos folclóricos Anistia esconderia?

Por esse motivo, acrescentou o nome de Valentina à lista. O sorriso que esboçou ao fazer isso veio de graça, e sem motivo algum.

Ainda faltavam dois para fechar o time. Pensou em Reinaldo, conhecedor de quadrinhos, mas ele não via como essa habilidade poderia ajudar lá na ilha. Laís era muito preocupada em se embelezar, apesar de mandar bem no arco e flecha. Quando Anderson perguntou se ela gostaria de ir para Anistia, ela torceu o nariz, dizendo que tomar banho com água gelada não era a praia dela. Algumas crianças novas na Organização tinham habilidades peculiares, e a maioria corria muito bem. Na verdade, toda criança adorava correr. Se precisavam ir ao banheiro, iam correndo. Se alguém as chamava, iam correndo. Havia um japonesinho em especial, Celso, que chamou a atenção de Anderson. Um pouco afastado dos demais do grupo, ele começou a conversar com um grupo de garotos que estava reunido em um círculo ali perto, fazendo manobras com pequenas bicicletas de BMX. Simpaticamente e na maior cara de pau, ele parecia perguntar se poderia tentar algum truque, e uma menina ofereceu sua bicicleta a Celso.

O menino era muito bom. Empinava a *bike* na roda da frente e rodava o guidom enquanto se equilibrava no pneu traseiro. Anderson sorriu, observando de longe, e pensou em depois ir conversar com o garoto e perguntar se ele manjava mais alguma coisa que talvez pudesse ser útil ao grupo. Foi nessa hora que notou alguém sob uma árvore próxima ao grupo, sentado em uma raiz saliente e parecendo esculpir alguma coisa em um pedaço de madeira, usando um canivete. Pedro. Olhava para o pessoal que fazia manobras, com uma rara expressão que não era de desagrado ou raiva. Parecia querer tomar coragem de ir até lá, de também participar da alegre roda de BMX. Anderson perguntava-se em que o pequeno porco-espinho pensava naquele momento. Pedro percebeu que era observado pelo seu desafeto, fechou a cara e franziu as sobrancelhas grossas. Lá estava de volta a expressão de desagrado e raiva, e ainda com um bônus: uma boca torta de nojo.

Anderson ia dar as costas à cena, e se voltar para observar o restante do grupo, quando percebeu que alguma coisa acontecia entre os garotos com bicicletas. Um rapaz alto implicava com Celso, que já tinha parado de fazer manobras e se destacava dos outros por causa do colete marrom. Ele parecia assustado, e era acuado pelo altão, que estava visivelmente nervoso, empunhando um skate como se fosse uma espada bimanual. Anderson foi correndo na direção do pessoal que semicirculava o princípio de briga.

– Ei! Você, deixa ele em paz!

Mas ninguém o escutava. Enquanto se aproximava, Anderson viu que o cara grande enfiava o dedo no peito de Celso e em seguida apontava para a garota que havia lhe emprestado a bicicleta. Talvez fosse sua namorada, e tinha colocado na cabeça que Celso estava dando em cima dela, ou algo do tipo.

– Deixa ele em paz, cara! – repetiu Anderson aos berros, correndo e sendo ignorado mais uma vez. Celso foi empurrado, e caiu sentado. O adversário ergueu o skate, pronto para golpeá-lo... e Anderson jamais chegaria a tempo de evitar aquilo...

Mas Pedro chegou. Ainda menor que Celso e, consequentemente, minúsculo perto do skatista, o tampinha chutou a parte de trás do joelho do covarde, fazendo-o ir ao chão. Pedro o segurou pela gola da regata, levantando seu tórax do chão, e vociferou algo com raiva, que fez o rapaz arregalar os olhos. Depois o soltou, deixando-o cair como um saco de laranjas, ajudou Celso a se levantar e se afastou do grupo, gritando algo para a namorada do skatista, que podia ser entendido claramente à distância.

– Você pode arranjar algo melhor que essa porcaria, sabia?

A garota assentiu, com os olhos arregalados. Todos os *bikers* também estavam com os mesmos olhos, na verdade. Até mesmo Anderson. A diferença é que ele mirava os seus olhos arregalados para a lista de selecionados, e escrevia ali o nome de Pedro. Não poderia pensar na inimizade dos dois, deveria pensar no bem do grupo. Em algum momento lá em Anistia, poderiam precisar de petulância misturada a um pouco de arrogância.

– E aí, posso me sentar? – Chris perguntou, acomodando-se ao lado de Anderson em um pilar. Estavam agora sob a Marquise do Ibirapuera, local em que muita gente andava de patins. Eram quase sete horas, muitos mosquitos começavam a se juntar sobre suas cabeças, e o céu ganhava uma tonalidade bonita de roxo, como se estivesse vestindo uma roupa de gala para a noite que se aproximava.

– Você já se sentou, folgado – brincou Anderson em resposta, tirando o caderno do chão e colocando-o sobre o colo. Chris notou a folha rabiscada com nomes.

– Já escolheu os sete, então?

– Acabei de fechar a lista. Acho que ficou boa. Quer ouvir?

– Claro! Manda bala.

Anderson pigarreou e começou a ler.

– A Elis, depois você...

– Opa, obrigado! – exclamou Chris, dando tapinhas nas costas do mineirinho. Aquilo só o fez se tornar ainda melhor aos olhos do garoto. Era óbvio que ele estaria na lista, e ele mesmo assim tinha dúvida de que Anderson o escolheria. Humildade sobrepondo a presunção. Ele sorriu e continuou a leitura dos nomes.

– ...o Zé, eu mesmo, a Tina, o Pedro...

Chris ergueu as sobrancelhas, impressionado. Talvez fosse a vez de ele admirar alguma atitude de Anderson.

– Você falou seis. Falta um!

Anderson, hesitante, apontou para um pedaço de grama, fora da marquise, onde a arara Kuara brincava com Valentina e Capivera.

– A Tina? Você acabou de falar o nome dela, velho.

– Não, tô falando do Kuara, mesmo.

Chris riu e bateu na própria testa.

– Então, eu vou ter de aguentar esse bicho doido na viagem?

– Se não houver problema em levar animais, sim.

– Acho que não haverá. Tem um grupo de Curitiba que é meio circense, e eles costumam levar um *poodle* preto inteligentíssimo para a ilha, como integrante. E olha que ele não fala. Boa escolha!

– Valeu... Bom, nós sabemos do que ele é capaz. É uma superarara.

– Sem dúvida. Bela lista, Anderson. Gostei mesmo!

Ficaram em silêncio por um tempo, observando o movimento ao redor. Alguns garotos e garotas aproveitavam o fim de dia para realizar uma Coleta, conversando alegremente com transeuntes do parque, regando algumas plantas ao redor da marquise e distribuindo sementes. As nuvens no céu se mexeram, e permitiram uma visão completa da lua iluminada pela metade.

– Quarto crescente – disse Chris. – Você sabe diferenciar quando a lua está crescendo ou minguando? Existe um truque para isso.

– Então explica, eu nunca entendo as fases da lua.

– É só você lembrar da frase "A lua é mentirosa".

– A lua é mentirosa – repetiu Anderson. – Mas como assim?

Chris se empertigou e formou a letra D com as duas mãos.

– Quando ela está assim, parecendo um D, ela não está diminuindo. A lua é mentirosa, ela está crescendo. Quarto crescente. – Depois, fez um C com uma única mão. – E quando ela está parecendo um C, na verdade ela está diminuindo. Minguando. Lua minguante. Sacou? Quando ela parece um D, na verdade ela está C. Quando ela parece um C, na verdade ela está D. Simples!

– Uau, que simples. É tipo aquele lance para decorar a ordem dos planetas... *Meu Velho Tio Mandou Júnior Saborear Umas Nove Pizzas...*

– *Umas Nozes*, agora. *Plutão* não é mais classificado como planeta[1].

Os dois caíram na risada, e em seguida Chris voltou a olhar para o quarto crescente, parecendo ser atraído fortemente por ele.

– Será lua cheia em alguns dias. Bem quando estivermos na ilha.

Anderson lembrou-se de Zé falando algo sobre a Transformação Insana de Chris. Decidiu dirigir o assunto nessa direção, de leve.

– E isso é bom? Para você, digo.

– Ah, sim – respondeu Chris, sem tirar os olhos do satélite. – Na lua cheia, não é como se eu transformasse em um daqueles lobos de cinema, que se torna obrigatoriamente uma besta e tal... Nessa época eu me sinto mais próximo do meu lado animal. E é como se eu *precisasse* me transformar, para não explodir. Eu posso aguentar bem, tenho bom controle... O fato de eu estar em um lugar com mata fechada é bom. Posso me entregar um pouco ao meu outro lado, experimentar os cheiros da selva, correr, arranjar briga com algum bicho maior, quem sabe... Só para me exercitar.

– Deve ser estranho – disse Anderson, também olhando para a lua. – Quando se está na forma de lobo.

– Para mim, estranho seria se eu não tivesse a minha forma de lobo. É natural... Mas já foi um problema.

– E a Transformação Insana? É um problema?

Chris desviou os olhos da lua e encarou o amigo.

– Pode ser. Assim como pode ser uma solução. Quando *estou lobo*, sou mais animal. E os animais são equilibrados com o meio ambiente,

---

[1] Nota do Autor: no ano da reimpressão deste livro, 2015, Plutão voltou a ser um planeta. Voltamos a qualquer momento com mais notícias sobre essa grande crise no Sistema Solar.

conseguem sentir a mudança nos ventos, ouvir o que a terra lhes diz... E quando estou na forma humana, bem... Humanos são suscetíveis à raiva. Ao descontrole, ao desequilíbrio, à violência. Mal podem entender o que a natureza lhes diz, e cada vez mais falam uma língua diferente da dela... Por outro lado, raciocinam com rapidez. A Transformação Insana é o meio-termo entre homem e animal.

– É então a forma de lobo com o raciocínio humano? Um *upgrade*?

– Não – Chris respondeu, sombrio. – Na verdade, é o contrário. É uma versão bípede do lobo, mais parecido com os lobisomens clássicos das histórias... e mais violenta que o normal. É o primitivismo do animal misturado à insanidade do homem. Claro, nós nos tornamos mais fortes nessa forma bípede. Só que nos descontrolamos, e muitas vezes é quase impossível voltar à forma humana...

Anderson percebeu claramente que Chris tinha medo de um dia se transformar em um lobo bípede descontrolado.

– Mas você pode se transformar a qualquer momento, por espontânea vontade, ou o quê?

– Na verdade, sempre que estou no meio de uma luta ou de um conflito, parece muito fácil ceder à Transformação Insana, mas eu sei que ceder sem ter a plena capacidade mental pode ser perigoso...

– Engraçado – murmurou Anderson. – Deveria ser o contrário. A forma animal deveria ser mais difícil de controlar que a forma que é meio-humana. Nela você é metade homem, e deveria ter o domínio do raciocínio, não?

Chris balançou a cabeça.

– O animal não é o lado monstro do lobisomem. Um humano pode ser mais cruel e monstruoso que qualquer criatura que já andou sobre a face da Terra. Não por causa do mito de que todo homem é mau, e aquele velho papo de Natureza Humana, isso é besteira. Eu estou falando de quando alguém é maligno simplesmente porque descobre que pode. Que dessa maneira pode ter o seu desejo realizado com mais rapidez. Você tem alguma dúvida disso?

Anderson lembrou-se de Wagner Rios. De Olavo Nakano. E depois se lembrou da sua prova de História e de Bloodred Fields 1945. Hitler, Mussolini, Franco... E dos senhores das Capitanias Hereditárias.

– Não. Dúvida nenhuma.

Pouco antes de irem embora do parque, Anderson leu em voz alta a lista de selecionados. Tapinhas nas costas foram distribuídos, selecionados receberam montinhos comemorativos, e até Pedro foi obrigado a dar um risinho de meia boca quando muitas mãos deram tapas em sua cabeça. A única arara do grupo tomou um banho de suco de laranja, e depois ficou reclamando que, com as penas úmidas, ficava difícil voar.

Anderson esperou pela segunda viagem de Chris para ser deixado na casa de Dead. Enquanto aguardava o Carro Verde retornar, ficou à beira do lago, observando as luzes de Natal nas árvores em toda a margem ao redor dele e conversando com Zé, Gaia, Fratura, Sharp, Elis, Boto e Haroldo, com o pé já envolto por uma botinha imobilizadora. A torção no pé tinha sido feia, mesmo.

– Anderson, antes que eu me esqueça... o muiraquitã! – disse Zé, com toda a sua educação costumeira. – Eu preciso levá-lo caso o Patrão pergunte se eu o peguei de volta de você em Rastelinho. Assim que chegarmos à ilha eu lhe devolvo!

– Sim, claro – respondeu o garoto, tirando-o do pescoço e reparando que Gaia não desgrudava os olhos da tartaruga, ao mesmo tempo que suspirava profundamente. – E quando viajamos para Campos do Jordão?

– Depois de amanhã, logo de manhã – respondeu Elis, recostada em seu noivo. – Passamos para buscar você no mesmo horário de hoje!

– Ok – respondeu Anderson, sentindo algo inexplicável no peito. Talvez fosse o calor da noite com a brisa fresca que soprava do lago. Talvez fosse a ausência repentina do muiraquitã. No fundo, ele sabia que tinha a ver com o fato de sentir-se parte de algo... novamente. Observou Beto e Elis juntos, grudados e felizes. Sharp e Gaia explicando muitas coisas sobre a Primavera Silenciosa para Haroldo, que havia ficado muito amigo dos dois e de Fratura. O cuidadoso Zé, sentado de pernas cruzadas e descalço, observando o grupo de crianças de colete marrom que também aguardava o retorno do Carro Verde. Eles brincavam a alguns metros dali.

Observando o quarto crescente em D nos céus, pensou que não havia nada mais importante que aquilo. O silencioso sentimento de amizade que reinava entre aquelas pessoas, e que as costurava umas às outras.

Anderson seria capaz de qualquer coisa para que aquilo jamais mudasse.

< capítulo 7 >

NEBLINA ADENTRO

Quem abriu a porta do sobrado foi a mãe de Fernanda. Ela ainda parecia tensa com os acontecimentos da manhã, com a suposta invasão dos meliantes góticos. Anderson sentia-se culpado por incriminar uma tribo inocente com sua mentira providencial, mas em hipótese alguma pensou em contar à família de Dead sobre as pisadeiras e sobre a existência de animais míticos.

– Suba – disse a mãe, com um sorriso cansado. Deveria estar catando caquinhos de vidro dos carpetes desde a manhã. – A Fernanda está trancafiada no quarto com aquele joguinho maluco.

Anderson bateu à porta da amiga, e ela gritou para que entrasse.

– Pensei que estivesse no Battle – disse Anderson, deixando-se cair no pufe ao lado da cama de Dead e jogando a mochila em um canto, junto com a maleta do seu novo arco.

– Estava, até agora há pouco... mas adivinha? Esmagossauro apareceu, ficou enchendo nosso saco. Como estávamos sem você, ficou difícil ganhar dele...

Uma onda de calor subiu ao rosto de Anderson. Talvez estivesse lisonjeado com a declaração de Dead, o calor também vinha da raiva em saber que Wilson "Caladão" Rios continuava por aí, à solta com o *char* de Anselmo.

E então teve uma ideia.

– Dead, eu vou viajar depois de amanhã, e vou deixar minhas coisas aqui. Só vou levar uma mochila. Enquanto eu estiver fora, na próxima semana, quero que você jogue com o meu avatar.

Fernanda olhou para Anderson como se ele tivesse tentáculos.

– Eu, jogar com o Shadow? Tá doidão?

– Talvez esteja, mas não dá pra deixar o Wilson...

– Quem?

– O Esmagossauro! Não dá pra deixar o Esmagossauro por aí, *upando* e ficando mais forte, enquanto nos distanciamos cada vez mais dele. Eu ainda sou o segundo do ranking, e talvez consigamos eliminar boa parte da distância entre nossos níveis...

Dead girou na sua cadeira de rodinhas, olhando para o teto.

– É, só o Shadow consegue fazer frente a ele... mas tudo tem a ver com o *seu* modo de jogar, Anderson. Não significa que eu vá conseguir me dar bem em uma luta contra o Esmagossauro, saca?

– Você é boa! É diferente do que jogar com um Mago, mas você vai se dar bem com ele, tenho certeza... E se quiser revezar com o Hell o controle do Shadow, fiquem à vontade. Confio em vocês dois como irmãos.

Fernanda sorriu de um jeito interessante, meio encabulado, fazendo Anderson sorrir por consequência. Era diferente do sorriso com pecinhas cor-de-rosa de Valentina, mas também era bonito e contagiante.

– Ok, líder da guilda – disse ela, batendo uma continência relaxada. – Vamos tentar alcançar o *level* do Esmagossauro enquanto você estiver fora. Agora, quer jogar um contra no Rock N' Roll Racing? Tô com o emulador de Super Nintendo aqui no PC.

Mesmo sem ter dormido direito na madrugada anterior por um breve problema com pisadeiras, era óbvio que Anderson aceitaria o desafio.

O dia anterior à viagem para Campos foi tranquilo, como um merecido dia de férias deveria ser. O pai de Fernanda saiu cedo para trabalhar, e só apareceu a noite na hora do jantar, parecendo bem irritado. Anderson imaginou se o seu mau humor estava ligado ainda ao quebra-quebra na sala da madrugada anterior, ou se o disfarce de Anderson de garoto não interessado em garotas estava sendo muito falho. Dead o tranquilizou, dizendo que não era nada de mais. Durante a tarde, Anderson e Fernanda foram a pé até um shopping não tão próximo, pegaram uma sessão de cinema para ver a animação mais comentada do momento e encheram a cara de pipoca e refrigerante. Foi um dia divertido, que culminou em mais partidas de *videogame* na volta, no fim de tarde. À noite, Anderson começou a arrumar sua mochila para Anistia, e separou algumas poucas mudas de roupa. Duas bermudas, uma calça e uma blusa. Três pares de meias, três camisetas e três cuecas. Chris avisara que havia como lavar as próprias roupas por lá, então não precisaria levar uma para cada dia da semana. Pegou os tênis mais confortáveis entre os dois que trouxera para São Paulo, e guardou o caderno de anotações na mochila. Ainda teve espaço de sobra para levar o arco retrátil, que ocupava o mesmo espaço de um pequeno guarda-chuva, e o seu estilingue. Ele poderia ser útil caso houvesse alguma guerra de sementes de mamona, ou algo assim. Também deixou no quarto de hóspedes todos os seus equipamentos eletrônicos, pois já tinha sido avisado de que nenhum celular funcionaria em Anistia. E fotografar também era terminantemente proibido.

E na manhã seguinte, com o Carro Verde à frente do sobradinho, Anderson despediu-se da sua nova melhor amiga e sua família, dizendo que iria para um acampamento para fãs de *Glee*, em Itu, e que voltaria em uma semana. Seu Salim não parecia mais tão nervoso com ele, e dona Marta até preparou um lanchinho com *homus* e coalhada seca, para que ele comesse durante a viagem. Quando Dead o abraçou em despedida provisória, sussurrou em seu ouvido:

– Você não me contou para onde está indo de verdade...

– Longa história, na volta eu conto – respondeu, no mesmo tom, pensando que em uma semana teria uma boa desculpa já inventada.

Supondo que voltasse em uma semana, claro.

Desta vez quem dirigia o Carro Verde era Beto, o Boto. Anderson estranhou, mas o noivo de Elis explicou que apenas os levaria até a rodoviária, e que a van ficaria com ele durante a viagem deles a Anistia. E, alguns minutos depois, seis humanos e uma arara embarcavam no ônibus para Campos do Jordão. E é claro que Kuara levantou suspeitas do motorista do ônibus, que recolhia as passagens.

– Mocinha, é proibido viajar com animais nos assentos.

– Ah, isso aqui? – perguntou Valentina, torcendo nervosamente uma das mechas dos cabelos. – Na verdade, não é um animal vivo... é uma arara empalhada.

– Mas ela mexeu o pescoço agora mesmo...

– Impressão sua – afirmou Tina, balançando a cabeça. – Eu sou uma taxidermista das boas, nunca empalharia um animal vivo.

– Posso dar uma olhada nela?

– Claro que não. É fruto do *meu* trabalho, e estou o levando a um cliente meu lá em Campos que adora, hã... bichos mortos. Por acaso você deixaria eu sentar no seu lugar e dirigir o ônibus até lá?

– Veja bem, não é a mesma coisa...

– É sim – interrompeu a garota, segurando Kuara contra o peito. Anderson achou que ela era bem rápida no improviso. Ela se daria bem em Asgorath, caso curtisse *games* como Dead. – Você não toca na minha arara morta, e eu não toco no seu ônibus. Combinado?

Mais por medo de que a garota fizesse um escândalo ou jogasse um animal morto em sua cara, o motorista deu-se por vencido. E a viagem teve início.

Foram quase três horas e meia de viagem, as estradas não estavam tão tranquilas. Anderson, sentado ao lado de Zé, olhava o mapa que o caipora havia levado, e fazia as contas dos quilômetros viajados. Notou que estava mais próximo de Rastelinho do que da capital, pois a cidade de Campos era próxima da divisa de São Paulo com o estado de Minas Gerais. Depois de mais de uma hora de estrada, Zé lembrou-se de devolver a Anderson o muiraquitã, que o devolveu prontamente ao seu lugar.

Após atravessarem a serra, depararam-se com um sol brilhante e um aconchegante clima montanhoso. E, assim que chegaram, Anderson reparou em dúzias da mesma bonita árvore que aparecera em seu sonho lúcido, e que fora o sinal responsável para que chegassem até ali – as araucárias. Elas estavam por toda parte, ilustrando placas de pousadas e em desenhos das calçadas.

Foram para o centro da cidade, o famoso Centrinho do Capivari, que parecia um pedacinho de Europa encravado entre as montanhas do interior paulista. Anderson adorava tudo aquilo, as casas com telhados pontudos, os monjolos e mobílias de madeira e, principalmente, as lojas de chocolate.

Enquanto ele, Tina e Elis se acabavam com uma montanha de trufas dentro de uma dessas lojas, Zé foi até uma praça próxima dali buscar outro grupo que também embarcaria em Anistia.

– Eles também possuem um dos muiraquitãs, esse grupo que está chegando? – Anderson perguntou para Elis, que já tinha acabado com suas trufas e agora começava a roubar as de Valentina.

– Não, eles não se classificaram entre os quatro no último fórum. Esse é o povo de lá de Mato Grosso, conhecidos como Sukatas. São praticamente piratas de ferro-velho, e sabem reaproveitar quase tudo de lixo metálico. Constroem maravilhas com o que as pessoas normais jogam fora, vocês precisam ver. Inclusive, foram eles que montaram o Carro Verde para a Organização.

Anderson se surpreendeu. Ficou imaginando a complexidade em criar um carro cem por cento elétrico e que era recarregável em uma tomada qualquer. Alguns minutos mais tarde, os sete membros dos Sukatas apareceram na frente da loja, todos trajando macacões cinzentos e com algumas manchas de graxa que não sairiam mais nem com sabão em pó misturado a ácido sulfúrico.

Eram bem simpáticos, principalmente a líder deles, uma mulher de não mais de quarenta anos, de cabelos crespos volumosos e olhos azuis tão claros que davam a impressão de ser brancos, dependendo do ângulo de que se olhava. Chamava-se Rute, e cumprimentou os velhos conhecidos e os desconhecidos da Organização com o mesmo entusiasmo. E também apresentou o restante da sua equipe.

Anderson fez pronta amizade com alguns deles. O primeiro era um garoto moreno de cadeira de rodas, com braços fortes e luvas pretas (de graxa). Seu apelido era Rod, e seu nome deveria ser Rodrigo, mas não houve tempo de perguntar. Ele se movia tão rápido sobre as duas rodas que Zé vivia se adiantando com medo de que ele caísse de cima da cadeira. Rute, a líder, riu da aflição do caipora e apontou para seu pupilo.

– Rod e a cadeira são praticamente um só, não se preocupe. É um modelo bem aerodinâmico, veja como as rodas são um pouco inclinadas... Ele mesmo o construiu com restos de motocicletas, uma torradeira e um assento confortável de um BMW. Ele também é um dos meus melhores montadores!

Também havia um baixinho, Miguel, provavelmente ainda mais novo que Pedro, que tinha feito doze anos há menos de um mês. Ele vestia uma camiseta com o símbolo do Lanterna Verde por baixo do macacão cinzento, e Anderson aproveitou para puxar papo com ele, perguntando sobre o que ele achava do filme do herói com Ryan Reynolds. Após perceberem que partilhavam o mesmo ódio, se tornaram amigos instantaneamente. Uma adolescente loira chamada Mara também entrou na conversa, dizendo que *Besouro Verde* era o melhor filme de heróis que ela já tinha visto, talvez por ter ouvido a conversa pela metade e não ter percebido que falavam de outro herói com nome parecido. Anderson e Miguel fizeram um minuto de silêncio e respeitaram a opinião de Mara. E até mudaram um pouco de ideia sobre o filme do Lanterna.

– Pensando bem, não é um filme tão ruim, vai...

Já escurecia em Campos, e a cidade ganhava luzes esplêndidas com os enfeites natalinos. Zé avisou todos que a ilha sempre chegava aos pontos de encontro depois das oito da noite, e que haveria tempo de todos realizarem uma confraternização pré-Anistia. Anderson não estava com fome, havia comido muito chocolate, e resolveu dar uma volta pelos arredores, acompanhado de Miguel, Valentina e Kuara. Não tinham se afastado muito quando viram, do outro lado da rua, uma enorme movimentação na entrada de um bar que deixava música ao vivo transbordar por suas janelas. Dezenas de pessoas se amontoavam para tirar foto com alguém, mas era impossível saber *quem* de tão longe.

– Quem será que tá ali? – perguntou Anderson aos amigos, e um garçom que também observava a movimentação respondeu ao garoto.

– É aquele famoso do programa de sobrevivência, Bruno Krauss! Ele está na cidade nos últimos dias, e sempre arrebanha um monte de gente atrás dele... Bem que ele podia vir nesse bar, de vez em quando!

Sem nada de útil para dizer ao homem, Anderson atravessou a rua para vê-lo mais de perto. E lá estava o astro de *Sem limites*, que ele jamais imaginaria encontrar por ali. Fãs – principalmente mulheres – faziam fila para tirar uma foto com Krauss, e ele sorria com simpatia incansável. E uma mandíbula incansável. Seus olhos azuis brilhavam com os *flashes* de tantas máquinas e aparelhos celulares voltados para seu rosto. Estava vestido com um blazer esportivo e camisa branca. Parecia mais moreno que na televisão, e nada mais normal para um homem que ganhava a vida sobrevivendo no deserto e na selva.

– Eu não gosto dele – disse Tina, fazendo uma careta. – Ele é meio teatral, e machuca animais naquela porcaria de *reality*. Bem desnecessário.

– Dizem que na verdade ele não os machuca – Miguel erguia os ombros, sem saber se acreditava naquilo que dizia. – E que quando ele come carne crua na selva, é porque ele já encontra os bichos mortos... *blergh*.

– Que nojo! – exclamou Anderson, e Kuara imitou o som de vômito.

– Vamos sair daqui antes que ele atire uma faca em mim. Ele deve adorar um filé de arara.

– Essa arara falou *mesmo*? – perguntou Miguel, olhando torto para o pássaro.

– É que você não a ouviu cantando *Faroeste caboclo*. Podemos ir? – respondeu Tina, arrastando os dois meninos pelos braços.

– Calma aí, vamos dar uma olhadinha um pouco mais de perto! – disse Miguel, esquecendo o assunto Kuara, embrenhando-se entre as pessoas e, a contragosto dos outros três, sendo seguido pelos amigos.

Havia seguranças que controlavam a multidão na entrada do bar. Não dava para saber se eram funcionários do estabelecimento ou se eram guarda-costas do astro de TV. Três deles usavam óculos escuros mesmo à luz escassa da noite, e falavam uns com os outros em grunhidos breves, em alguma outra língua. Provavelmente escandinavos, considerando os cabelos loiros e pele branca quase azeda.

Miguel, ficando na ponta dos pés para conseguir enxergar as entradas na cabeça de Bruno Krauss, acabou se apoiando no braço de um dos seguranças.

O loiro, sem sobreaviso, mexeu o braço com truculência, dando um safanão no garoto dos Sukatas, que o fez voar por quase três metros. Resmungou calmamente em sua língua desconhecida, e logo os seus outros dois comparsas avançavam para Tina e Anderson, que ajudavam o colega a se levantar, e para Kuara, que soltava o verbo enquanto também soltava alguma penas azuis no ar.

– Seus brutamontes, é só uma criança! Vocês não podem agredir alguém assim! Minhas penas estão até caindo de nervoso e... *AAAH!*

Um dos três tentou desferir um tapa com as costas da mão no pássaro, que se desviou por pouco e voou para o alto do poste de luz mais próximo. Miguel ainda parecia abalado e era amparado por Tina, enquanto Anderson remexia no bolso lateral da mochila, sacando de lá o seu estilingue e a primeira coisa que encontrou para servir de projétil: uma moeda de um real.

– Seu covarde! – gritou Anderson esticando o elástico até onde aguentava, e mirando o rosto do segurança truculento. Ele e os outros dois eslavos não se intimidaram com a ameaça daquela arma infantil, e fizeram suas sombras encobrirem o garoto. Nesse momento um quarto segurança, de terno e óculos escuros, interviu, falando o bom e velho português. Ele era moreno, careca, e tinha lábio leporino, que fazia sua voz sair um pouco anasalada.

– Acalmem os ânimos, vocês! – ele abaixou a arma de Anderson, e pôs uma das mãos no peito do loiro que estava calmamente pronto para fazer patê de crianças. – Aqui não, Antonson! *Not here!* – acrescentou em um inglês ruim, que soou como *nóti réri*. O loiro respondeu com uma pergunta, em inglês carregado.

– *Why not? I'm just doing my job.*

Anderson não falava inglês, mas os milhões de jogos não traduzidos que ele ingeria todos os dias tinham lhe ensinado muitas coisas e expressões que a escola ainda não tinha lhe apresentado. Entendeu que o loiro dizia "Porque não? Estou só fazendo o meu trabalho". E Anderson se perguntava se o trabalho dele era impedir crianças inofensivas de se aproximarem de um zé mané da televisão. Vai ver, Bruno Krauss tinha o corpo fechado e tudo o mais, mas sofria de uma alergia mortal a crianças.

– Vocês, vazem daqui – grunhiu o moreno do lábio leporino, ainda com a mão no peito do gigante loiro, que parecia não ter emoção alguma. Parado, apático, provavelmente olhando para os garotos através do seu Ray-Ban. – Agora!

– A rua é pública! – desafiou Tina, fincando os pés no chão e cruzando os braços.

– Deixa pra lá – murmurou Miguel, parecendo mais magoado que machucado. – Vamos embora, é só um babaca da televisão.

Anderson relaxou um pouco, mas sem desgrudar os olhos do quarteto de seguranças. Kuara desceu do poste e pousou em seu ombro, cochichando.

– Você me escolheu para essa equipe, cara. É só você pedir, que eu trucido esses quatro rapidinho...

Anderson deu o seu melhor olhar esquisito para Kuara, que apertava os olhinhos para suas "presas" e notou que ela falava sério. Além de ser uma arara falante e com força ampliada, também sofria de uma crise perigosíssima de autoconfiança.

– Contenha-se, grande ave de rapina. Vamos embora.

E deram as costas ao movimento, aos seguranças estúpidos e a um Bruno Krauss que ainda sorria para as câmeras e celulares, sem se dar conta da pequena confusão armada na entrada do bar. Na verdade, apenas algumas pessoas haviam testemunhado a quase agressão do gringo a Miguel, e a maioria nem ligou para se questionar acerca do que tinha causado aquele circo. *Devem ser crianças arruaceiras*, pensaram. *Olhe a roupa daquele pirralho, toda cheia de graxa!*

Anderson, Valentina, Kuara e Miguel voltavam para onde estavam seus amigos, sem olhar para trás. E sem notar que continuavam sendo observados por quatro brutamontes, um deles arriscando um português sofrível.

– Correr... eu atrás delas?

– *No*... Ainda não – respondeu o brasileiro, misturando as línguas. Dando muita ênfase ao *ainda*.

Ficaram mais poucos minutos no Centrinho do Capivari antes de partirem a pé para o local que Anistia atracaria. Chegar até o ponto de encontro com a ilha rendeu quase uma hora e meia de caminhada, boa parte desse tempo dentro do mato. Anderson pensou que gostaria de ter andado no teleférico para dar uma boa olhada de cima em Campos, mas aquilo deveria ter sido feito de dia, com luz sobre a cidade.

As treze pessoas e a única arara chegaram enfim a um pequeno píer de madeira, que mais parecia uma ponte quebrada e incompleta se precipitando sobre o riozinho que cortava a mata. Uma luz em uma estaca próxima à água se acendeu assim que eles se aproximaram com suas lanternas – um lampião a gás, antigo, acionado como que por mágica. Anderson estava à frente, com seu muiraquitã de tartaruga, e sentia que ele esquentava aos poucos. Foi até a beirada do píer e apoiou uma das mãos na estaca de madeira, percebendo que havia desenhos gravados nelas. Quatro símbolos, simples, cada um representando um animal. Tartaruga, tatu, sapo e... macaco?

– Por acaso esses são os quatro muiraquitãs? – perguntou Anderson. Antes que Zé confirmasse, o seu amuleto já esquentava e respondia à sua dúvida. Ele parecia mais ligado ao garoto que nunca.

– Sim, são os quatro animais que Iara fez para o Grande Caipora, na criação de Anistia. Dois animais ligados ao elemento terra, dois ligados ao elemento água.

– Mamãe caprichou nas bijuterias mágicas, né? – perguntou Elis, cutucando Anderson com o cotovelo.

Anderson sorriu, perdido. Ficou pensando que sapos e tartarugas também eram animais da terra, e não exclusivos do elemento água. Passava o polegar sobre o relevo e as ranhuras do seu muiraquitã, quando Chris apontou para a neblina que vinha de cima, seguindo o curso da água... Na parte em que se encontravam, o riacho não tinha mais de oito metros de uma margem à outra, e a bruma branca que vinha se espalhando cobria toda a sua largura.

– É assim que quem está de fora enxerga a ilha, garotos – disse Rute, a líder dos Sukatas, explicando o fenômeno para os membros que ainda não tinham visitado Anistia. Anderson aproveitou para beber da informação gratuita.

Deveria ser como um portal. Você pisava nas brumas, e seus pés não atravessariam a muralha gasosa. Eles encontrariam terra firme, e toda a paisagem da ilha que não era lugar algum. Pedro, em um raro momento em que se mostrava empolgado ou com medo de algo, perguntava a Zé se acontecia alguma coisa na hora em que atravessassem a névoa.

– Alguma tontura, enjoo? Nós também viramos fumaça?

– Nada anormal, Pedrinho! Sem enjoo ou qualquer coisa do tipo – disse o meio-caipora, tranquilizando-o e dando tapinhas nas suas costas. – Você nem sentirá a ilha se movendo sobre as águas!

A bruma alcançou o píer, e de forma muito comportada ela se limitava a permanecer entre as margens, sem invadir a terra. E então ela *parou* de passar. A neblina *estacionou* e Anderson achou que, quando diziam que Anistia atracava em algum lugar, deveriam se referir àquele acontecimento.

– Os portadores de muiraquitãs primeiro! – disse Elis, apontando para o nebuloso fim do píer. – Somente depois os outros podem entrar.

– Espero que isso não seja um trote com o novato... Jura que se eu pisar ali eu não vou passar direto e ir para o fundo do riacho?

– Pare de ser chorão! – brincou Chris, e o empurrou na direção da bruma. Anderson obedeceu, lançando uma última olhada desconfiada para trás. Respirou fundo, e o cheiro de ar puro invadiu seus pulmões, preenchendo-os também com uma dose extra de coragem.

Olhou por um momento para a lua mentirosa acima, através das copas das árvores. Quase cheia.

Pisou neblina adentro.

< capítulo 8 >

CIGANOS, *POODLES* E GOIABAS ALIENÍGENAS

Conforme lhe foi anunciado previamente, Anderson não sentiu nenhum desconforto, vertigem, enjoo ou vontade súbita de pôr todos os chocolates belgas para fora. Do outro lado, encontrou apenas uma trilha na grama e uma neblina menos densa. Tochas iluminavam o caminho através do mato que lhe batia na cintura, espaçadas de dez em dez metros. Por um segundo, achou o cenário muito parecido com o do programa *Sem Limites*, na hora em que os participantes precisavam ir até a Clareira da Eliminação, onde o público escolhia quem sairia do programa. Eles também seguiam uma trilha iluminada por tochas, com a diferença que eram circundados por pelo menos três câmeras. E, naquele momento, Anderson estava completamente sozinho. Ele e o ruído de grilos.

Um segundo depois, Zé e Rute saíam da neblina, conversando. Pareciam estar acostumados com a travessia. E tirando todo o mistério e a magia da coisa, realmente não havia segredos para entrar em Anistia. Depois deles, Kuara entrou voando e o restante das duas comitivas adentrou, em fila indiana. Alguns puxaram aplausos e fizeram dancinhas, comemorando o retorno à ilha. Anderson, sem jeito, apenas sorriu. O lugar devia ser incrível, pela maneira que todos se mostravam ansiosos em voltar.

Eles começaram a seguir o caminho indicado pelas tochas, dizendo algo sobre alguns grupos já estarem esperando por eles. Anderson os seguiu, mas só depois de deixar-se ficar um pouco para trás, a fim de dar uma espiada para fora da ilha...

...mas experimentou uma leve pontada de decepção. Só se enxergava a branquidão da bruma que envolvia a ilha. Por um momento, teve a esperança de que conseguiria ver a paisagem ao redor magicamente distorcida, ou o riacho se alongando para dar espaço à passagem daquele monte de terra flutuante. Mas ficaria com a visão da cortina de fumaça que ocultava a terra firme dos olhos dos tripulantes de Anistia.

Algo se moveu com rapidez na mata baixa que era cortada pela trilha, e Anderson flagrou-se sobressaltado. Em seguida, disse a si mesmo que deveria se acostumar com aquele tipo de coisa. E que andar na cola de Tina seria de bom tom, caso se deparasse com alguma criatura saída das páginas do Guia de Câmara Cascudo.

No caminho, depararam-se com algumas ocas inabitadas ladeando a trilha, que outrora deveriam ter pertencido aos índios residentes de Anistia. Estavam um pouco malcuidadas, mas nada que uma faxina não resolvesse.

– Olhe ali na frente! – disse a voz de Mara, a garota que gostava do *Besouro Verde*. E, pelo visto, também era a primeira vez dela na ilha. – Estão vendo, que gigantesca?

Ela apontava para algum lugar à frente, mas nem todo mundo enxergava o mesmo que a menina. Anderson tentava acostumar os olhos, e, quando estava quase desistindo de ver algo, notou.

Era outra oca, mas era *a* oca. Gigantesca, como um pavilhão, assomando acima das árvores. Luz de fogueira vinha de dentro dela, que, de tão grande e espaçosa, permitia que fogo fosse aceso em seu interior sem ameaçar a integridade do teto de palha. Todo o seu redor também estava iluminado, e um som animado de conversa e música vinha daquela direção. E um convidativo aroma de milho assado.

– Uau! – exclamou Anderson, estacando no caminho. Chris riu da sua cara abobada.

– Demais, né? É a Casa de Todos, onde os grupos se reúnem para discutir, comemorar e tudo o mais. Foi erguida há muito tempo, talvez mais de dois séculos, mas tão bem arquitetada que dura até hoje. É claro que, sempre que acontece um fórum, nós fazemos uma manutençãozinha básica...

Anderson não disse muita coisa nos minutos seguintes. Apenas observou o que parecia ser um reencontro de velhos amigos. Debaixo da Casa de Todos encontravam-se quase três dezenas de pessoas. Fez uso da tão famigerada tabuada e supôs que talvez fossem os membros de quatro das equipes já reunidas. Anistia ainda precisaria atracar em algum outro lugar para receber mais dois grupos a bordo.

Viu Elis, Zé e Chris saírem correndo na frente e começarem a abraçar uma profusão de pessoas que pulavam, gritavam e riam. A semissereia abraçava uma moça alta de cabelos curtos e pretos. Anderson olhou o comprimento de suas pernas e de pronto supôs que aquela fosse Cássia, a Pernuda, ex-membro da Organização que se casara com um membro do grupo carioca. Olhou ao redor, e viu Chris apertando a mão de um homem barbado e robusto, com uma touca de lã preta enfiada no topo da cabeça de longos cabelos ondulados. Ele também confraternizou com Elis e Zé, e depois ficou de mãos dadas com Cássia. "Mais um estranho não tão estranho", pensou Anderson, adivinhando que aquele seria Otto.

Em seguida, um homem muito magro e muito simpático chacoalhou a sua mão, como se fossem amigos de longa data que há muito tempo não se viam. Apresentou-se como Eugênio, e tinha bigodes compridos e espessos com as pontas voltadas para cima. Um violão pendia pela correia ao lado do corpo, e Anderson reparou que ele usava muitos lenços coloridos amarrados nos braços, nas pernas, no pescoço e na cabeça. Com aquela camisa de seda vermelha desabotoada quase até o umbigo, parecia um cigano. E mais tarde descobriria que realmente se tratava de um cigano. Eugênio era o líder dos Gitae, um dos grupos que frequentavam Anistia e mantinham contato com a Organização.

– Nós, os Gitae, somos itinerantes! – Esta seria uma das explicações de Rosa, uma garota bonita e de olhos verdes que se sentou com Anderson e Tina ao lado de uma fogueira. – A maioria é descendente de imigrantes, de sangue nômade. Mas de tanto vagarmos por matas e estradas inóspitas, conhecemos os segredos das lendas do país melhor que qualquer brasileiro.

A euforia coletiva continuava naquele incessante festejo de boas-vindas. Kuara roubava uvas de uma grande mesa de frutas que ficava bem no centro da Casa de Todos, e as levava para uma das vigas altas, onde poderia devorá-las em paz. Elis apresentava uma avalanche de pessoas aos menores membros da Organização, e Anderson precisava fazer um grande esforço para memorizar tantos nomes que eram atirados em sua direção com velocidade. Conheceu Rafael, o intelectual e educado líder do grupo Circomplexo. Eram os tais artistas circenses de Curitiba que Chris havia comentado, que levavam uma *poodle* preta como membro da equipe. E Anderson também a avistou, brincando com Valentina.

– Adorei essa coisinha fofa! – exclamava a garota, de joelhos na terra batida e quase beijando o nariz do animalzinho que usava fitinhas vermelhas nas orelhas. Parecia uma ovelha negra em miniatura. – Qual o nome dela, Rafael?

– É Michelle! – respondeu o líder dos curitibanos. – Com duas letras L. Cumprimente a garota, Michelle!

A *poodle* se equilibrou nas patinhas traseiras, levantou uma das dianteiras para o alto e latiu algo muito parecido com um "oi!".

– *Aaaaaaah*, que linda! – gritou Tina. – Quem me dera se a minha fosse tão educada assim...

– Ah, mas isso é fácil de ensinar! – disse Rafael, pegando Michelle no colo e tomando uma lambida no rosto. – Nós adestramos cãezinhos lá na nossa sede! Se quiser um dia levar o seu...

– É que o meu cachorro é uma capivara, moço – respondeu Tina, batendo a terra dos joelhos. Rafael não pareceu entender. Anderson tentou ajudar.

– Longa história! É uma capivara que só não vira cachorro porque não late.

Rafael deu uma risada vaga. Deve ter pensado que era uma piada interna entre Tina e Anderson. Continuaram conversando por um tempo, e ele explicou que o Circomplexo era um grupo circense e teatral que abominava maus-tratos contra os animais. Tanto que não usavam nenhum bichinho em suas apresentações – nem mesmo Michelle – e cuidavam de um canil com mais de cem cachorros, além das dezenas de gatos que apareciam por lá.

– Somos um circo libertário – resumiu. – Lutamos pelos direitos dos animais, e não aceitamos patrocínio ou subsídios de empresas. Só aceitamos ajuda das pessoas que querem adotar um dos nossos animais, e as entradas para nossos espetáculos e peças são para comprar comida e ração. Bem simples.

Anderson percebeu que não era apenas a Organização que tinha seus métodos de se desvencilhar do sistema. E pensou seriamente em visitar Curitiba assim que possível.

No mais, música rápida e contagiante continuava soando. Tudo culpa dos Gitae e seus acordes, que criavam um clima de festa cigana instantânea. Anderson conheceu mais alguns coloridos membros do grupo itinerante, e também foi devidamente apresentado ao líder dos ResEx, o coletivo carioca de Cássia e Otto.

– Anderson, lembra que eu comentei sobre meu primo Inácio? – disse Zé, ao lado de um homenzinho sardento pouco maior que ele, e com um sorriso permanente no rosto. – Então, permita-me apresentá-lo: este é Inácio Primo! Inácio, este é Anderson Coelho, o garoto que subiu no Boitatá, lembra?

– Sim, sim, sim! - Inácio chacoalhava a mão direita de Anderson com as suas duas mãos. – O José falou muito bem a seu respeito! Disse até que o Patrão pediu para sabotar uma usina lá em...

– Ha-ha-ha, esse meu primo confunde tudo! – interrompeu Zé, dando tapinhas em suas costas. – Primo, esse é o Beto, o Boto. O Anderson não vai sabotar usina nenhuma.

– O Beto vai sabotar uma usina? – perguntou Anderson, interessado, olhando de Inácio para Zé.

– Ah... Sim. E não – respondeu Zé. – Meu primo é que é muito confuso. Também, pudera, qualquer um com pés como esses seria meio doidinho da cabeça...

Anderson olhou para baixo. Inácio estava descalço, mas parecia estar em uma posição de balé. Então prestou mais atenção, e viu que a coisa era pior: ele tinha um pé para trás e outro para a frente.

– Você... está bem? – perguntou com uma careta.

– Sim, sim, sim! Esta é minha condição normal! Curupiras têm os pés voltados para trás, mesmo!

Anderson franziu o cenho, e olhou para Tina.

– Mas... o senhor é um curupira?

– Ora, pode me chamar de *você*! Não sou curupira, sou *meio-curupira*. Por isso, tenho apenas um pé invertido.

– Vixe! – fez Anderson, muito espontaneamente. – Tá complicado isso aqui. Você é meio-curupira. E tem um primo que é meio-caipora? E seu sobrenome é Primo?

– Ah, mas nós nos chamamos de *primos* mais por brincadeira, exatamente por causa do sobrenome dele – esclareceu Zé. – E, também, já nos conhecemos há tanto tempo...

– Sim, sim, sim!

Realmente, Inácio era uma pessoa confusa. Ou meio-confusa. Anderson percebeu seu tique em sempre dizer *Sim* três vezes seguidas, rapidamente. E aquilo era engraçado, e inexplicavelmente esperado de uma pessoa sardenta e sorridente como o curupira. Aliás, meio-curupira.

No geral, os membros cariocas do ResEx eram bem carrancudos, ao contrário do seu líder de um só pé invertido. E Cássia, que também era uma segunda exceção à regra. Desta vez, foi Chris quem lhe esclareceu as coisas.

– Esse povo do Primo tem um motivo para ser assim. Eles são bem mais disciplinados que nós da Organização em seus métodos e costumes.

– E nós lá temos alguma disciplina? – perguntou Pedro chegando sorrateiramente e fazendo-se notar por ali de repente. Anderson nem o tinha notado se aproximando. – Parece que perto desse povo todo, nós somos um bando de vira-latas.

– Claro que temos, Pedrinho – respondeu Tina. – Nós não comemos carne, temos limite de tempo para assistir televisão...

– Como se televisão fosse recompensa para algo – completou o menino eternamente emburrado.

– Pedro, você é tão agradavelmente carrancudo que deveria estar na ResEx junto com os outros sisudos – disparou Chris, bagunçando os cabelos espetados do garoto. Tina riu, Anderson evitou rir. Não tinha essa liberdade com Pedro. – Aliás, ResEx significa Resistência Extrema. Os caras são fogo. Fazem frente a demolidoras que vão tirar famílias pobres de seus lugares, grafitam muros de empresas... O Anselmo adorava esses doidos! Quase todos gostam de arte de protesto, *hardcore*, *hip-hop* e afins. Aliás, se nós não comemos carne alguma, eles não comem nada que seja de origem animal. Nem leite, nem ovos...

– Ah, eles são veganos! – exclamou Tina, bem informada. – Uau, acho massa. Sempre quis ser uma, mas acho que ainda não consigo.

Anderson pensou um pouco consigo mesmo: ser vegano era não comer nada que derivasse de animais. Isso incluiria parar com *milk-shake* e macarrão, que continham leite e ovos. Tenso.

Pensar em comida fez o estômago de Anderson roncar, independentemente de todos os chocolates digeridos antes de entrarem na ilha. Havia uma mesa repleta de frutas, com uma variedade imensa de coisas coloridas que Anderson jamais tinha visto nas feiras de domingo perto da sua casa. Aproveitou para dar uma olhada em toda a organização e decoração da Casa de Todos. Eles haviam chegado em Anistia e tudo já estava pronto, ou os primeiros grupos que entraram foram arrumando tudo? Dúvidas ficariam para mais tarde, a fome era prioridade.

Estava olhando para uma exótica fruta amarela cortada ao meio, expondo um suculento interior rosa-arroxeado que o fez salivar. Estava esticando sua mão para alcançá-la no topo de uma pirâmide de laranjas, quando uma mão mais rápida a arrebatou.

– Ei! – exclamou Anderson, no vácuo. – Essa goiaba alienígena era minha.

A autora do furto o olhou de cima para baixo. Bom, ela era pelo menos trinta centímetros mais alta que o garoto. Tinha um olhar de desdém eterno, luzes no cabelo escuro e ondulado e roupas que não eram lá muito adequadas para uma vivência no meio da mata. Era uma garota branca bem produzida e bem bronzeada.

– Essa "goiaba alienígena" é uma pitaia, garoto. – Abocanhou a fruta suculenta, e em seguida fez uma cara de pavor. Anderson achou que ela tinha engolido um caroço, se engasgado, ou algo do tipo, mas ela esganiçou a voz, esbugalhou os olhos com delineador e praguejou como se não houvesse amanhã. – *Aaaaaah*, que ódio! Esqueci que estava de *gloss*, porcaria! Vou ter de passar tudo de novo, e deixei meu estojo na oca...

Anderson a observava, assustado. A pitaia mordida balançava para cá e para lá nas mãos da moça, esquecida subitamente. Um pingo do sumo da fruta escorreu e foi parar bem no decote da blusinha decotada, e Anderson rapidamente notou algo.

Ela carregava um muiraquitã de sapo pendurado no pescoço.

– Nossa! – Anderson apontou para o amuleto, espontaneamente. De súbito, a moça parou de praguejar para ver o que ele indicava em seu corpo.

– O quê? Tá falando disso aqui? Eu sou a portadora do muiraqui AAAAAARGH, QUE ÓDIOOOOOO!!! Caiu suco de pitaia na minha blusa novinha que eu ainda nem terminei de pagar! – Ela arremessou a fruta no ar, com raiva, e um contente Kuara a apanhou em pleno voo, gritando um "obrigado!". Então, a moça começou a molhar o dedo na saliva e a passar na mancha, tentando removê-la. – Aqui não existe máquina de lavar, essa porcaria não vai sair...

– Hum – murmurou Anderson, achando tudo muito... exagerado. Começou a ensaiar uma saída à francesa, quando Elis se aproximou da mesa de frutas e pôs as mãos em seu ombro com delicadeza.

– Olha só! Você conheceu a minha querida irmã mais velha. Alba, este é Anderson. Anderson, esta é Alba.

Alba apenas grunhiu algo, sem parar com o movimento frenético de esfregar a mancha de pitaia.

– Como pode ver – continuou Elis –, ela sente muito a minha falta, *já que não nos vemos há três anos,* desde o último fórum.

A portadora do muiraquitã do sapo desistiu da mancha. Levantou os olhos a contragosto, como se estivesse sendo forçada a ser gentil. E provavelmente estava.

– Olá, irmã. Você está gorda.

– Eu estou grávida, você quis dizer.

– Ah, tem isso. A mãe me disse. Quem diria, você com um bebê...

– Sim, não é louco isso? – Elis acariciou a própria barriga, tentando combater a frieza da irmã com doçura. – E você será titia logo mais, e...

– EU, TIA?! – esbravejou Alba, jogando a cabeça para trás e dando uma risada exagerada. – Nem pense nisso. Sou muito jovem para ser chamada de titia por uma criança cor-de-rosa remelenta.

– Quanta delicadeza para falar de um bebê que você nunca viu. Comovente. E você tem vinte e quatro anos, por mais que se comporte como uma adolescente mimada.

– *Xiu!* – fez a outra, tirando uma mecha de cabelo descolorido da frente do rosto, enfezada. Anderson acompanhava aquele jogo de resposta e réplica com os olhos, de braços cruzados. E apesar de toda a diferença estética entre as duas irmãs, elas eram bem parecidas fisicamente. Alba era uma versão *patricinha* da tranquila Elis. – Você revelou a minha idade para esse sujeito aqui, o garoto Goiaba Alienígena!

– Garoto o quê? – Elis fez uma careta.

– Longa história. – Anderson sorriu, amarelo. – Olha, e não esquente comigo. Se quer saber, você parece bem mais nova.

Em seguida, completou mentalmente: "Tipo uns onze anos. Vou te arranjar uma Barbie".

– Que demais, o Anderson conseguiu ser gentil com você. Merecemos sair vencedores, só por isso. – Elis piscou para o garoto, em cumplicidade. Alba entortou a boca em uma careta, imitando a irmã com movimento mudo dos lábios, que continuou a falar. – Mas o que eu queria mesmo lhe dizer, irmãzinha, é que Anderson é o nosso portador do muiraquitã da tartaruga. E como você é a portadora do muiraquitã do sapo...

– Ah, a etiqueta! – chiou Alba, estendendo uma mão mole para Anderson. – Os portadores devem ser cordiais e blá, blá, blá. Prazer, e "etecétera".

– Alba faz parte da equipe das Icamiabas, mais conhecidas como as "amazonas do Amazonas". – Elis apontou para algum ponto fora da Casa de Todos, onde seis mulheres indígenas estavam sentadas em círculo, ao redor de uma fogueira. – São as guardiãs da cidadela de nossa mãe, Iara. São feiticeiras das brabas, também.

Anderson não conseguia tirar os olhos das garotas icamiabas. Elas eram índias de verdade verdadeiríssima, com suas peles que iam de um bronzeado dourado a um vermelho-acobreado bonito. Não usavam quase nada como vestimentas, e tinham penas amarradas nos braços e nos tornozelos. Usavam tangas com cores fortes, laranja ou vermelho, e os longos cabelos negros ocultavam a visão de seus seios nus. Enquanto o garoto as observava, uma delas, de no máximo dezesseis anos, voltou o olhar em sua direção. Tinha uma faixa alaranjada de urucum sobre os olhos, que os deixavam ainda mais ferozes. Como os de um animal pronto para dar o bote. Anderson engoliu em seco, e desviou sua atenção para o chão. Ensaiou uma pergunta, para esconder o constrangimento.

– Porque elas não ficam aqui dentro da Casa de Todos?

– Elas não são muito sociáveis. Algumas delas nem português falam, por escolha própria – disse Elis, dando de ombros. – Elas se recusam a aprender a linguagem dos invasores.

– E eu nunca vou entender isso – disse Alba, pegando uma ameixa distraidamente. – Até nossa mãe aprendeu. Essas nossas primas são umas atrasadas, mesmo...

– Não diga isso, Alba. É o costume delas, devemos respeitar! Não são todas que se interessam por roupas, maquiagens e cartões de crédito, como você.

– E por isso mesmo que eu não consigo ficar muito tempo com elas – retrucou. – Elas só sabem falar da mudança das correntes de vento, de quando o uirapuru vai cantar, de como o sol está esplêndido, de como as mandiocas já estão boas para ser colhidas... *Argh*, que saco! Eu me sinto em um documentário da Discovery.

– Eu gosto de assistir ao Discovery! – protestou Anderson, defendendo as índias e ao mesmo tempo se autodefendendo.

– Uh, você deve ser um poço entusiasmante de sabedoria. – Seu tom de voz fúnebre não condizia com o conteúdo positivo da frase. Com o olhar morto e desinteressado, Alba cutucava uma de suas cutículas, quando percebeu uma mancha de ameixa perto da manga da blusa. Explodiu mais uma vez, fazendo Elis puxar Anderson pelo braço para longe do epicentro de ódio. – *AAAAAAAAARGH!* QUE INFERNO, SERÁ

QUE NÃO TEM UMA FRUTA NESSA ILHA QUE NÃO ME DEIXE TODA MELECADA!?!?

– Ela deve ser legal – disse Anderson, respondendo ao pedido de desculpas alheias de Elis, pelo comportamento da irmã. – Lá no fundo. *Beeeem* no fundo.

A semissereia riu, e sentou-se em um tronco que servia como banco, próximo a uma das imponentes pilastras de madeira da Casa de Todos.

– Se um dia você descobrir esse lado legal dela, me avise. Estou pagando pra ver.

– Eu não sabia que você tinha uma irmã.

– Pois é. Mamãe diz que eu tenho um irmão mais novo também, mas eu nunca o conheci. Na real, quando homens nascem no meio das icamiabas, já são despachados cedo para longe.

– E vocês duas cresceram separadas?

– Praticamente. Alba foi enviada para as amazonas cedo, para ser treinada meio que para cargos de liderança. Acontece que ela tem aquela personalidade agradável, e nunca se bicou com um modo de vida que fosse mais *terra*. Ao mesmo tempo, ela se tornou uma feiticeira formidável, e uma transmorfa das boas.

– Transmorfa?! – Anderson falou isso bem alto, atraindo a atenção de um grupo de cariocas que conversavam com Rod, dos Sukatas. Mas logo foi esquecido por eles. – Ela é tipo um *transformer* que vira uma bolsa da Gucci? Ou um estojo de maquiagem?

– Se ela fosse um robô, aposto que sim. Mas Alba pode se transformar em alguns animais. Apesar de que ela deve preferir a forma de onça. Ela diz que a estampa nunca sairá de moda, e que combina com quase tudo.

– Não sei por que eu não me espanto com essa notícia, mas e você? Por que não foi enviada para as icamiabas?

– Eu fui, quando era bem pequena. Aprendi muita coisa, e alguns bons feitiços. Só que minha irmã e eu, perto uma da outra, não funcionávamos bem. Brigávamos direto.

Anderson tentou imaginar por dois segundos como seria ter um irmão. Em seguida imaginou como seria brigar com ele. Depois imaginou como seria brigar com um irmão que se transformava em onça e podia apagar a sua memória.

Sentiu-se muito grato ao seu Álvaro e à dona Regina.

– Quando eu fiz nove anos – continuou Elis –, minha mãe disse que eu tinha desenvolvido bem técnicas mentais, e que eu poderia aprender muito sobre com um amigo dela de longa data. Então, fui enviada para São Paulo aos cuidados do Patrão. Acho que foi a melhor coisa que me aconteceu. Não fosse por isso, nunca teria conhecido o Beto, e todos os meus melhores amigos. E isso inclui você, viu?

– Oh, que bonitinho! – Anderson fez um sinal de "deixa disso", mas sentindo-se bem com aquelas palavras. – Mas tipo, a sua mãe é *bem velha*, né? Com o perdão da palavra. Quis dizer que ela é *antiga*. Droga, isso também não soou legal... Enfim, ela praticamente criou essa ilha, pelo o que eu soube! E ela só tem você, sua irmã e seu irmão desconhecido de filhos?

– É uma coisa complicada. – Elis esticou as pernas, olhando para as pontas dos seus All-Stars. Pareceu muito *menina* aos olhos de Anderson, que sempre a enxergava como uma garota muito mais velha e sábia. Ela era sábia para a idade, claro, mas também era pouco mais velha que ele, Valentina e Pedro. Poderia ser sua irmã, tranquilamente. Ela continuou. – Alba e eu fazemos parte de uma segunda fase da existência da minha mãe. Ela já foi mais criatura que mulher. Mais elemental... entende?

– Acho que sim – disse Anderson, esforçando-se para acompanhar Elis. – Mais ou menos como o Patrão, que morreu sua vida mortal e passou a compartilhar seu corpo com o Vento, ou algo assim?

– Exato. Melhor comparação, impossível. Mamãe fez o caminho reverso. Ela era praticamente uma deusa, em uma comunhão eterna com os rios e as águas, e decidiu abandonar a maior parte do seu poder e tornar-se mais humana. Ela ainda é respeitada como tal pelos seres mágicos e pelas icamiabas, mas ela não é a mesma de séculos atrás.

– E teve um porquê para essa transformação, certo?

– Teve. Ela diz que ainda é cedo para eu entender. Pelo jeito, também é cedo para a Alba, tenho certeza de que ela também não sabe.

Anderson deu uma espiada na direção das icamiabas reunidas lá fora. Não encontrou Alba perto delas.

– Elas sabem?

Elis deu de ombros.

– Se tem alguma coisa que não mudou em minha mãe, foi o fato dela ser misteriosa. Isso se todo esse processo de transformação não a deixou ainda mais introspectiva. Eu a vejo como uma mulher triste, preocupada. E pelo tamanho da responsabilidade dela, não estranho... Mas ela nunca foi de falar muito sobre si mesma. Talvez um dia me conte mais sobre tudo. Sobre meu pai, sobre sua transformação. – Elis sorriu, de repente, daquele jeito que continha grande dose de encanto de sereia. – Quem sabe depois de eu ser mãe?

Passaram-se alguns segundos, o garoto e a moça observando o movimento de confraternização ao redor. Chris passou com dois cocos verdes abertos e os ofereceu aos dois amigos, que aceitaram de pronto. A água estava boa, docinha e gelada. Fez Anderson esfriar um pouco, e sentir o contraste de temperatura entre sua pele e o muiraquitã, que estava morno. Sentindo-se em casa, próximo ao lugar de sua criação. Isso o levou a outra dúvida.

– Elis, se sua irmã não gosta de viver com as icamiabas, por que ela carrega o muiraquitã de sapo? E por que ela vem para Anistia?

– Na verdade, ela passa mais tempo em Manaus e viajando do que no meio da floresta, com a tribo. De certa forma, Alba é o único elo delas com toda a troca de mensagens que acontece no fórum. Boa parte daquelas meninas icamiabas nem sequer entende o português, e praticamente nenhum de nós fala algum dialeto indígena que elas compreendam. Então, acho que ela é uma intérprete impaciente, mas ainda assim de grande ajuda. Sem contar que, desde que ela começou a vir para Anistia, não teve uma única vez que as icamiabas saíram sem levar um dos muiraquitãs. Elas sempre ficaram entre os quatro melhores grupos, e aquele amuleto de sapo já é praticamente parte dela. – Elis deu um longo gole em sua água de coco. – Bom, com toda a chatice e frescura dela, temos de ficar de olhos abertos. Alba é uma oponente formidável e perigosa.

"Ficar de olhos abertos." "Perigosa."

Anderson tomou mais um pouco de água de coco, e também tomou nota.

< capítulo 9 >

SONO AGITADO

A confraternização não durou muito mais tempo. Após a longa conversa com Elis, Anderson ainda foi apresentado formalmente à Barbara, a portadora do muiraquitã do tatu, da ResEx. Ela não foi de muitos sorrisos e palavras, e permaneceu de cara fechada. Era uma garota de quinze anos, negra e esguia, com cara de que comia noz com casca. Tinha um cabelo quase *black power*, que Anderson achou muito bonito, e pelo visto Pedro também. Bastante afastado da cena, o baixinho a observava com um interesse sisudo. Talvez cara fechada atraísse cara fechada.

Os portadores do tatu e da tartaruga apertaram as mãos, e Anderson não deixou de notar a camiseta do Public Enemy de Barbara. Queria dizer alguma coisa legal sobre a banda, mas nada lhe vinha à cabeça. Nenhum nome de nenhuma música que fosse. Limitou-se a dizer:

– Legal essa camiseta.

– Valeu.

E foi só.

Zé, Primo Inácio, Rafael e Rute começaram a encaminhar seus grupos para os espaços em que dormiriam. Eugênio e seus ciganos ficariam em barracas ao ar livre, e as icamiabas dormiriam ao relento, às margens de um riacho mais próximo da mata fechada. Alba, que aos olhos de Anderson deveria dormir maquiada, deveria estar muito feliz com toda aquela integração ao ambiente.

Em uma clareia próxima e aconchegante, havia uma pequena vila com uma espécie de ocas modificadas, com janelinhas e tijolos de barro. Eram oito agrupamentos de quatro casinhas. Os tetos eram de palha, e a grama do lado de fora era mais baixa, desprendendo um aroma de que havia sido recém-capinada. Anderson mais uma vez se perguntou: "Quem preparou tudo antes da chegada dos grupos em Anistia?".

– Vamos dormir algumas horinhas, e logo mais recepcionaremos os outros dois participantes – disse Zé, que dividiria a oca com o garoto, enquanto Elis ficaria com Tina e Kuara, e Chris com Pedro. – E aí provavelmente teremos mais música. Teremos os Ghouls, que são outro grupo de ciganos bem diferentes de Eugênio e nossos amigos, e o Cântico, de Natal.

– Cântico?

– Sim! É um grupo que milagrosamente sobrevive de música, ensinando e acolhendo quem tem vontade de aprender. Eles são de Natal, da terra de Câmara Cascudo.

– Que joia. E esses Ghouls? Por que eles são bem diferentes dos Gitae?

– Ah, sim. – Zé guardou sua mochila sob a sua rede, e voltou-se para Anderson, com ar preocupado. O garoto teve uma ligeira impressão de que talvez não gostasse muito dos Ghouls. – Aqueles ciganos não são tão simpáticos quanto os de Eugênio. Na verdade, eles são um desmembramento dos Gitae. Um grupo dissidente que tinha outra forma de raciocínio, outra visão das coisas.

– Visão não muito boa, pelo visto.

Zé estreitou os ombros.

– Em todo fórum acontece alguma discussãozinha com eles, e muitos se exaltam, quase chegando aos finalmentes. Os Ghouls têm sangue quente! Já houve denúncias de que eles agem de formas ilícitas, pondo suas crianças para mendigar nas ruas. Não sei se é verdade, mas... Bom, deixa pra lá.

– O quê? Deixa pra lá o quê? – Anderson chacoalhou a cabeça, e sentiu vontade de arrancar os próprios cabelos. Odiava quando alguém começava a contar algo e parava na metade, ou dizia que "não tinha importância". – Pode falar, cara. Começou, agora termina!

Zé pareceu hesitar, mas foi no embalo.

– Eu odeio julgar e ser julgado, mas eu não vou muito com a cara do líder deles, Lionel... Ele me dá calafrios. E olha que capelobos não me dão calafrios! Não sei, tem algo nele de muito esquisito. Não me cheira bem. E o Patrão também nunca confiou nele...

– Mas isso não é novidade – observou Anderson, que sabia bem como o velho Saci tratava as pessoas que não eram do seu convívio rotineiro. Ele mesmo tivera seu valor questionado pelo líder da Organização, mas existia um pequeno detalhe que não podia ser ignorado: Patrão tinha aquela espécie de poder, a visão sobre o caráter das pessoas. O lance de enxergar as manchas invisíveis nas roupas dos outros, que rendera uma longa e esclarecedora conversa naquele longínquo dia no Casarão, ainda antes da missão na Rio Dourado.

"E, mesmo com todo aquele dom, ele não pôde perceber que Olavo era o traidor", sua mente gritou. Às vezes os grandes também erravam, e ele não tiraria nenhuma conclusão até encontrar-se frente a frente com Lionel.

Ele transmitiu a Zé um resumo do que havia pensado, e ele balançou a cabeça.

– Sim, com certeza vocês se encontrarão. Lionel é o portador do muiraquitã do mico-leão. Os Ghouls foram um dos quatro melhores do fórum passado!

– Ai, que bom!

Anderson estava muito agitado para dormir um pouco, e pensou que seria melhor aguardar até a hora da chegada das outras duas equipes, que estavam em algum lugar do interior do Espírito Santo. A ilha deveria se mover muito rápido *mesmo*. Era difícil imaginar aquele monte enorme de terra se transformando em fumaça e se deslocando loucamente país afora.

Na parede sem cantos da oca em que estavam instalados, Anderson viu um mapa de Anistia. Era simples, mas bem útil. Ele cumpria bem a sua função de mapa, apresentando por onde passavam os riachos, onde havia lagos, onde havia colônias de mapinguaris e onde estava o centro da ilha, que continha um grande X e uma minúscula inscrição: *risco de contaminação*. Ali deveria ser a parte que Zé lhe explicara, do riacho ao lado do rochedo onde o Grande Caipora implorara pela intervenção de Iara. O lugar onde os homens adoeciam. E, de fato, havia uma linha que saía de lá, com a inscrição "Riacho da Prata", que em outros pontos do mapa desembocava em fluxos de água maiores, até saírem da ilha. Mais abaixo do Riacho havia dois nomes, um de cada lado da linha: Pirilampo e Coralino.

Olhou para a rede de Zé e ele já roncava baixinho, com uma perna e um braço pendurados para fora da rede. Queria perguntar o que seriam aqueles dois nomes, mas não iria acordá-lo naquele momento. Então, puxou um banquinho de madeira e continuou a estudar o mapa, com a mesma empolgação e inquietação que sentia quando uma nova região era disponibilizada em Battle of Asgorath. Aquele era um território a ser desbravado, e desta vez o faria com a sua guilda de carne e osso. E penas. E pelos.

E assim, olhando para o mapa, adormeceu.

Era estranho descer o rio escuro em cima de um banquinho minúsculo, mas se nele ele havia adormecido, aquele seria o seu transporte pelo mundo dos sonhos.

Anderson foi flutuando para perto da margem, arrastado sem escolha. Camas e alguns poucos sofás passaram direto por ele, com pessoas imóveis descendo a correnteza. Também viu um sujeito encapuzado dormindo encolhido sobre o que à primeira vista parecia ser um tapete. Percebeu pouco depois que na verdade ele navegava sobre um cobertor velho e rasgado, e que se tratava da jornada noturna de um morador de rua. Angustiado e com um certo nó na garganta por causa da visão, Anderson o acompanhou com os olhos até que desaparecesse em uma curva do rio, e voltou-se para a margem. Desta vez, nem sinal de Anselmo a esperá-lo.

Era estranho visitar aquele lugar sem a sua presença. Para Anderson, ele já era seu guia turístico definitivo. Mas de certa forma, Anderson sentia-se acompanhado, por causa do seu muiraquitã. Já havia um elo muito grande entre o rapaz e o garoto.

Apesar do céu estar tingido do azul mais profundo imaginável, o garoto não deixou de temer a presença do gigante de sombras que havia interrompido o seu sonhar no primeiro encontro com Anselmo. Só de se lembrar do ruído ensurdecedor e do perigo que aquela imagem emanava, seu muiraquitã disparou a tremer, fazendo os seus dentes tiritarem. Ele sentiu que aquilo seria um aviso, para que parasse de pensar naquele horror. Se o gigante podia ser sintonizado através do medo que Anderson sentia por ele, então trataria muito rapidamente de pensar em outra coisa.

E, de certa forma, teve ajuda para ocupar sua mente. Enquanto seguia por um solo macio que massageava seus pés durante sua caminhada a esmo, Anderson notou uma figura correndo para fora da margem do rio, a quase trinta metros de distância. Ela nem sequer notou o garoto, mas a silhueta de Bárbara, da ResEx, era inconfundível.

Ela corria, parecendo bem mais feliz do que era pessoalmente, e bem menos sisuda. Mesmo sabendo que não era muito bom se afastar tanto da margem, Anderson a seguiu depressa. Seus pés não faziam barulho, e correr naquele terreno era praticamente levitar. Não havia cansaço no mundo dos sonhos.

Bárbara parou algumas vezes para observar algumas plantas. Com frequência, agarrava seu muiraquitã de tatu e parecia falar com ele. Ainda sem perceber que estava sendo observada, a garota deixou-se cair na grama, e ficou lá, de braços abertos e rosto para o céu. Preferindo deixá-la a sós com seu comportamento maluco, Anderson partiu para a direção oposta, onde o mato era mais alto.

Ouviu o ruído de água sendo movimentada. Barulhos límpidos e gostosos, daqueles que são tão molhados que dão vontade de fazer xixi. Anderson implorou para que sua bexiga se comportasse e aquilo não acontecesse de fato lá fora, no mundo real. Não estava a fim de uma visita do Mão de Cabelo, e de aguentar piadas com embasamento concreto de Kuara.

Anderson foi afastando o mato alto com as mãos, ainda em passos de ladrão. E o ruído de água ganhou uma imagem para ser associada a ele, ainda que de forma complicada.

A primeira coisa que viu foi uma majestosa onça-pintada matando a sede na beira de um laguinho cristalino. Prestando mais atenção, percebeu que a onça na verdade era a irmã de Elis, Alba, sentada na grama e admirando o seu próprio reflexo naquele espelho líquido, enquanto deixava uma das mãos mergulhada na água. Dependendo do ângulo de que Anderson a observava, ela era mais onça ou mais humana. E aquilo era divertidamente perturbador, do jeito que somente os sonhos podem ser. Coisas que *são* e *não são* ao mesmo tempo.

Aquilo já era o bastante para Anderson compreender que os portadores dos muiraquitãs tinham um acesso facilitado ao mundo dos sonhos. E que se esperasse um pouco mais, ou procurasse um pouco mais, encontraria o tal de Lionel, dos Ghouls. Como tudo ali parecia ser mais puro e verdadeiro, talvez pudesse enxergar a verdade sobre o líder dos ciganos controversos.

Um ruído longo e contínuo soou no ar. Era distante, como uma trombeta tocando em um passado longínquo, suas notas reverberando pelo tempo até atingirem Anderson, no futuro. "Deve ser algo no mundo real", pensou, seu muiraquitã ficando inquieto como seu dono atual. Talvez, lá fora, fosse um sinal de que os novos visitantes estavam chegando. Sentiu uma vontade incontrolável de voltar para a margem e para o seu banquinho, mas resistiu. Já Alba levantou-se, e pôs se a caminhar na direção do rio, indo embora sem notar Anderson. Bárbara também deveria estar atendendo ao chamado. Ele também deveria, mas sentia que tinha mais algo a fazer por ali. Encontrar Anselmo, talvez? Estaria tudo bem com ele?

Acompanhou Alba com os olhos, acompanhou a onça com os olhos. A semissereia transmorfa sofria uma crise de identidade no mundo dos sonhos, e aquilo era esquisito demais.

Mas não mais esquisito que o rosto que se camuflava no meio do mato do outro lado do laguinho, observando atentamente a garota afastar-se, com algo indecifrável em sua expressão tensa. Estava bem escondido, mas Anderson reconheceria aquelas feições em qualquer pesadelo seu, por mais esdrúxulo que fosse.

– Não acredito! – gritou, revelando sua posição para Alba e para seu *stalker.* Um sorrateiro e inesperado Wagner Rios.

Alba olhou para trás, e soltou um miado felino de irritação. Wagner saiu devagar de trás do mato, com uma das mãos dentro do bolso do terno cinzento. Como se o seu Cachimbo de Ouro pudesse estar guardado nele, ou valesse alguma coisa dentro daquele sonho coletivo.

– Ora, ora. Estou surpreso – disse a figura com calma irritante, os cabelos prateados reluzindo e balançando ao vento como em um comercial de xampu caro.

– O que é isso?! – gritou a onça, irritada.

– Não sei, deve... deve ser alguma coisa da minha cabeça surgindo neste lugar – hesitou Anderson, olhando da arisca Alba para o sorridente Rios. – Deve ser alguma projeção mental minha, que eu trouxe para cá... Desculpe. Eu não...

Rios gargalhou. A trombeta tocou ao longe, e Alba pareceu ser puxada no ar, por um gancho invisível. Anderson sentiu o seu umbigo repuxar na direção do rio, como se o barulho quase o estivesse acordando do lado de lá. Mas algo parecia impedi-lo de despertar. Talvez ele próprio, querendo entender aquela situação.

– Você não está aqui – disse Anderson, cerrando os punhos com firmeza.

– Tanto quanto você – respondeu Rios, movimentando-se de forma que Anderson reparasse em um novo detalhe.

O muiraquitã do mico-leão, em seu peito.

– Não! – gritou Anderson, sem entender por que estava tão horrorizado. Aquilo *não podia* ser nada bom.

Wagner Rios pareceu estremecer, e sua imagem começou a deslizar sobre a grama, para a direção do rio. Como se houvesse rodinhas sob seus sapatos.

– Eu tenho de ir. E você também deveria ir, Sr. Coelho. Acho que vou chegar primeiro, antes que você saia dando com a língua nos dentes por aí. Se eu bem me lembro, este lugar é bem... maleável. Fazia tempo que eu não permanecia por tanto tempo, mas acho que ainda sei um ou dois truques úteis... Até mais ver, garoto!

Rios foi sugado no ar. Se ele era de verdade, havia acabado de despertar do lado de lá. Anderson agarrou o muiraquitã por reflexo, e fez menção de sair correndo.

Mas caiu de boca no chão.

A dor era tão real quanto cair de boca no chão do mundo real. A vantagem é que talvez não lhe faltassem dentes após o ocorrido. Anderson tentou se levantar, mas só então percebeu que algo tinha se enroscado em seu tornozelo – um tentáculo negro e cheio de ventosas, que saía de dentro do laguinho.

Anderson gritou ao ver mais três deles emergindo na superfície e se precipitando em sua direção. Acertou um soco bem servido no que tentou dar um bote em seu rosto, mas um terceiro agarrou o seu pulso e começou a arrastá-lo para dentro da água, que borbulhava.

"É o meu fim. Vou morrer aqui, e vou acordar morto lá fora." Isto foi o que passou pela cabeça de Anderson, que não estava em condições de perceber a besteira que havia acabado de pensar.

Metade do corpo já estava mergulhado na água borbulhante que fazia um som igualmente borbulhante de sopa no fogo, quando alguém apareceu correndo de dentro do mato. Anderson pensou que fosse Bárbara, mas àquela altura ela já deveria ter despertado, longe dali.

Anselmo, empunhando um facão, precipitou-se do meio do mato e cortou o tentáculo que prendia a perna de Anderson. E depois o tentáculo do pulso, e em seguida investiu contra os tentáculos dançantes livres. Entrou no laguinho, gritando em desafio para a criatura que voltava para o lugar de onde Wagner Rios a evocara.

– Desculpe a demora – disse, estendendo uma das mãos para que Anderson se levantasse, nem sinal de facão em qualquer lugar. Aquele lugar era maluco e dava nos nervos do garoto.

– O que... o que aconteceu?! – Anderson tremia, gaguejava, sentia vontade de dançar Macarena, tudo ao mesmo tempo.

– Ele é esperto, conhece as regras deste lugar – disse Anselmo, seu rosto um tanto difuso como das outras vezes. – Você vai me odiar por eu sempre dizer isso, mas você *precisa* ir. Acorde!

Anderson não o contestou. Sem mais uma palavra, saiu em disparada para a margem, meio deslizando e meio correndo. Precisava voltar e avisar todos a tempo.

Pois Wagner Rios estava chegando à ilha.

< capítulo 10 >

O PENETRA

Zé não estava no quarto. Pelo jeito todos deveriam ter acordado com o som da tal trombeta que *vazou* para dentro do sonho, e se encaminhado para recepcionar os recém-chegados. Como Anderson estava em um sono profundo, Zé deveria ter desistido de tentar despertá-lo.

Não havia tempo para hesitação, mas Anderson também não poderia chegar de mãos abanando caso suas suspeitas se confirmassem. Tinha um péssimo pressentimento com aquilo tudo, e fez questão de levar sua mochila consigo. Arrancou o mapa de Anistia que estava afixado na parede da oca, mal olhando para o que estava fazendo. Só sabia que ele poderia ser útil caso precisasse fugir.

– Mas fugir para onde, Anderson? – acabou perguntando para si mesmo em voz alta, enquanto corria pelo caminho de volta à Casa de Todos. E era uma pergunta sensata. Uma ilha desconhecida e itinerante, que podia estar em qualquer lugar do Brasil? Saltar dela era correr o risco de se perder no interior do Amapá. Sem GPS.

Ao contrário do seu estado de poucas horas atrás, a Casa de Todos estava vazia. Isso significava que o pessoal deveria estar lá no cais da entrada, por onde a Organização e os Sukatas haviam embarcado. Ofegante, mas sem perder nem um segundo mais para apoiar as mãos nos joelhos, Anderson correu, refazendo o seu caminho da chegada em Anistia.

Além de seus passos abafados pela grama, grilos faziam coro enquanto o garoto colocava os pulmões para fora. Tirando isso, o silêncio era total. As estrelas estavam nubladas por neblina. O calor das tochas intercaladas na trilha de terra batida nem se fazia notar por Anderson, que só conseguia sentir frio na espinha. E na ponta dos dedos. No peito e no muiraquitã. Até o seu suor estava congelado.

O silêncio foi se arrefecendo conforme Anderson se aproximava. Risadas, conversa animada. Uma grande fogueira e pessoas olhando para a neblina do cais de entrada. As icamiabas um pouco mais afastadas do outro grupo, mas ainda assim atentas ao mesmo ponto que os outros. Anderson se abaixou atrás de um arbusto, fora da trilha, e ficou a observar. Não sabia o que aconteceria a seguir, e o melhor a fazer era estudar o desenrolar da coisa.

Uma forma veio a passos lentos de dentro das brumas. Estava com as mãos para o alto, e aquilo fez com que grande parte das pessoas acenasse para ele, de um jeito vago que Anderson achou meio tolo. Mas lá estava Zé acenando, de qualquer maneira. Algumas palmas esparsas soaram, e não ganharam força para se tornar uma ovação digna de fim de peça. E o garoto imaginou o porquê de toda aquela hesitação nas boas-vindas dos últimos participantes.

Era um senhor. Cinquenta anos? Talvez um pouco mais, talvez um pouco menos, mas de todo modo exibia uma postura ereta e um brilho no olhar que continha toda a crueldade de um jovem sedento por vida. Usava brincos prateados, pelo menos três argolas em cada orelha. Um braço era todo tatuado com coisas rebuscadas que não podiam ser divisadas à distância, e os antebraços cheios de pulseiras de ouro e platina. Um par de botas de couro gastas. Um lenço preto na cabeça. Uma camisa de seda branca. Um bigode grisalho com corte muito parecido com o de Eugênio, dos Gitae, e uma barba bifurcada em duas trancinhas.

Para Anderson não havia dúvida de que aquele era Lionel, dos Ghouls. A apreensão e a aparente desaprovação no rosto da maioria confirmava aquilo. E ele parecia alheio a toda aquela frieza. Apenas continuava com os braços estendidos, mas as mãos... as mãos não acenavam.

Anderson percebeu tarde demais o que aquilo significava.

– Não reajam – Lionel murmurou, mas suas duas palavras se alastraram como um vírus da gripe cavalgando um espirro.

Havia alguém atrás do cigano, que ainda não tinha sido revelado por completo pela neblina que lambia as costas do homem. O indivíduo atrás de Lionel encostava o cano de uma pistola abaixo das espáduas, forçando-o a andar um pouco mais para a frente, longe da fumaça que ocultava a borda da ilha.

Houve um único ruído uníssono de sucção, que era o de muitas pessoas puxando o ar ao mesmo tempo, e segurando o fôlego junto com a incredulidade.

– O que é isso?! – gritou Rafael, do Circomplexo, segurando uma raivosa Michelle no colo. Ele estava surpreso, atordoado, confuso. Assim como quase todos ali.

Quase todos, pois Anderson não se surpreendera. Olhou para o peito de Wagner Rios, certo de que encontraria o muiraquitã de mico-leão por ali. E assim aconteceu.

– Ouçam a palavra deste velho cigano, e nem pensem em reagir. – Wagner, com aquela frieza e controle emocional que fariam um monge sentir-se inquieto. Vestia calças escuras de escalada, regata branca e um coldre duplo de pistolas afivelado no tórax. Aquela não era uma ocasião formal ou social. Ele estava preparado para caçar e se enfiar no mato. Com a mão livre, Wagner apontou diretamente para Rafael, o único que havia se pronunciado verbalmente com sua aparição. – E você aí, trate de fazer esse *poodle* calar a boca. Eu prometo que ninguém sairá machucado se vocês colaborarem, mas não estou estendendo a promessa a esse cachorro.

Michelle pareceu captar a ameaça no ar, e calou-se no colo de Rafael.

– Muito bem – o magnata sorriu, satisfeito. E fez um sinal com a mão no alto. – Podem entrar.

Anderson viu mais formas se mexerem na neblina. Mais seis pessoas avançavam de dentro dela, cada uma com mais alguém armado até os dentes como sombra.

Eram outros ciganos dos Ghouls, reféns de homens que foram avançando cautelosamente, até alinharem-se com Wagner Rios. Anderson teve tempo de analisar cada um deles.

O primeiro, mais próximo de Wagner Rios e Lionel, era um homem branco de quase dois metros, com uma barriga protuberante e muitos brincos de argola. O capanga que o fazia refém e encostava um revólver em sua cintura era bem menor em tamanho e massa muscular, e parecia assustado com a responsabilidade de escoltar alguém que parecia poder quebrá-lo apenas com os polegares. O grandalhão também não aparentava estar assustado, e na verdade esboçava um semblante de quem poderia muito bem estar no controle da situação.

Uma mulher de cabelos lisos e um garoto magro com olhar de ave de rapina eram cuidados por um outro capanga de Rios, que segurava uma pistola em cada mão. Uma para cada refém. Era moreno, mas a visão do rosto era bloqueada pelo corpo da cigana Ghoul à sua frente. Vestia uma roupa azul-marinho que parecia a de um agente especial da SWAT. Ou talvez ele estivesse fazendo *cosplay* de Metal Gear. O mesmo uniforme era usado pelos outros três capangas ao seu lado...

...que empurravam os últimos três ciganos de forma truculenta, curiosamente sem portarem nenhuma arma. Anderson não entendia o porquê de eles estarem de mãos nuas, e tentou pensar por um momento como Wagner Rios, murmurando consigo mesmo para que somente a moita que o escondia pudesse ouvir.

– Eu poderia comprar todas as armas do mundo, logo não é falta de dinheiro. Logo, se eu deixo algum segurança meu sem arma...

"É porque ele não precisa", completou mentalmente, temendo pelo pior. Principalmente depois de conseguir uma visão melhor dos três seguranças desarmados e perceber algo que o deixou atordoado.

Eles eram os três seguranças escandinavos que faziam a segurança de Bruno Krauss, em Campos do Jordão.

Inclusive, agora que ele conseguia enxergar melhor, o moreno com duas pistolas era o segurança de lábio leporino, que interviera quando Miguel fora agredido gratuitamente por um dos loiros.

Talvez ali, entre o pessoal aturdido que encarava Wagner Rios fazendo reféns entre os participantes do fórum, Miguel, Tina e Kuara também se lembrassem daquelas figuras, e estivessem se perguntando o que diabos significava aquilo. Anderson não conseguia ter uma visão dos amigos, e temia se esgueirar para fora da moita e ser visto. Rios havia começado a falar, e ele decidiu se encolher e apurar os ouvidos, para ver se o maldito dizia algo que fizesse tudo aquilo ganhar sentido.

Nesse momento outra voz desconhecida surgiu, falando com o próprio magnata.

– Este lugar é bem mais úmido do que você me disse – alguém resmungou. E Anderson já havia escutado aquela voz, alguma vez, em sua vida.

– É porque é noite – respondeu Rios, trivial, como quem não estivesse ameaçando pessoas e ainda por cima sendo observado por dezenas de outras pessoas hostis a ele. – O sereno deixa a grama molhada, mas eu acho que de dia Anistia será bem a sua praia, *Sr. Krauss*.

Anderson estacou a respiração e esticou a cabeça para fora da moita.

Wagner Rios conversava com Bruno Krauss.

Anderson se encolheu para dentro da moita, olhos arregalados.

Wagner Rios e Bruno Krauss, aliados?

Anderson não sabia mais o que esperar daquela viagem.

– Posso saber o que está acontecendo, Rios? – perguntou uma voz, elevando-se do meio dos expectadores atordoados. Era a de Inácio, o primo de Zé.

Wagner apontou o revólver para o meio-curupira, casualmente.

– Um segundo, e já explico.

Depois sorriu para Bruno Krauss, como quem se desculpasse pela demora, e voltou a apontar para Lionel.

– Sente-se.

O cigano o obedeceu, frio como uma lápide. Os outros reféns também o imitaram, dobrando os joelhos lentamente.

– Vocês todos, meus amigos de fórum. – Wagner apontou para o chão com a mão esquerda, cinicamente cordial. – Sentem-se também. Vamos conversar.

Ninguém obedeceu. Muitos cruzaram os braços.

Wagner revirou os olhos, e disparou três tiros para o alto, sem sobreaviso. Metade das pessoas praticamente se jogou no chão, muitas das mais novas tremendo de medo. Anderson olhou correndo para se certificar de que os tiros não haviam sido direcionados a ninguém, e reparou, com um grande arquejo de alívio, que muitos continuavam de pé e de braços cruzados. Tina, Chris, Elis, Zé, Inácio, Bárbara, Cássia, Otto, Eugênio e todas as icamiabas. Aliás, quase todas. Alba já estava no chão há eras, não parecendo nem um pouco assustada. De qualquer maneira, ela jamais se arriscaria a levar um tiro e sujar a sua cara blusinha de sangue.

– Vejo que vocês precisam de um incentivo maior que algumas balas para o alto. Antonsson?

À menção do seu nome, um dos loiros gringos se adiantou, o mesmo que havia dado o safanão no pequeno Miguel, na frente da baladinha de Capivari. E cometeu a deselegância de começar a se transformar em um lobisomem.

Foi tudo rápido e brutal, com um ruído seco e estalos de ossos se alongando para ajustarem o corpo humano à forma lupina. Suas vestes de soldado especial se rasgaram, e seus cintos e correias também se partiram.

Em três segundos, e sem adição de água fervente, lá estava o monstro. Cinzento, de olhos claros, focinho terrível e bípede.

– Transformação Insana – suspirou Anderson, desanimado. Isso explicava a falta de armas dos três seguranças loiros. Além daquela besta, havia mais dois lobisomens ali ao lado inimigo. Se o garoto conseguisse dar uma espiada no rosto de Chris, que agora se sentava como todos os outros, veria que o rapaz estava inquieto, à beira de começar a rosnar e se transformar. Ele havia ficado assim na presença de capelobos, no primeiro confronto de Anderson contra Wagner Rios.

O lobo que os ameaçava e os observava sobre duas patas – Antonsson – era bem diferente do lobo-guará que Chris encarnava. Era um tradicional lobo cinzento europeu. Se a forma humana do loirão já era grande e embrutecida, a sua forma lupina era proporcional à sua bestialidade. Para o espanto de Anderson, mesmo na sua Transformação Insana, o capanga de Rios era completamente centrado. Controlado. Arfava e rosnava lá no fundo da sua garganta, mas não faria nada se seu chefe não ditasse algum comando. Se fosse necessário, ficaria décadas vigiando o agrupamento de reféns sentados.

– Melhor assim! – exclamou Rios, com a situação sob controle. – Eu lhes apresento Antonsson, este formidável espécime que ameaça vocês, Larssen e Lannerbäck – e apontou para os outros dois que continuavam em suas formas humanas. – Exemplares raríssimos de lobisomens suecos, e mercenários mortalmente formidáveis.

Não houve nenhuma saudação de "Olá, lobisomens".

– Continuando com as apresentações da minha equipe, temos meus dois seguranças humanos, mas não menos dispostos a matar, Soares – e apontou para o moreno de lábio leporino e duas pistolas – e Souza – e apontou para o segurança que antes escoltava o Ghoul grandalhão. Anderson, no mesmo momento, pensou que se pudesse escolher alguém do grupo de Rios para enfrentar no *mano a mano* seria aquele cara. Era, de longe, o que tinha a aparência menos mortal do grupo.

– E como não podia deixar de ser, a estrela desse *show*. O nacionalmente famoso homem de corpo fechado e instintos à flor da pele... Sr. Bruno Krauss!

O astro da televisão deu um sorriso cheio de dentes e gengiva, mas de maneira tão idiota que pelo jeito grande parte das pessoas mantidas reféns se arriscaria a passar pelo lobisomem escandinavo apenas para dar um murro naquele queixo. Anderson mesmo já estava quase deixando a moita para enfiar um indicador naqueles olhos esbugalhados e famintos por audiência.

Krauss, vestido como uma espécie de versão masculina de Lara Croft com calças de *trekking*, agarrou o cinto com as facas e continuou sorrindo para os reféns. Como se quisesse aplausos após o anúncio feito por Wagner Rios, que se divertia excentricamente com aquela situação constrangedora.

– Você não está esperando uma salva de palmas, né, seu escroto?

Era Chris, pronunciando-se lá no meio dos reféns comportadamente sentados, que agora também incluíam os ciganos Ghouls. Rios, Krauss e o lobisomem-Antonsson voltaram os olhos para o rapaz. A besta grunhiu, talvez reconhecendo a fera interior no rapaz. Krauss caminhou de peito estufado até mais próximo do grupo sentado, e o encarou.

– E quem é este monte de ossos petulante? – perguntou para Rios, mas sem tirar os olhos de Chris.

– Ah! – Rios gargalhou. Tudo parecia divertido, para ele. – Eu recomendo um cuidado extra com este rapaz, ele...

– Meu nome é Chris. E eu não preciso que nenhum magnata fale por mim, obrigado. – Em seguida, dirigiu seu olhar amarelado para Bruno e acrescentou, mais seco que uma lixa: – E seu programa é um lixo.

Foi um chute bem rápido, assim como toda a confusão que veio a seguir. O coturno de Krauss atingiu o rosto de Chris em cheio, e no outro segundo Elis chutava a parte de trás do joelho do agressor, levando-o ao chão também. Antonsson saltou em direção à garota, mas Otto, da ResEx, se levantou e deu um impressionante jogo de corpo no monstro, que se desequilibrou e cambaleou para longe.

Anderson saiu de trás da moita, mas ninguém o viu. Todas as atenções eram voltadas para a confusão. Tirou o arco retrátil da bolsa, mas congelou quando os outros dois suecos também se transformaram em lobisomens bípedes.

Medo definia a sua incapacidade de mover as pernas adiante.

Antonsson abocanhou a perna de Otto e o arremessou em cima de Rod e Rute, dos Sukatas, o que fez Cássia gritar e se levantar, até ser derrubada por uma rasteira de Krauss, que ainda estava no chão. Zé e Inácio fizeram menção de agir, mas o outro monstrengo rugiu. Os três lobos cercavam o grupo, e o confinavam em um círculo apertado. Rios e os outros seguranças dispararam para o chão, *muito* próximo dos pés das icamiabas, que tentavam encaixar flechas em seus arcos longos.

E aquele era o fim da breve insurreição que quase se instalara.

Anderson flagrou-se com medo de agir. E continuou parado fora da moita, até perceber que sua presença não seria de valia alguma em um confronto que continha armas de fogo e mandíbulas. Jogou-se de volta para o esconderijo, temendo ter sido visto por alguém.

Perto dos reféns, Rios caminhava até onde Chris estava estirado, com um grande corte no rosto.

– Viram? Isto foi para provar que tenho tudo sob controle. Não tentem nada disso novamente, se não quiserem cavar as covas dos próprios amigos.

Rios chutou as costelas de Chris, com força.

– Lobo mau. Muito mau.

E voltou-se para Elis. Krauss já estava de pé, e ia até onde a garota estava, quase fora do círculo de reféns. Agarrou-a pelos cabelos, fazendo-a se ajoelhar.

– Aqui. Foi esta que me derrubou. – E sacou uma faca serrilhada do cinto. Elis não fez cara de dor, a despeito da brutalidade com que fora içada. Apertou os lábios e encarou Rios.

– Solte-a, Krauss – ordenou o empresário, com uma ponta de raiva na voz aparentemente controlada. Talvez não gostasse que seus capangas, famosos ou não, tomassem atitudes sem antes consultá-lo.

– E por que eu deveria fazer isso? – E mais uma vez, em menos de um ano, uma faca era encostada no pescoço da semissereia. Chris gritou. Ou melhor, latiu, mas sem se transformar. Anderson sentia-se inútil, observando a cena de longe.

– Ela está grávida – disse Rios, seco, apontando para a barriga de Elis.

Krauss sorriu, doentio.

– E daí? Dois coelhos em uma...

– SOLTE-A, EU ESTOU MANDANDO. – Rios apontou a arma para Bruno, que ainda demorou alguns segundos para desgrudar de Elis. – Não importa quem você seja fora desta ilha, Krauss. Eu lhe paguei uma fortuna, e enquanto estivermos sob contrato, você me obedece. É um mercenário, como os lobos suecos. Entendido?

Krauss ficou mais vermelho do que já era. Parecia prestes a explodir, mas então dispersou a tensão com um sorriso amarelo, e guardou a faca no cinto.

– Como quiser, chefe.

– Que bom que estamos entendidos. Além disso – Rios se aproximou de Krauss e apertou seu ombro, fraternalmente, em artimanhas de um manipulador nato –, eu estou prezando por sua segurança. Essa garota, Elis, é descendente de uma sereia. Poderia facilmente encantar você e fazer com que enfiasse esta faca na própria carótida.

Bruno olhou de Rios para Elis, ligeiramente espantado.

– Sereias? E eu pensando que lobisomens e ilhas flutuantes seriam as coisas mais estranhas que eu veria nessa sua missão maluca.

Rios gargalhou.

– Você tem muito a aprender sobre o folclore, meu amigo. Aceitar este desafio deixará você mais maravilhado que qualquer *reality show* na selva que aquela emissora poderia oferecer.

– Assim espero. Estou aqui pelo desafio e não pela grana, como você bem sabe. Porque eu já tenho muita grana. Eu durmo em um colchão forrado de grana, sabia?

– Não sabia, mas eu sei qual a sensação de dormir sobre dinheiro. Muito bem! – Rios elevou a voz, desta vez para todos prestarem atenção. – Estamos entendidos? Sem mais nenhuma tentativa de fuga, e ninguém mais sai ferido. Combinado? Souza! Traga um kit de primeiros socorros e dê um jeito na perna daquele barbudo, ela está... bem feia. Não queremos nossos hóspedes morrendo por infecções, queremos? Agora, um novo assunto na pauta...

Wagner puxou a corrente do seu muiraquitã de mico-leão furtado.

– Este amuleto pertencia a Lionel, nosso amigo cigano. Eu o roubei, e providenciei para que o grupo Cântico, que viria junto com os Ghouls, se atrasasse. Então, eu e meus seis amigos tomamos o lugar deles no fórum. Estão entendendo até aqui?

Um vilão tentando ser didático. Anderson, à distância, queria poder fazer com que Rios engolisse aquele amuleto pela orelha.

Ele continuou.

– Logo, faltam três muiraquitãs para eu completar a minha coleção. E conto com a colaboração pacífica de vocês para esta minha *coleta*. – Ele se volta para Zé, que o está olhando de cara feia, como quase todos os reféns. – Coleta! É assim que vocês apelidaram aquela mendicância na Organização, certo? Pois bem, passaremos agora recolhendo os amuletos.

Wagner abriu caminho entre os reféns até Bárbara, do grupo carioca. Soares o acompanhou de perto, apontando a arma para a testa dela, que cruzou os braços na frente do muiraquitã.

– Que chato – disse Rios, coçando o rosto com o mindinho. – Você vai resistir mesmo?

– Eu sou da Resistência Extrema – cuspiu Bárbara, entre os dentes. – É claro que não posso fazer nada enquanto seu guardinha aponta um cano para a minha cara. Eu não entrego nada, você que pegue.

– Faz sentido. – E puxou o muiraquitã de tatu pelo cordão com toda a força, rompendo-o em um estalo. O que obviamente fez um vergão no pescoço de Bárbara, que apertou os lábios para não mostrar dor na frente do inimigo. A Resistência Extrema fazia jus ao seu nome.

– Muito bem. – Rios amarrou-o ao redor do pescoço, junto ao amuleto de mico-leão. – Agora, as famigeradas icamiabas. Quem é a portadora?

Alba levantou uma das mãos, com cara de enfado e tédio somados à sua antipatia natural. Wagner se dirigiu a ela prontamente, que foi arrancando o muiraquitã de sapo sem pestanejar.

– Essa coisa brega não combinava com nenhuma roupa minha mesmo. – Ela o depositou na mão estendida do vilão. Wagner demorou-se um pouco sobre o semblante da irmã de Elis, e inclinou a cabeça de lado, dizendo em um tom de voz cortês.

– Grato, senhorita.

O embate de olhares entre Alba e Wagner durou mais alguns segundos, antes de Wagner voltar para fora do círculo. Anderson, à distância, não entendeu muito bem. Havia rolado uma *empatia* ali entre os dois? Era por isso que Rios a observava às escondidas, no mundo dos sonhos?

"Eca. Ele é bem mais velho." Pensava nisso quando sentiu uma sensação familiar e nada agradável dentro da sua cabeça. Dedos invisíveis percorrendo os relevos do seu cérebro. Enquanto isso acontecia, Wagner voltou a falar.

– Muito bem. De acordo com meus informantes, os últimos quatro vencedores das gincanas do fórum são os Ghouls, as Icamiabas, os cariocas marrentos e... a Organização. Meus preferidos, sempre. Como não gostar de marginais que incendeiam seus prédios?

Kuara ousou gritar um "Bem feito!", mas foi pontuado em seguida com um rugido de lobisomem. Rios a ignorou, e continuou falando.

– Então, quem de vocês está carregando o muiraquitã da tartaruga, hã? – Abriu os braços, como se esperasse um abraço. – Cadê o menino Coelho, que até agora eu não vi? Me disseram que ele estaria aqui.

Anderson sentiu frio no corpo inteiro ao ouvir seu nome ser pronunciado. E também sentiu frio na testa, ou melhor, *por trás* da sua testa.

Foi nesse exato momento que Elis estabeleceu contato mental. Ela tinha um plano.

< capítulo 11 >

INSANIDADES

"Anderson, está me ouvindo? Temos de ser rápidos."

– É claro que tô te ouvindo, você tá dentro da minha cabeça! – sussurrou ele em resposta, levando um pito em seguida.

"*Xiu!* Você não precisa pronunciar as palavras para me responder! Só mentalize a resposta!"

– Ah, é. Foi mal!

"ANDERSON!"

"Mal, mal, mal, mal, mal!"

"Tá. Escuta, eu vi você atrás da moita. E vou precisar da sua ajuda."

"Só me dizer, mas você viu aquelas armas? E aqueles lobisomens? E o que acontece que o Bruno Krauss está ali? Estamos no *Sem limites* e eu não tô sabendo?!"

"Eu sei tanto sobre isso quanto você. Eu preciso que você crie uma distração. Pode ser qualquer coisa, mas que atraia grande parte da atenção para longe de nós, reféns. E para longe de você, claro! Não quero que você corra perigo, e de certa forma você está a salvo, mantendo o muiraquitã longe."

Anderson lembrou-se da história de Anistia, contada por Zé.

"Se ele juntar os quatro amuletos... ele poderá mover a ilha para onde quiser, certo?"

"É o que eu acho. E isso não pode acontecer. Já avisei Kuara, Chris e o Zé via telepatia. Você faz a distração, e foge para o meio da mata. Eu vou tentar quebrar o cerco e me atirar no rio em que estivermos, seja lá qual for ele. E a Kuara vai tentar voar para longe daqui, para pedir ajuda também. Um de nós conseguirá..."

A mera noção de que um deles poderia não conseguir o fez implorar para que Elis desistisse daquela ideia.

"Elis, você nem sabe em que parte do país estamos! Vai que você se joga em rio cheio de piranhas no Acre..."

"Eu sou uma quase sereia, bobinho. Se convencer humanos é boiada, convencer peixes é ainda mais fácil."

Anderson sabia que, se ela estivesse ali na frente, estaria piscando com um dos olhos, cheia de charme.

"E o bebê?"

"Estou bem, ele também. Já disse, acho que ele amplia minhas capacidades. Vou pedir socorro para a minha mãe e para o Patrão, o mais urgente possível. Agora, PENSE EM ALGO PARA DISTRAÍ-LOS!"

Anderson olhou ao redor, procurou uma pedra. Talvez se a *estilingasse* para o outro lado... Não, estava muito longe, e aquilo não atrairia a atenção de ninguém. Precisava de algo *maior.*

Enquanto isso, Rios inquiria os reféns.

– E o que foi? Ninguém vai me contar com quem o amuleto está? Ou onde Anderson está? Meus garotos suecos vão precisar mastigar uns dedos para que vocês abram suas bocas?

Surpreendentemente, Tina se levantou, ao lado de Pedro. O garoto puxou sua perna para baixo, para que sentasse, mas ela resistiu.

– Anderson não está. E o amuleto também não.

Wagner a olhou de cima a baixo. Desatou a rir.

– E você é...

– Valentina.

– Ok. Tina, e o Sr. Co...

– É Valentina, para você.

Bruno Krauss riu, com as mãos na cintura. O capanga que fazia o curativo na perna de Otto com a delicadeza de um marombeiro também riu. Até Wagner riu.

– Ok, me desculpe Va-len-ti-na. Bom assim? – De súbito, toda a calma e a ironia do magnata começaram a arrefecer, aos poucos, e ele esticou sua pistola na direção da garota indefesa, com um crescendo de raiva. – Onde está o Sr. Anderson Coelho e a PORCARIA DO MUIRAQUITÃ DE TARTARUGA?!?!

Tina gaguejou, sua pose de coragem por um fio...

– E-eu nã-não...

– ESTOU AQUI!

Todas as cabeças se voltaram para o garoto com a flecha encaixada no arco.

"Anderson!"

"Calma, Elis. Eu sei o que estou fazendo."

"Sabe nada! Eu estou dentro da sua cabeça, e não estou vendo nenhuma *boa* ideia."

– Olha ele aí! – Rios fingiu não estar aturdido pela visão do garoto, mas de qualquer forma enfiou a mão esquerda no bolso das calças. E Anderson sabia que naquele exato momento, ele estava segurando o seu Cachimbo de Ouro, que lhe conferia imunidade absoluta. – O garoto veio me trazer o muiraquitã pessoalmente, gostei. Pode vir! Prometo que esse lobisomem babando de fome não vai atacar, a menos que eu ordene.

Anderson tencionou a corda do arco. E tentou disfarçar a tremedeira em sua mão. Talvez, àquela distância, ninguém percebesse.

– Acho que não.

– Pare de besteira. Me dê logo essa porcaria. Vai nos derrubar, os sete, com as flechas antes que transformemos você em uma peneira?

Anderson nada disse. Tentou experimentar o efeito do silêncio.

"O que você vai fazer...?"

"Sua distração chega logo mais, Elis", mentalizou. De canto de olho, viu que Soares, o do lábio leporino, estava à direita dela, pouco afastado. E que Souza estava de pé à sua esquerda, segurando apenas um rolo de esparadrapo, distraído por sua aparição. "Corra para o lado do capanga menor, o do curativo. Ele está desarmado, segurando uns negócios do kit de primeiros socorros."

"Repito: o que você vai..."

Anderson sobrepôs a voz mental de Elis. Sua visão estratégica de *gamer* estava funcionando a toda, e ele não podia desperdiçar o momento.

"Tente passar para todos rápido: você corre para a esquerda, para cima do desarmado. Kuara voa para as árvores, para o outro lado. Chris tenta se transformar e bloquear algum lobisomem que comece a correr atrás de você, caso algum deles decida *não* correr atrás de mim. O que eu duvido."

"Por quê?"

O elo mental foi cortado, pois Anderson soltou a flecha e correu na direção da mata fechada.

A flecha voou, mas não na direção de Rios. Em seu melhor estilo de tiro instintivo, Anderson desviou o arco no último momento antes do disparo, mirando em Bruno Krauss, que brincava com o gume serrilhado da sua faca. Rios continuou estático, segurando o seu Cachimbo de Ouro dentro do bolso. Sabia que nada poderia feri-lo, e por isso não precisaria se abalar.

Anderson não olhou para trás nem quando Wagner gritou algo em sueco, e três uivos cortaram a noite de Anistia.

Sem ser observada pelo autor do disparo, a flecha chegou ao fim da trajetória. Não em Krauss, que teve bom reflexo e girou o tronco a tempo. Ela acabou passando direto e acertando a coxa do lobo que era Larssen. Ele uivou de dor, enquanto seus dois irmãos em espécie uivavam em selvageria, e passou a correr atrás de Anderson Coelho, com flecha fincada e tudo.

Enquanto o garoto era o foco, Elis levantou-se na direção de Souza, armado de um rolo de esparadrapos, que tentou bloqueá-la e acabou levando a pior. A semissereia plantou uma das mãos espalmada em seu rosto e a empurrou para trás, derrubando o capanga de Rios como se ele fosse um cone de trânsito. Soares, do outro lado do círculo de captores, fez mira em Elis, que corria na direção do cais. Mas ele acabou sendo atrapalhado por Chris, que correu para atingir seu estômago com o ombro. Dois tiros secos não encontraram vítima.

Aproveitando a confusão, Kuara voou. Não passou despercebida por Bruno Krauss, que mesmo de costas para os reféns pressentiu o movimento da arara e arremessou a sua faca. Kuara escapou por pouco, imitando uma manobra evasiva de um caça F-22. Aprendera o movimento assistindo *Independence Day* e *Top Gun*.

– Krauss, deixe o pássaro estúpido! – gritou Rios, uma das mãos no bolso e a outra na pistola, apontando para as pessoas. Somente ele e algumas balas para cuidar de todos os reféns, depois que o astro da televisão o obedecesse. – Pegue a garota, ela vai se jogar na água!

Krauss correu, muito, como se estivesse em uma das provas do programa que o tornara famoso. Wagner viu com o canto do olho que Chris, em forma humana, e Soares, desarmado, se engalfinhavam violentamente.

Os reféns começaram a se levantar. Eram muitos, mesmo para um homem armado.

– E como fica, Rios? – Eugênio caminhava na sua direção, com Inácio ao seu lado, e o grandalhão barrigudo dos Ghouls. Zé se juntava à briga contra Soares, um pouco afastado. As icamiabas ao fundo preparavam novamente seus arcos. – Quantos tiros você consegue dar antes de ser derrubado? Não deveria ter mandado todos os seus lobisomens importados atrás do muiraquitã de tartaruga.

Rios não baixou a arma. Mas também não tirou a mão do bolso, o que garantiria boa parte de sua integridade física.

– Vocês realmente acham que estão com a vantagem?

Eugênio continuou avançando, mexendo na ponta do bigodão.

– Bem, tirando todos os que fugiram ou estão ocupados com seus capangas, diria que somos mais de trinta. Um número considerável.

– Um número considerável de pessoas despreparadas – respondeu Rios, com serenidade.

– Corta essa – disse Rafael, do Circomplexo, juntando-se à comissão de frente que exigia a rendição de Rios. – Nós vencemos, e agora vamos atrás dos seus lobos.

– Não tão cedo, meu caro. – O magnata franziu as sobrancelhas, e voltou-se novamente para Eugênio, que segurava seu violão como se fosse uma clava. – Diga-me, meu amigo cigano... Sete desses seus aliados lhes fariam muita falta?

– Do que você está falan...

– Romero, por favor. Coloque-os novamente em um círculo. – Rios, estranhamente, falava com o Ghoul que estava do lado de Eugênio e Inácio. – E o restante de vocês... *agora!*

Lá atrás, Lionel e todos os Ghouls sacaram dos bolsos pequenos potes de *spray* e punhais. Seus lenços ciganos subiram à altura das narinas, e uma fumaça ardida foi disparada em cima das icamiabas, dos que se levantavam para peitar Rios e todos os seus outros colegas de fórum. Ou melhor, ex-colegas.

Os ciganos estavam mancomunados com Rios, e só aguardavam aquele sinal para se revelarem.

Romero, o gigante careca e de barriga protuberante, nocauteou Eugênio, Inácio e ainda por cima teve tempo de partir para cima de Chris e Zé, que imobilizavam Soares. O meio-caipora rolou para o lado antes de levar uma senhora pisada na cabeça, e Chris saltou à distância, transformando-se em sua forma quadrúpede de guará.

– Pode vir, vira-lata! – bradou Romero, batendo no peito e fazendo os brincos em suas orelhas tilintarem. Zé pôs as mãos em concha, e gritou para o amigo que rosnava.

– Chris! Temos de ajudar o Anderson! Não temos mais o que fazer aqui, os Ghouls traíram todo mundo!

O lobisomem grunhiu, nervoso. Romero sorria e exibia alguns dentes de ouro que mais pareciam podres, esperando que seu desafio fosse respondido.

– *Arf!* – foi o que Chris limitou-se a dizer, driblando o grandalhão e deixando Zé montar em seu lombo.

O lobisomem-guará e o meio-caipora cavalgaram no encalço dos três monstros escandinavos. Que, por sua vez, perseguiam Anderson – a última resistência contra o plano de Wagner Rios de controlar Anistia.

A linha de árvores se aproximava, e Anderson sabia que teria mais chance de fugir dentro da mata fechada que em campo aberto, onde os lobisomens poderiam imprimir toda a força em suas patas. Por sorte, os suecos não tinham pensado em deixar a Transformação Insana e assumir a forma quadrúpede. Caso o fizessem, a fuga de Anderson já teria acabado de maneira horrível, entre presas amareladas preenchidas de carne mulata e pelos cinzentos manchados de sangue.

Mas era uma questão de vinte metros, ou alguns segundos para que aquilo acontecesse, de qualquer modo.

Anderson enfiou o arco retrátil no elástico das calças. Tirou um estilingue do bolso e agarrou um pedregulho perfeito, do tamanho das suas mãos, quase sem diminuir a velocidade de fuga. Atirou para trás, sem mirar, e ficou satisfeito ao ouvir um ruído surdo e um ganido. Não que aquilo fosse salvar a sua vida...

A respiração pesada dos lobos se aproximava. Um deles estranhamente mancava e era mais lento que os outros, mas isso não mudava o fato de que a respiração pesada dos lobos se aproximava. Anderson queria chorar, queria vomitar, queria gritar de medo, mas, mais que tudo, queria viver.

Aumentou a velocidade em um último e instintivo esforço do corpo.

– Ela fugiu – constatou Krauss, nervoso, reportando-se a Wagner Rios. Atirou uma faca ao solo, fazendo a lâmina afundar até o punho na terra. – A maldita sereia se atirou para fora da ilha. Como uma grávida pode correr tanto?

– Ah, essas criaturas de sangue duplo. Sempre nos surpreendendo. – Rios suspirou, braços para trás, admirando o círculo de reféns novamente controlado. Caminhava até Souza, que continuava caído após ter sido derrubado por Elis. Lionel e os seus ciganos de caráter rompido rondavam os reféns como cães famintos, prontos para impedir qualquer fuga. As icamiabas, desprovidas de seus arcos, esfregavam os olhos com a pimenta saída dos *sprays*. Algumas crianças choravam de dor. Tina e Pedro não estavam entre delas, pois aguentavam a ardência com toda a dignidade e a sisudez que alunos do Patrão poderiam demonstrar em horas de desespero.

– Os seus lobisomens foram atrás daquele molecote – constatou Krauss, acompanhando Rios e apontando na direção da floresta. – A ideia é trazê-lo aos pedaços, mesmo?

– Hum, de preferência não. – O magnata agachou-se ao lado de Souza. Estava de olhos e boca abertos, estuporado. Ainda segurava o rolo de esparadrapo.

– Ele está...?

– Morto? Não, Krauss, mas pode estar em um estágio bem próximo disso. Essas garotas sereias são perigosas, já vi vítimas delas antes. – Rios passou os dedos à frente dos olhos do capanga. – Ela provavelmente apagou a mente deste rapaz.

– Apagou?! – Krauss riu, exasperado. Aquilo era muito diferente de comer escorpiões. Bem mais assustador. – Como assim? Agora ele é só uma casca?

– Não sei, e não imagino o tamanho do estrago. Muitas vezes essas coisas são irreversíveis. Creio que preciso de uma opinião de especialista... Lionel!

O cigano virou-se para Rios, sinistro.

– Sim?

– Traga-me a representante icamiaba de Beverly Hills aqui. Com *cuidado*. – E acrescentou, sorrindo para Alba, no melhor tom de voz de quem já discursou mil vezes à frente das câmeras. – Ela cooperou na hora de entregar o muiraquitã dela. Vamos mostrar a nossa *gratidão* sendo gentis com esta moça.

Lionel estendeu uma das mãos para que Alba se levantasse. Ela estava com lágrimas negras de rímel escorrendo no rosto. Resultado do *spray* de pimenta.

– Não dá para eu retocar a maquiagem, antes?

– Depois de me dizer o que aconteceu ao pobre Souza, minha querida.

– *Humpf* – resmungou a irmã de Elis. – Talvez eu precise de um tempo para identificar a profundidade do efeito, não sou tão boa telepata como minha irmã.

Rios assentiu com a cabeça, e disse:

– Mas tenho certeza de que é maravilhosa em outros âmbitos, garota.

Ser chamada de garota pareceu massagear o ego da icamiaba. Ela não era garota nenhuma, no alto dos seus vinte e quatro anos, mas adorava ser confundida com uma adolescente na flor da idade.

Rios a deixou trabalhar, sob a supervisão de Lionel. E voltou-se para Krauss novamente, em particular.

– Acho que você será muito útil lá na mata, meu jovem. Os lobisomens ainda não voltaram com o muiraquitã ou qualquer pedaço de Anderson. Ele deve ter conseguido escapar, com a ajuda daquele garoto-guará e do anão... Fareje-os, e traga-os até mim. Quero dar um exemplo prático, a todos daqui, sobre o que acontece com quem me desafia.

– Pode deixar.

E assim, Bruno Krauss seguiu para a mata fechada. Sem mochila e sem alimento. Facas bastavam.

O lobisomem que ficava mais atrás na perseguição a Anderson tinha uma flecha cravada na coxa. Aproveitando dessa fraqueza, Zé pediu e Chris pulou sobre as costas do monstro, levando-o ao chão e fazendo-o capotar várias vezes, como um carro de Stock Car desgovernado.

Os outros dois não tinham se dado conta de que o parceiro de alcateia não estava mais na ativa quando Chris os ultrapassou, muito mais rápido que os seus semelhantes bípedes.

– Anderson! – gritou Zé, quase emparelhando com o garoto. – Pule para cá, me dê a mão.

Não foi preciso dizer duas vezes. Anderson saltou e montou logo atrás de Zé, segurando-se nos pelos do amigo para não cair.

Assim como tinham cavalgado o Boitatá certo dia, os três cruzaram a linha das árvores com mínima vantagem sobre os inimigos. Chris era ágil e se desviava de raízes e troncos, mal fazendo as folhas secas estalarem à sua passagem. Anderson e Zé precisavam manter as cabeças baixas, para não serem atingidos na testa ou perderem um olho. A escuridão nublava seus sentidos, ao contrário de Chris, que era guiado por olfato e uma audição muito ampliada. A única fonte de luz natural vinha da lua quase cheia no céu.

Já Antonsson e Lannerbäck não tinham a mesma graça e sutileza do parente tupiniquim. Esmagavam galhos, pisoteavam o solo com brutalidade e urravam alto, espantando qualquer tipo de fauna de perto da perseguição sobre patas.

– Estamos indo mais rápido que eles?! – gritou Anderson, de olhos apertados e cabeça baixa, encostando a testa nas costas de Zé.

– Sim! – gritou em resposta o caipora. – Mas não se anime. Se continuarmos assim, eles vão nos emboscar. Precisamos de um plano B...

– Que tipo de plano?!

– Dividir e conquistar!

– Esse é o bordão daquele jogo de estratégia, o War in Rome!

– Agora é o nosso bordão! Não desgrude do Chris!

– O quê?!

Zé agarrou-se em um galho e sumiu do lombo de Chris. Anderson agora montava o amigo guará sozinho, abraçando seu pescoço enquanto um dos outros dois lobos saía da sua cola para tentar abocanhar o baixinho. A última coisa que o garoto viu antes de se distanciar do amigo caipora foi um extremamente ágil José da Silva Santos pulando de galho em galho e fazendo acrobacias pouco acima da bocarra aberta de Antonsson. Ou seria Lannerbäck? Não importava. Eram todos mercenários, todos a mando de Rios, e todos letais.

– Corre, Chris!

– *Auf!*

– Não faço a mínima ideia do que você disse, mas corre!

Chris mudava de direção bruscamente, conforme as árvores se materializavam à sua frente. Com o peso de Anderson nas costas, e com a recente agressão desferida por Wagner Rios, não era de admirar que ele estivesse perdendo velocidade. As folhas das árvores, que eram apenas borrões para Anderson durante aquela fuga louca, passaram a ser muito bem distinguidas. A velocidade estava caindo consideravelmente.

E aí sentiu o impacto. Depois ouviu o ganido de Chris. Antes de virarem três cambalhotas no ar, Anderson teve tempo de pensar em apenas uma coisa:

"Que saudade de enfrentar capelobos!"

Não chegava a ser uma clareira de fato, mas havia muito espaço entre as árvores. Anderson rolou sobre plantas que amorteceram a maior parte do impacto da queda. Já Chris foi parar na base de um tronco grande e robusto. De início não se mexeu, mas foi levantando aos poucos, arfando alto.

O lobisomem europeu entrou na clareira, devagar. Sabia que tinha encurralado suas presas, e dava passos laterais, analisando a possibilidade de saltar sobre o lobo quadrúpede e eliminá-lo de vez antes de se encarregar do garoto.

Chris se ergueu. Rosnou em desafio e esperou o ataque do outro, que uivou em resposta, um misto de grito e lamento que fez todos os poucos pelos da perna de Anderson tentarem fugir das suas raízes capilares.

As garras do lobisomem cortaram o ar, muito próximo de Chris. Ele fintou e desviou, procurando uma brecha na guarda do monstro que permitisse uma mordida bem dada, o que ficava difícil quando o inimigo era uma montanha de músculos bem mais alta e com força física superior. Chris era mais ágil, e Anderson percebeu que ele tinha uma grande vantagem de movimentação naquele cenário. Se aquilo fosse um RPG, o lobisomem lutando em seu próprio terreno teria uma vantagem natural. E os lobos suecos deveriam estar acostumados com outro tipo de vegetação e com a neve.

"Como eu queria que isso fosse verdade."

Chris mais fugia dos ataques do que atacava. Ficou em uma posição em que o lobisomem europeu deu as costas a Anderson, que logo percebeu a intenção do amigo: era para que ele fugisse enquanto a distração acontecia. E enquanto os outros dois mercenários não se juntavam à festa e acabavam com qualquer chance de sobrevivência dos dois.

Anderson correria, se fosse sensato. Como não era, colocou sua mochila no chão e pegou as flechas que vinham no kit do seu arco retrátil. Com um simples clique na arma, lá estava ela, pronta para ser usada.

Precisou firmar os pés para compensar a tremedeira de medo que sentia, e tentou acostumar os olhos ao escuro da mata. Acertou a primeira flecha nas costas do lobisomem, que gritou. Encaixou a segunda flecha no arco conforme o monstro foi se virando. De repente, ficar e lutar havia se tornado uma ideia mais imbecil que mandar um e-mail para o George Lucas e esperar resposta.

A segunda flecha foi perfeita. Faria Olavo Nakano aplaudir sua *performance*, se ele não fosse um crápula, traidor e foragido. Atingiu bem o local do coração do monstro, mas claramente sem profundidade suficiente para matá-lo. A criatura se virou, os caninos amarelos à mostra, e um assustador rosnado no fundo da garganta. Deu três passos na direção de Anderson e quebrou com as mãos a haste da flecha cravada em seu peito. E foi aí que Chris tomou impulso para atacar de forma significativa.

Subiu naquelas costas largas e fechou os dentes em volta da orelha pontuda do lobisomem cinzento. Puxou até conseguir arrancar um verdadeiro grito de dor do inimigo, o que pareceu lhe dar mais ânimo no ataque do lobisomem-guará. O contraste dos pelos claros com os pelos avermelhados aparecia vez ou outra quando a luz da lua iluminava a batalha. E Anderson só observava, com medo de disparar uma flecha errada.

Com a vantagem de braços mais longos e articulados, o lobisomem cinzento conseguiu arrancar Chris de suas costas. Ele, por sua vez, não largou a orelha do oponente nem mesmo após ser arremessado a muitos metros de distância, de encontro a uma árvore.

O licantropo ensanguentado voltou a atenção para Anderson novamente.

– Danou-se – murmurou o garoto.

Isso porque ele não sabia o que estava prestes a emergir do meio da mata.

< capítulo 12 >

NA BOCA DO ESTÔMAGO

Uma vez, na aula de Literatura, Anderson ouviu a respeito da expressão em latim *deus ex machina*.

Lembrando que existia um jogo de computador com aquele nome, ele resolveu perguntar para a professora o real significado daquelas palavras, e sua origem. Na ocasião, recebeu um cutucão de Renato nas costelas, por encompridar a aula em alguns minutos com aquela pergunta. E também recebeu sua resposta.

Deus ex machina significava, literalmente, "Deus surgido da máquina". Anderson lembrava que tinha algo a ver com a mania dos gregos de usarem as figuras de seus deuses para explicarem e amarrarem todas as pontas nos finais em suas tragédias teatrais. Com o tempo, a expressão passou a ser usada para outras situações ficcionais em que uma pessoa em enrascada consegue escapulir de uma dificuldade aparentemente sem saída por motivo de um milagre caído dos céus. Uma intervenção divina, absurda e bem-vinda, ainda que difícil de ser engolida por quem lê, assiste ou escuta.

Deus ex machina era isso, e também seria um bom nome para algum *char* de Battle of Asgorath, se Anderson já não fosse definitivamente Shadow Hunter. E *deus ex machina poderia* ser o que tinha acontecido segundos atrás, quando o garoto percebera que seria trucidado por um lobisomem sem uma orelha.

Aquele ato milagroso, que havia permitido sua fuga do monstro sueco, apenas o jogara em outro perigo maior, mais numeroso e desconhecido.

Quando o lobisomem estava prestes a fatiar Anderson com suas garras, mais ou menos dez animais parecidos com bichos-preguiça irromperam das árvores. Eles tinham de um metro e meio a dois metros de altura, pelos grossos alaranjados e – para o horror de Anderson – uma grande boca dentada no meio do peito, de mais de trinta centímetros de diâmetro.

Ah, sim. Suas cabeças, no formato das cabeças de preguiças mesmo, tinham apenas dois grandes olhos âmbar que ocupavam quase todo o crânio desprovido de bocas.

Eles apareceram saltando de galho em galho, fazendo ruídos gorgolejantes com suas bocas estomacais e acuando o lobisomem, que claramente nunca tinha visto algo parecido na Suécia.

O espanto do inimigo foi o suficiente para Chris levantar-se, cambaleando sobre as quatro patas, e correr até onde Anderson estava, paralisado pela visão das criaturas. O garoto saltou no lombo do amigo e deixou a cena para trás da forma mais rápida possível, torcendo para que as coisas bocudas dessem jeito no mercenário licantropo de Rios.

O guará mancava e vacilava muitas vezes, o que depois de um tempo de fuga obrigou Anderson a desmontar o amigo. Ele imediatamente voltou à sua forma humana, caindo de borco nas folhas secas. Mais à frente havia um riacho veloz cortando o caminho, e Anderson o ajudou a caminhar até lá e se refrescar. As olheiras de Chris estavam péssimas, piores que nunca. Podiam ser vistas mesmo com a luz baixa da lua e a escuridão que imperava. Suas pupilas estavam muito dilatadas. Anderson também bebeu um pouco de água, e aguardou vários minutos até notar com alívio que o amigo respirava rápido, mas com regularidade.

– Aquela coisa me machucou a valer – gemeu, entre os dentes, pondo uma das mãos nas costelas. Anderson não sabia se ele se referia a Bruno Krauss, que o chutara covardemente durante a chegada de Wagner Rios, ou ao lobisomem. – Se não fossem os mapinguaris aparecerem, estaríamos mortos.

– Ah – fez Anderson, lembrando-se da conversa com Zé no Ibirapuera e finalmente descobrindo o que era um mapinguari. – Claro. Bons mapinguaris. Sempre fui fã deles.

– Eu não – disse Chris, acalmando a respiração e acomodando-se entre as grandes raízes de uma árvore que deveria ter séculos de existência. – Você viu o tamanho daquelas bocas na barriga deles? Caberia minha cabeça inteira ali.

Anderson não respondeu. No momento, aquelas preguiças ruivas eram o seu *deus ex machina* preferido. Resolveu voltar a conversa para algo que o incomodava.

– Aqueles lobisomens... Eles estavam na forma Insana, certo?

Chris aquiesceu, sombrio.

– E eles pareciam tão... – Anderson lembrou-se deles ao redor dos reféns, obedecendo a Rios como labradores adestrados. E completou a frase que deixara suspensa no ar: – ...controlados.

– Como pudemos notar, eles são mercenários contratados. Não sei como Rios os encontrou, mas é aterrorizante ver um lobisomem conseguir manter tanta frieza na forma Insana. Unindo tanta força física a frieza de pensamento e disciplina...

Anderson havia reparado naquilo. E se surpreendera ao ver lobisomens tão parecidos aos dos filmes e jogos de computador. Não imaginava que existissem criaturas folclóricas fora do país, e manifestou essa surpresa em voz alta ao amigo, que lhe respondeu:

– O Brasil não é o centro do mundo, Anderson. Nenhum lugar é, na real. Não é à toa que o planeta é redondo... Logo, cada país possui o seu folclore, os seus mitos, e muitos deles acabam sendo resquícios de verdades esquecidas.

– Entendo, mas não deixa de ser chocante. Não consigo agora parar de pensar que podem existir unicórnios, grifos, esfinges e... – Lembrou-se do seu jogo de computador preferido, e engoliu saliva ruidosamente. – ...dragões.

– Pois é. Nada impede que essas coisas existam parcamente por aí, ou já tenham existido em abundância. De qualquer forma – Chris riu de forma dolorida –, acho que o nosso Boitatá é bem mais cascudo que um dragãozinho.

Os dois riram dessa vez. Chris logo parou, murmurando algo quase que aos sussurros.

– Eu não posso lidar com esses lobos nessa minha forma. Eu serei trucidado se encarar os três de uma só vez.

– Eu acho que você estava se saindo muito bem – disse Anderson, e aquela não era uma verdade completa. – Talvez nós precisemos estudar mais os movimentos deles, criar uma estratégia de combate. Eles são como uma matilha, ao que parece...

– Sim. São reflexos de lobos cinzentos de lá das regiões friorentas da Europa. Agem com o instinto assassino dos animais de lá, que comandam. Eu tenho o instinto de um lobo-guará, que é ágil, mas que não está no topo de nenhuma cadeia alimentar. Se eu enfrentá-los assim novamente, serei trucidado.

Anderson escutava em silêncio. Grilos cantavam ali perto. Viu que o amigo olhava para a lua acima, pensativo, e aparentemente entendeu o que lhe ocorria. Mesmo assim, resolveu perguntar.

– No que está pensando, Chris?

Ele suspirou, sem desviar os olhos do quarto crescente.

– Que eu precisarei atingir a Transformação Insana.

Anderson sentiu frio na espinha.

– Isso é... bom, não é?

– Eu não tenho o controle daqueles caras. Eu posso muito bem me voltar contra você, se entrarmos juntos em uma batalha. É perigoso, mas acho que é a única maneira de eu dar conta deles. Eu precisaria segurar por mais alguns dias, de qualquer forma... Depois de amanhã será lua cheia, e poderei atingir a forma com mais facilidade...

Anderson pareceu entender o recado.

– E eu não poderei ficar por perto. É isso?

– Basicamente. Não quero correr o risco de matar meu próprio amigo.

– Eu fico de longe! – disse Anderson, quase sobrepondo a última frase de Chris. A ideia de ficar sozinho naquela selva não era agradável. Nem um pouco. – Posso ficar de *sniper*, atirando flechas nos lobisomens! É! E aí...

– Cara, você transformou esse último em uma almofada de alfinetes enquanto eu brincava de Van Gogh com a orelha alheia. E depois de todo o estrago ele continuou tão disposto quanto antes. Não, Anderson. Se tivéssemos um pouco de prata, talvez você pudesse ajudar.

– Prata? – Anderson arregalou os olhos. – Tipo, balas de prata?

– A prata é tóxica para nós, lobos. Alergia total. Mas não temos como conseguir prata em um lugar desses, e o negócio é eu mesmo lidar com os loirões. – Chris suspirou, e em seguida reconheceu a expressão de desapontamento e medo no rosto do amigo. – Ei! Mas você pode nos ajudar de outras formas, cara.

– Voltando para o Tio Rios e lhe entregando o muiraquitã, para ele parar de tentar nos matar?

– De maneira alguma. Nós não nos arriscamos tanto para entregar Anistia para ele de mãos beijadas. Já imaginou o que ele faria com uma ilha itinerante em seu poder, Anderson?

Ele arregalou os olhos. Imaginou a base militar móvel mais perigosa do mundo. Passando como neblina por rios e carregando consigo uma frota completa de armamentos, tanques e aviões de guerra. E tropas. Inúmeros soldados sendo transportados de uma vez...

...e Wagner Rios, indestrutível, tendo como quartel-general um lugar que não poderia ser mapeado nos radares e que poderia sumir e aparecer a qualquer momento.

Pensou em dar voz aos seus pensamentos, mas então seguiu-se outro raciocínio em sua cabeça que o deixou ainda mais assustado. Na verdade, uma cadeia de raciocínios que lhe falava com a voz do Patrão:

"...todos vocês poderiam ser corrompidos pelo outro lado... vocês fariam coisas grandiosas, mas terríveis... eu simplesmente estou blindando a mente de vocês para que não usem suas genialidades apenas para o próprio benefício, ou para o benefício de latifundiários dos tempos modernos..."

Aquilo tudo havia sido dito pelo velho Saci. E Anderson reparou, com espanto, que havia pensado como Wagner Rios. Conseguira se colocar no lugar do crápula, e imaginar o que ele faria. Sentiu medo, e sentiu-se um pouco... sujo. Resolveu não dizer tudo o que tinha pensado para Chris, e limitou-se a poucas palavras.

– Ele faria um baita estrago, com Anistia em mãos.

– Sim – concordou Chris, alheio a tudo o que havia se passado na cabeça do amigo naqueles segundos. – Você precisa manter o muiraquitã afastado de Rios até Elis e Kuara voltarem com os reforços, o que eu espero que não demore tanto tempo. Podem ser horas. Podem ser dias. Pode ser que nunca cheguem a tempo. – Chris levantou-se, com dificuldade. – E, além do mais, precisamos saber se Zé ficou bem depois de nos separarmos.

Aquilo fez o coração de Anderson bater em disparada. Ele tinha se esquecido completamente de Zé! Sentiu-se o pior amigo do mundo.

– Ah, que droga! Tinha me esquecido disso! E agora, o que...

– Ele é um meio-caipora, velhinho. Existem muitas chances de ele ter escapado, e agora deve estar por aí, pulando de galho em galho. Com sorte, você e ele se encontram e aguentam juntos até a ajuda chegar... Vamos soltar todos aqueles reféns e chutar a bunda do Rios mais uma vez!

Era a vez de Anderson parecer sem esperanças. Ele enfiou os dedos de uma das mãos no riacho, distraidamente, mas logo os retirou. O fato de não conseguir enxergar o fundo dele, no escuro, o enchia de medo.

– Você diz isso, mas aqueles lobisomens... Eles me apavoram. Tudo seria mais fácil sem eles.

– Também acho, e não pense que aqueles meus primos cinzentos não me assustam também. E tivemos sorte de Rios não ter trazido mais alguns capelobos. Ou aquela Cuca da Santa Ifigênia. E, sinceramente, sabe quem me preocupa mais ali naquele time?

Anderson não pensou duas vezes. Por estar longe e alheio à reviravolta na situação dos reféns, não fazia ideia de que Lionel e seus ciganos estavam mancomunados com Rios – além de Chris ter se esquecido de mencionar o fato ao amigo. Souza e Soares não eram mais assustadores que os lobisomens. Logo...

– Bruno Krauss.

Chris concordou, silenciosamente.

– Sim. Rios sabia que a situação aqui seria de busca e sobrevivência na selva. Ainda não acredito que ele tenha envolvido um cara da mídia nas suas tramoias, mas...

Antes que completasse a frase, um forte facho de luz iluminou Chris e Anderson, que arregalaram os olhos como assaltantes pegos no flagra. Não conseguiam ver quem que lhes surpreendera ali, chegando às escondidas, pois estavam ofuscados. Mas a fala arrogante a seguir esclarecia tudo.

– Ora, meus caros. Enfim, concordamos em alguma coisa! Se eu fosse vocês, também me preocuparia muito mais comigo que com qualquer outra pessoa que esteja nesta ilha.

< capítulo 13 >

REFÉNS E FUGITIVOS

A ardência do gás de pimenta ainda irritava os olhos e as gargantas, mas já era possível respirar normalmente outra vez. Pelo menos duas pessoas tinham passado muito mal com o ocorrido, pois sofriam de asma. Uma garota dos Gitae tivera grandes dificuldades em sorver o ar para os pulmões, e um moço do Circomplexo. Tina, mesmo com os olhos inchados e irritados, os ajudara a se acalmarem para estabilizar a asma.

Ao seu lado Pedro continuava sentado, calado e de sobrancelhas juntas. Observava Soares, rondando para lá e para cá com as duas pistolas em punhos. Observava Alba sondando a mente de Souza, o guarda que fora derrubado durante a fuga da sua irmã. Observava Rios dando ordens aos Ghouls traidores, que iam e voltavam do cais de entrada em Anistia com equipamentos para um acampamento improvisado. Pedro não conseguia entender exatamente de onde eles vinham com aquelas coisas, mas podia ter uma ideia. Rios parecia ter alguma espécie de barco atracado ali, pois por diversas vezes os ciganos mencionavam *o bote*. Que deveriam pegar mais barracas no bote. Que deveriam buscar cantis de água no bote. Que tinham mais gás de pimenta no bote.

A alguns metros do círculo de reféns, Rios e Lionel conversavam debaixo de uma tenda muito parecida com aqueles postos de campanha de guerra. Havia uma mesinha, duas cadeiras e uma garrafa de algum destilado. Enquanto isso acontecia, Romero parecia assumir o papel de chefe de segurança, para o desagrado de Soares. O grandalhão mantinha-se de braços cruzados, com um punhal pendurado em seu cinto. Lionel também ostentava um, de lâmina longa e com cabo incrustado de pedras preciosas.

Os Ghouls montavam também uma tenda alta sobre os reféns, como aquelas coberturas para pistas de dança em casamentos a céu aberto. "Para não pegarem insolação quando o sol estiver a pino, daqui a algumas horas", havia dito Rios, sempre preocupado com o bem-estar do próximo.

Tirando Lionel e Romero, havia mais cinco ciganos no grupo traidor. Tina já havia aprendido os nomes de Tayala, a mulher de longos cabelos lisos e negros com cara de bruxa de história infantil, e Sávio, um rapaz de dezesseis anos que tinha chamado a atenção de Anderson por se parecer com uma ave de rapina. Havia ainda outra mulher, e mais dois homens que obedeciam às ordens como peões de xadrez, martelando estacas, montando guarda e trazendo coisas para Lionel e Rios.

Eugênio, que levava ao lado da boca um inchaço gigantesco adquirido na hora do motim, não deixava de provocar os ciganos rivais enquanto eles montavam a tenda dos reféns.

– Que vergonha de vocês, Tayala. Por quanto vocês se venderam para Rios, hein?

– Calado – murmurou a bruxa cigana, fria. Ao longe, Lionel percebeu que Eugênio falava com um de seus membros. Levantou-se da tenda da chefia, seguido por um curioso e sorridente Wagner Rios.

– É melhor ficar quieto, Eugênio dos Gitae. Nós, Ghouls, sempre fomos bons negociadores. E esse é o melhor negócio para o nosso povo, no momento. Cuide dos seus ciganos. Eu cuido dos meus.

– Parece-me mais que o Sr. Rios está cuidando dos seus – cuspiu Inácio, o primo quase caipora de Zé.

– Logo você, que já foi um Gitae... Que já foi até da Organização, no passado! E veio tantas vezes para Anistia... – disse Cássia, cuidando do marido ferido pelos dentes de Antonsson. Vários se pronunciaram de maneira revoltosa, e até as amazonas icamiabas murmuravam em seus dialetos, encarando os traidores.

– Não questionem as minhas escolhas e eu não vou questionar o motivo de vocês ainda seguirem um ideal tão banal – Lionel falou, sibilando. Ele tinha um veneno muito carregado na voz, que fez Tina e Pedro se entreolharem. – Todos vocês. Esse fórum. De três em três anos essa porcaria de reunião que parece um grêmio escolar! Trocas. Sustentabilidade. Digam-me, como vou sustentar as mais de quarenta cabeças que todos os dias lidero na estrada? Fazendeiros nos expulsando, embates com ruralistas! Muitos de nós já morreram!

– E você resolve se aliar ao maior explorador de todos para compensar os seus problemas? – perguntou o líder do Circomplexo, segurando a *poodle* Michelle. – Não está fácil para ninguém, e nem por isso saímos agindo como capangas de um filho de uma...

– Ei, ei, ei! – fez Wagner Rios, aproximando-se do líder Ghoul. – Eu estou aqui e tenho sentimentos, poxa! Não me xinguem. Inclusive, vocês deveriam estar torcendo para o pequeno Anderson Coelho voltar logo com o muiraquitã que me falta, para tudo acabar bem. Meu pedido é razoável, e vocês até que estão colaborando de maneira significativa. Deveriam perceber que quem está causando problemas é o garoto. Querendo dar uma de herói, ele se responsabilizará por qualquer excesso cometido aqui neste acampamento. – Rios sorri, corre o olhar cinzento por todos e pergunta: – Fui claro?

– Sr. Rios! – Romero está olhando para a borda da floresta, apontando uma lanterna na direção de três figuras. – Os lobisomens. Voltaram, e estão carregando alguém.

– Olhem só! Falando no diabinho! – Rios voltou-se na direção dos mercenários licantropos já em forma humana, que vinham andando nus com a naturalidade de frequentadores de praia de nudismo.

Contudo, não pareciam muito felizes. Larssen mancava e tinha um ferimento na coxa, causado pela flecha acidental de Anderson. Antonsson tinha uma das metades do rosto horrivelmente vermelha e manchada de sangue. E uma orelha faltando. Havia sangue seco também em seu peito e... bom, ele estava repleto de sangue seco. Além de alguns cortes profundos causados por garras de mapinguaris. Entretanto, apesar das lesões e da situação horrenda, nem ele nem Larssen reclamavam. Engoliam a dor friamente, mas não deixavam de transmitir certo ódio envidraçado dentro dos olhos claros.

Já Lannerbäck era o mais incólume dos três peladões. E ainda carregava um corpo molenga sobre os ombros. Um corpo não muito grande.

– Finalmente, o garoto. – Em seguida, Rios disse algo em sueco e estendeu os braços, esperando que lhe entregassem Anderson Coelho.

Mas entregaram um inconsciente José da Silva Santos.

– Que porcaria é essa? – perguntou Rios, olhando para o corpo no chão, com roupas rasgadas e rotas.

– Zé! – gritou Inácio Primo. Logo Sávio posicionou um *spray* de pimenta bem na frente do seu rosto, fazendo com que se calasse.

– É aquele meio-caipora, o braço direito do Saci – informou Lionel, abaixando-se para checar o pulso do capturado.

– *Eu sei disso!* Mas eu esperava o pivete com o muiraquitã! Inferno!

Rios perdeu um pouco de todo o controle charmoso que sempre esbanjava, e gastou algum tempo ladrando em sueco com seus mercenários. Depois de algum tempo recebendo respostas complicadas e um tanto monossilábicas, ordenou a Lionel:

– Montem algo para o caipora. Uma rede, uma gaiola. Sei lá, se virem!

E retirou-se para sua tenda de comando, sem Lionel.

Cerca de uma hora mais tarde, lá no meio do amontoado de reféns, Tina gemia em desalento. Pedro parecia atento a outro fato.

Alba conversava com Rios, que já estava novamente calmo e recomposto. Falava sobre Souza, mas sua voz estava muito baixa para ser ouvida àquela distância. Pedro e Tina escutaram as palavras "recuperação", "efeitos colaterais", "apagão" e por fim uma frase quase inteira: "Bem provável que ele continue como um vegetal sem cérebro".

Rios então pediu que Romero e outro Ghoul levassem o segurança para a sua tenda de controle. Elis havia realmente inutilizado o capanga, e talvez nem tivesse noção do que acontecera com a mente do homem.

O sol estava quase nascendo àquela altura do campeonato. A maioria dos reféns dormia sentada, eles se encostaram uns aos outros para tentar vencer o frio e o sereno dos momentos que antecipam a alvorada. Tina dormia no ombro de Pedro, mas o rapaz não tinha pregado os olhos. Observava o que Wagner Rios fazia ao lado de Soares e Romero. E, principalmente, escutava a conversa dos três.

– Vou deixar o muiraquitã do sapo com você, Romero. E o de tatu aqui com o meu guarda-costas Soares. Continuarei com este do mico-leão, de qualquer maneira.

Os dois homens assentiram com a cabeça. Romero amarrou o seu muiraquitã ao redor do pescoço. Já Soares passou alguns segundos olhando para o seu tatu, e acabou usando-o enrolado ao redor do pulso, como se fosse um monge carregando seu terço ao alcance da mão.

Lionel chegou perto de Rios após os dois homens se afastarem.

– Eu gostaria de entender o porquê de você ter dividido os muiraquitãs com eles. Não seria melhor continuar com os três em seu poder?

– Lionel, meu querido. Deixe-me explicar um dos princípios básicos do mundo das finanças, das aplicações e das ações: nunca colocamos todos os ovos em uma mesma cesta.

– Eu sei disso – Lionel respondeu, emburrado. – O ouro que tenho e o ouro que você me dará não ficarão guardados em apenas um lugar, acredite.

– E você faz bem! Neste caso aqui, estou seguindo essa fórmula de sucesso e ao mesmo tempo estou me precavendo de alguns contratempos.

– Quais?

– Por mais que o gado só engorde ao olhar do dono, eu precisarei *dormir* logo mais. Assim como nossos amigos lobisomens que repousam ali naquelas barracas.

Lionel deu um raro riso exasperado.

– E você acha que em algum momento do seu sono alguém poderia furtar os muiraquitãs?

– Não, meu caro. Tenho certeza de que você nunca deixaria isso acontecer. – Rios pôs uma das mãos no ombro de Lionel, e se afastou um pouco mais. Ficava difícil distinguir toda a conversa, mas Pedro tratou de aguçar os ouvidos. – O problema é que dormir com mais de um muiraquitã pode ser... perigoso. Entende? Eles nos deixam *visíveis demais* lá no mundo dos sonhos. E, de certa forma, eu preciso dessa visibilidade por lá, mas não agora. Tenho de ir acostumando aos poucos com a coisa. Fiz minha primeira imersão onírica ontem, depois de muito tempo, e preciso me acostumar novamente com esses sonhos conscientes. Depois uso mais um muiraquitã para dormir. E depois mais outro. E mais outro...

– E para que você quer visibilidade no mundo onírico? Não é algo perigoso viver frequentemente de sonhos lúcidos?

Rios começou a responder, porém a dupla já havia se afastado demais. E Pedro não conseguia ouvir mais nada.

– Você, moleque.

Soares olhava diretamente para Pedro. O muiraquitã de tatu pendendo em uma das mãos. Uma pistola na outra.

– O quê?

– Melhor parar de prestar atenção na conversa dos outros se não quiser ganhar uns furos no meio desse cabelo de porco-espinho. Trate de dormir.

Pedro mirou a arma. E o muiraquitã. Segurou a língua e fingiu dormir. Tinha ideias, e para isso precisava da cabeça intacta.

Anderson fez o que seu amigo Chris mandou, antes que ele se transformasse novamente em lobo e não pudesse dizer mais nada.

– Vá pelo riacho! Ele não deve ser tão fundo!

Há poucos minutos, Anderson retirara sua mão da água, com medo do que poderia haver lá dentro. Agora, com Bruno Krauss armado com uma faca e louco para levar o muiraquitã embora, nem que fosse junto com sua cabeça, ir pelo riacho realmente parecia uma boa ideia.

Ele pulou, segurando o estilingue nas mãos para que ele não fosse arrancado do elástico das suas calças com a correnteza. Anderson nunca fora um ás das piscinas. A situação só piorava quando a água estava gelada e se ele tentava nadar de tênis. O jeito foi se deixar levar para longe do perigo, utilizando-se do vexaminoso, porém eficiente, "nado cachorrinho", torcendo para que Chris se saísse bem contra Krauss.

Anderson não sabia quantos minutos tinham se passado, nem quantos metros havia flutuado. Não mesmo. Havia batido em uma dezena de galhos flutuantes, e sentido algumas coisas escorregadias passarem roçando por suas pernas. Melhor seria se ele não parasse para pensar no que seriam tais coisas.

Agarrou-se no mato que crescia em uma das margens do riacho e se puxou para cima, sua barriga para fora da água. O céu ganhava um tom bonito de azul-escuro, que em pouco tempo desbotaria para um azul mais claro. Ele ficou um tempo sentado, torcendo suas roupas e tirando água dos tênis. Começou a bater os dentes de frio, e pensou em trocar de roupas com as reservas da mochila. Abriu-a e... Elas também estavam molhadas! Óbvio. Bateu na própria testa com força. Com toda aquela experiência e desenvoltura, Anderson duraria apenas alguns minutos no programa *Sem Limites*. Ou morreria de pneumonia diante das câmeras.

Enquanto retirava algumas coisas da mochila para que secassem na grama, encontrou alguns chocolates de Campos do Jordão, que mesmo ensopados não tinham perdido o gostinho bom. Também achou o mapa de Anistia que estava afixado em sua oca, e que ele tinha pegado às pressas. A água havia manchado grande parte das ilustrações, mas com um pouco de imaginação talvez ainda fosse possível encontrar-se. Tentou traçar o caminho que havia feito até o riacho, antes de separar-se de Chris. Aí todo o seu senso de direção ia por água abaixo – literalmente –, pois ele nem imaginava qual a distância que havia percorrido flutuando.

Ficou ali, tentando entender o mapa, mas logo decidiu que não era muito sábio ficar parado por muito tempo quando três lobisomens e um louco metido a Indiana Jones estavam prontos para pôr as mãos – e os dentes – em seu pescoço. Agarrou o muiraquitã com um reflexo, e começou a andar, o mapa aberto nas mãos.

Olhava para ele quando tomou a pancada na cabeça que o apagou.

A primeira coisa que viu ao acordar foi um pássaro grande, esquisito e de pernas grossas, observando-o curiosamente. Só que de cabeça para baixo.

A segunda foi um pedaço do céu azul do dia, e ele havia olhado para baixo.

Em seguida, viu uma corda amarrada nos seus pés, sentiu uma dor de cabeça terrível e percebeu que estava pendurado em uma árvore, como uma peça de carne no frigorífico.

"Não acredito!", pensou, raciocinando com velocidade, apesar de toda a confusão que ainda o acometia. "Caí em uma armadilha do Bruno Krauss! Daqui a pouco ele me acha e eu..."

Seu pensamento foi interrompido por um rosto enrugado entrando em seu campo de visão, ao lado do pássaro curioso.

– *Aaaaaaaai*, caramba! – gritou, sacudindo os braços e espantando o pássaro engraçado, que correu em passadas largas. O rosto enrugado, por sua vez, não se alterou. – Quem é você?

Alheio à pergunta do garoto, o velhinho coçava a barba branca sob o queixo, parecendo constatar algo que havia exigido muito raciocínio.

– Hum, você não é o meu porco.

– Quê?!

– Eu disse – o estranho pôs as mãos em concha ao redor da boca, dizendo mais alto e pausadamente – que... você... não é... o meu PORCO!

Anderson parou de se debater. Prestou atenção na figura de cabeça para baixo. A pele era escura, mas curiosamente azul-acinzentada. Talvez fosse falta de banho. Como vestimenta, usava apenas um trapo à guisa de tanga. Suas madeixas eram brancas e embaraçadas, tanto que não dava para entender onde começava o cabelo e onde terminava a barba. Tudo emendava. Tinha um olhar estalado e rugas ao longo da face redonda, muito ao estilo do Mestre Ancião dos Cavaleiros do Zodíaco. Tanto que, do ângulo em que estava, as rugas na testa do homem pareciam uma boca, e Anderson lembrou de um desenho que, visto de cabeça para baixo, parecia que estava sorrindo e...

POFT.

A corda de cipó foi cortada, e Anderson esborrachou-se no chão. O velhinho continuava olhando-o, talvez se certificando de que ele não era *mesmo* um porco.

– Venha! Eu ajudo você a ficar de pé! E me desculpe pela armadilha!

O ancião se apoiava em um cajado maior que ele, e estendia a sua mão. Ele mesmo não era maior que o garoto, no fim das contas. Ou talvez fossem do mesmo tamanho. Se Anderson se empertigasse, ultrapassaria a altura do homenzinho. Mas aquele era um momento de se encolher, de dor, enjoo e tontura. Resultado de um bom tempo pendurado de cabeça para baixo. A única vantagem é que a roupa no seu corpo havia secado.

– Eu... não sei...

– Fique tranquilo! Você está mais tonto que mapinguari quando bebe água de coco! Qual o seu nome?

– Eu... ai... Anderson.

– Euaianderson? Bonito! Exótico! Vamos, Euaianderson. Sente-se um pouco aqui na sombra...

– Não, Euaianderson não! – Passou a mão na cabeça, onde havia um pequeno galo, e sentou-se recostado ao tronco que o outro lhe indicava. – É só Anderson, mesmo.

– Soanderson? Seu segundo nome? – O velhinho era bem empolgado, com aqueles olhos redondos. – Euaianderson Soanderson. Bonito! Exótico!

Anderson bufou. Não estava em condições de teimar com um esquisitão desconhecido.

– E você não me disse seu nome – disse ele, tentando quebrar o silêncio que se seguiu.

– Verdade, eu não disse! E o que você está fazendo por aqui? Eu vi que você tinha um mapa perto das suas coisas!

Anderson demorou um tempo para processar.

– É, tinha... Você o encontrou?

– Sim! E sua bolsa cheia de coisas! Acabei comendo um negócio marrom que tinha cheiro de cacau e gosto de veneno. Horrível! O que era aquilo?

– Chocolate! – Anderson respondeu, incrédulo. – Chocolate não é horrível!

– Não é mais mesmo, pois joguei todos os que estavam dentro das suas coisas no rio, para que você não se envenenasse. Oh, aqui está o seu mapa!

Anderson pegou-o, já seco e um pouco quebradiço.

– Obrigado... Você sabe me dizer onde estamos, aqui no mapa?

– Mas é claro, Euaianderson Soanderson! Deixe-me ver... – Ele passou os dedos pelo bigode comprido, e depois os levou ao mapa. – Estamos bem aqui! A noroeste. Próximos dessa clareira que aparece no mapa. E, mais para cá, temos o Riacho da Prata, que você deve evitar. Sim, sim. Evite, porque ele leva ao centro da ilha. Lá é perigoso, lá você pode ficar doente, lá é mais perigoso que ingerir *cocholate*.

Anderson até ignorou a pronúncia errada da coisa. Seu rosto estava iluminado por uma ideia súbita. Ele pegou o mapa, no qual o centro da ilha continha um X – agora borrado – e a inscrição *risco de contaminação*.

– É isso! Como eu não pensei antes... Escute, e o Grande Caipora? Você sabe onde ele está?

O velhinho encarou-o, mudo. Obviamente, não parecia fazer a mínima noção do que Anderson estava falando. Mesmo assim, o garoto precisava extravasar a ideia.

– Rios quer mexer a ilha com os quatro muiraquitãs, mas o Grande Caipora talvez possa impedi-lo! Ele tem o poder de mover a ilha, certo?

O ancião piscou lentamente.

– Euaianderson, eu só estou procurando meu porco teimoso e...

– Ok, ok! O porco. – Anderson estendeu as duas mãos à frente, como se pedisse calma ao figura. – Seguinte: me ajude a encontrar o Grande Caipora, que eu ajudo você a encontrar o seu porco perdido. Pode ser?

– Eu acho justo. Sabe, filho, o Grande Caipora... Já ouvi falar dele, mas não creio que ele ainda exista. Os caiporas deixaram esta ilha com o passar do tempo!

– Eu sei disso! Mas o Grande Caipora não a deixou, porque foi ele quem fez a súplica para que fosse criada Anistia. Ele está *amarrado* a esta ilha. E ele se tornou um ermitão, que certamente mora no centro da ilha, onde é proibido entrarmos. Por isso ninguém nunca mais o viu! – Anderson o encarou por alguns segundos, e chacoalhou a cabeça. – Escuta, você deveria saber disso. Está aqui há quanto tempo? Você por acaso foi participante de algum fórum antigo que se perdeu do grupo, ou coisa assim?

O velhinho sorriu, confuso.

– Eu não sei há quanto tempo estou aqui, Euaianderson Soanderson, mas acredite, já me perguntaram do Grande Caipora. Não creio que ele more no centro da ilha. Lá é um lugar ruim, ninguém poderia viver lá.

– Ele provavelmente poderia. Ele faz parte da ilha, saca? Veja. – Anderson mostrou o seu muiraquitã para o homenzinho, que o segurou com um interesse passageiro e logo o soltou.

– Colar de tartaruga! Bonito! Exótico!

– Não é um mero colar! Ele foi confeccionado no centro da ilha, por Iara. Talvez ele me dê imunidade e não me deixe ser contaminado por seja lá o que for que exista lá. Entendeu?

– Hum, não. Sua mente é muito acelerada, Euaianderson So...

– É só Anderson.

– Euaianderson Essoanderson. Desculpe-me, estava pronunciando seu nome errado! Mas...

– Oh, céus.

– ...podemos então alterar nosso trato. Você me ajuda a encontrar meu porco, e eu levo você até perto do centro da ilha. Só perto! Eu não quero me contaminar. Você é um garoto doido, come *cocholate* e tem ideias malucas. Se quiser ficar doente, é por sua conta e somente sua.

Anderson soltou um riso cansado. Finalmente tinha conseguido extrair algo concreto daquele indivíduo complicado. Estendeu a mão para ele.

– Fechado! Agora, *por favor e se não for muito incômodo me dizer,* qual é o seu nome?

– Dodô! – respondeu o velhinho, balançando a mão de Anderson com olhinhos redondos de empolgação. – Pode me chamar de Dodô! Agora, podemos procurar meu porco?

< capítulo 14 >

SERVIÇO VOLUNTÁRIO

Valentina já passara por poucas e boas.

Havia matado um capelobo com uma chave de fenda. Tinha morado sob o mesmo teto que um espião de Wagner Rios. Conseguira ensinar uma capivara a fazer xixi apenas na caixa de areia, mas nunca imaginara que terminaria o tão aguardado Fórum de Anistia refém do maior inimigo da Organização.

Preocupava-se com Elis, que arriscara com o bebê em sua barriga para fugir e arrumar ajuda. Preocupava-se com Kuara, que quase fora atingida por uma faca, e sabe-se lá mais quais perigos ela estaria enfrentando para chegar a São Paulo, junto ou longe de Elis. Preocupava-se com Zé, preso em uma minúscula gaiola de madeira feita às pressas, exposto ao sol e muito escoriado.

Mas tinha de admitir que a maior preocupação ocupando seu peito, naquele momento, era a que nutria por Anderson. Perdido na floresta, com

Chris, eles eram a única barreira que impedia Rios de dominar Anistia. Mesmo que nada fosse dito, Tina sabia que tudo se resumia àquilo.

Depois de ver que os lobisomens haviam trazido Zé e que ele estava vivo, conseguiu sentir um pouco mais de alívio. Anderson devia estar bem. Os três monstros dormiam no momento, em forma humana. E, enquanto continuassem afastados da busca, mais chances Anderson tinha.

Apesar de Bruno Krauss.

Já odiava o homem na televisão, e agora sentia asco ainda maior por aquela figura. Alguma coisa nele deixava bem claro que ele faria qualquer coisa para provar-se à altura de um desafio. Nem que fosse preciso matar uma criança.

Mal havia completado esse pensamento e o astro da TV surgiu da mata.

Estava de mãos vazias.

– Obrigada, Anderson... Continue vivo, por favor.

Sussurrou tão baixinho, que nem Pedro, ao seu lado, conseguiu ouvir suas palavras.

Era a primeira manhã de Pedro em Anistia. E ele apostaria qualquer coisa - ninguém ali naquele círculo de reféns imaginaria que o nascer do sol seria naquelas condições. Ele também não esperava se envolver em algo tão estapafúrdio quanto aquela bagunça envolvendo Wagner Rios, uma personalidade famosa da televisão e primos europeus de Chris.

Como sempre, Pedro estava na parte tediosa de toda a ação que ocorria. No início do ano, passara dias trancado em um porão, enquanto o povo da Organização pensava que ele era um traidor e assassino foragido. Agora, precisava ficar parado, no sereno e no sol, com armas e *sprays* de pimenta voltados em sua direção. Tudo porque Anderson Coelho estava em algum lugar da mata com um muiraquitã que era do interesse de Rios.

Pelo menos ninguém havia confiscado o canivete do seu bolso. Era uma arma irrisória na hora de um levante de sua parte, claro, mas permitia que ele passasse o tempo esculpindo coisas nos galhos de madeira e bolotas de carvalho que estavam caídos na grama ao seu redor.

Tina, que acabara de murmurar algo consigo mesma, voltou-se para o amigo, silenciosamente alarmada.

– Pedro! O que é isso?! Se eles te pegam com esse canivete...

– Olha para esse pessoal, Tina. – Pedro não se desconcentrou do galho que, em suas mãos, aos poucos tomava a forma de um cavalinho. – Revólveres, gás de pimenta, punhais e adagas. E um trio de lobisomens. O que eu poderia fazer com essa laminazinha?

Tina pareceu preocupada, mas teve de concordar.

– É muita gente para eles prestarem atenção aqui, também acho que nem vão perceber... Mesmo assim, se eles pedirem o canivete, entregue, por favor. Não quero que machuquem você, ok?

Pedro não estava escutando. Soares, o segurança do lábio leporino, estava parado de costas para a tenda dos reféns. As duas mãos para trás, gesto típico de guarda-costas. Uma delas empunhava um revólver, e a outra trazia o muiraquitã de tatu enrolado no punho, pendendo no ar. Estava atento ao seu patrão, à distância, que conversava com Bruno Krauss na tenda de controle. Onde um café da manhã suculento estava sendo servido, vindo direto do interior do bote.

Pedro entregou o cavalinho de madeira para Tina, que retribuiu com um sorriso triste e passou a conversar com Rosa, a Gitae de olhos verdes. Depois, procurou um pedaço de madeira mais grosso na grama e começou a esculpir uma coisa nova. Sem tirar os olhos das mãos cruzadas às costas de Soares, um totem ameaçador plantado alguns metros à sua frente.

Se alguém os visse de fora, pareceria que ambos, Pedro e o capanga, tentavam escutar a conversa de Rios com Krauss. Fazia silêncio, e o vento soprava na direção dos dois. Talvez conseguissem entender um pouco da atual situação.

Cada qual com uma intenção completamente diferente, claro.

– Ele fugiu nadando? – perguntou Rios, calmo, mas nada feliz. Levava uma xícara de chá aos lábios, segurando o pires pouco abaixo. Toda a sua etiqueta destoava do cenário natural ao redor.

– Sim – respondeu Krauss, parecendo furioso. Estava de pé na frente do seu contratante, que por sua vez encontrava-se sentado de pernas cruzadas. Os olhos dele estavam mais esbugalhados que nunca. – E o amigo lobo dele me deu uma canseira, além de me atrasar e fazê-lo perder de vista. Talvez morra com o sangramento que lhe causei...

– Lobisomens são resistentes – observou Rios, sorvendo o final do chá e depositando a xícara na mesinha de armar repleta de pães e frios. – Possuem um fator de cura invejável. Acho pouco provável que o rapaz guará esteja morrendo.

– Eu o esfaqueei umas duas vezes. Acredito que tenha feito um estrago.

Rios limpava a boca com o guardanapo, sem dar muita bola para o feito de Krauss. Aparentemente, se ele matasse Chris ou fizesse um cachecol de tricô para ele, tanto fazia. Ele só queria saber de Anderson e o muiraquitã.

– Então, hora de colocarmos em ação meu plano B. – Levantou-se, arrumando o cinto nas calças. – Antes de eu ir ter uma palavra com todos, não quer comer nada?

– Já comi na mata.

– Tendo assistido ao seu programa muitas vezes, tenho certeza disso. Mesmo assim, não quer nada que não seja *cru* ou que se remexa enquanto você mastiga?

– Não. Estou satisfeito.

– Ok. Siga-me, então.

Rios aproximou-se da tenda dos reféns e chamou Lionel, que fazia guarda do outro lado da tenda dos reféns, para perto de si.

– Muito bem, senhoras e senhores. Cativos e cativas. Sei que vocês todos devem estar rogando mil pragas contra a minha pessoa, e talvez me desejando uma morte lenta e dolorosa. Afinal, eu interrompi o tão aguardado fórum de vocês, e estou planejando mil coisas para esta ilha. Mas... – e ergueu subitamente o indicador no ar, sorrindo – ...é com muita satisfação que digo que não vou cancelar os jogos e as gincanas deste encontro tão raro e esperado.

Houve um silêncio desconfortável, onde as pessoas trocaram olhares de dúvida, de zombaria e de raiva.

– O que está querendo dizer? – perguntou Otto, da ResEx, transparecendo raiva.

– Que os jogos não serão cancelados, ora – respondeu Rios, como se fosse óbvio. – Claro que de uma forma um pouco... diferente.

Ele passou a andar de um lado para o outro. Antes de voltar a falar, encarou quase todos os que estavam dispostos a olhá-lo nos olhos.

– Temos um problema, que também é um problema de vocês. Vocês sabem... Anderson Coelho. Muiraquitã. Logo, façamos o seguinte: eu organizarei algumas equipes de busca, e vocês poderão se candidatar, voluntariamente. Ei, não me olhem desse jeito! Não quero que vocês matem o amigo de vocês, quero apenas o muiraquitã que está no pescoço dele. Tragam-me o muiraquitã e ele sobreviverá. Porque, se deixarmos tudo ao encargo do Sr. Krauss aqui, não posso garantir nada, vocês sabem...

Bruno, brincando com sua faca, deu um sorriso sádico de concordância. Um esgar insano tantas vezes apresentado diante das câmeras do seu *reality show*. Era daquela loucura que a audiência carniceira gostava tanto.

– Podem ter certeza de que os envolvidos serão recompensados – continuou Rios, erguendo a voz. – Afinal, jogos são jogos. Uns vão ganhar mais que outros, claro, mas garanto que, cada um que me ajudar, também será ajudado de maneira *generosa*. E vamos lá, vocês sabem que eu posso ajudar quantas pessoas eu quiser! É só eu piscar que um hospital do câncer é construído...

Houve alguns murmúrios e Rios gostou daquilo. Continuou exercendo seu poder de atração sobre si.

– Se vocês pararem para pensar – deixou cair os braços ao lado do corpo, como se estivesse cansado –, estamos todos do mesmo lado, ajudando o próximo.

– Cara de pau! – gritou Tina, não se contendo. Olhou para os lados, procurando apoio nos outros reféns, mas poucos gritavam contra Rios. – Como você ousa dizer que estamos dos mesmo lado? Nós...

– Tina. – Cássia segurou o seu ombro, séria, e falou aos sussurros. – Talvez seja melhor assim. Se nós nos envolvermos na busca do seu amigo, talvez evitemos que ele saia machucado!

– Como a-assim? – Tina estava à beira da histeria. – Vocês vão ajudar... *ele!?*

– Talvez Cássia tenha razão – disse Rute, líder dos Sukatas. – Não pense que estamos concordando com Rios, mas talvez assim possamos salvar o seu amigo Anderson.

– E quem disse que ele vai honrar a palavra? – A garota se pôs de pé, apontando para o magnata e olhando para os reféns. – A mentira faz parte do trabalho dele! Ele já tentou matar Anderson antes, e não hesitará em fazer isso com qualquer um de nós!

– Srta. Valentina! Sente-se – disse Rios, tirando o próprio revólver do coldre. – E se não for pedir muito, cale-se também. Sua voz me irrita. E apesar de estar com uma arma carregada na direção desse seu nariz sardento, não pretendo matar ninguém, ora! É que a última ocasião em que encontrei com o Sr. Anderson foi um pouco... atípica.

– *Aaaaaah!* Como se este nosso encontro fosse uma ocasião normal! – berrou a garota, desafiadora. – Lembrando que você mandou um capelobo para o nosso casarão, e ele quase cometeu um massacre de crianças! Vamos lá, Pedro! Conte a eles sobre quando você foi... Pedro?!

Pedro não estava mais ao lado de Tina. Tinha aproveitado a discussão e estava correndo para fora da tenda dos reféns.

Passou próximo demais de Soares, que esticou os braços e aplicou um "mata-leão" no garoto. Pedro conseguiu chutar as partes baixas do capanga com o calcanhar, levando-o ao chão e derrubando seus pertences: pistola e muiraquitã. Por um breve momento, o garoto fujão ficou livre, apenas para logo ser alcançado novamente pelas mãos de Soares, que o envolveu em uma nova imobilização.

– Te peguei, seu pestinha!

– Me solta! Me solta!

Sávio e Lionel se adiantaram, e tiraram Pedro das mãos do segurança, cada um segurando um de seus braços. Soares se abaixou, resmungando que seu revólver poderia ter disparado e que o cordão do muiraquitã de tatu havia sido rompido.

– Amarre-o de novo e pare de reclamar, Soares – ordenou Rios, parecendo interessado em Pedro. Aproximou-se dos Ghouls, que aguardavam a ordem do chefe para saber o que fazer com o garoto. – Posso saber o que você pretendia, pirralho?

– Eu estava indo procurar Anderson por minha conta, seus inúteis! – rosnou Pedro, debatendo-se e soltando perdigotos. – Ele sempre me causa problemas! Cansei de sofrer as consequências dos atos impulsivos dele! Já fui sequestrado uma vez por vocês e fiquei um tempão trancado em um porão velho, estou cansado de ser feito cativo! Tudo por culpa daquele mimadinho...

– Pedro! – gritou Tina, com lágrimas nos olhos. Não acreditava na atitude idiota do amigo.

– Olhem só, este rapazinho tem sangue quente! – Rios estava se divertindo com o garoto. – Quer dizer então que você estava indo atrás do seu amigo por conta própria?

– Ele não é meu amigo – rosnou Pedro, deixando aquilo bem claro para Rios.

– Certo, certo. E você acha que o encontraria, então? Quando o pegar, vai trazer o muiraquitã para mim e acabar com os problemas dos seus amigos de verdade, que estão presos aqui?

– Vou! – Pedro juntou as sobrancelhas, o que não era algo muito raro na maior parte das suas expressões. – E vou querer a minha recompensa. Você prometeu.

– Gostei de ver! – Rios fez um sinal para que Lionel e Sávio o largassem. O garoto massageou os braços doloridos e não tentou fugir novamente. Encarava Wagner sem piscar. – Um pequeno recipiente com espaço para grandes ambições. Eis aqui nosso primeiro inscrito nas novas gincanas de Anistia. Krauss!

– Sim?

– Leve este pequeno com você. Ele tem o seu perfil de sangue quente, poderá lhe ser útil.

Krauss soltou um riso curto, debochado.

– Não imagino no que ele seria útil.

– Ele tem um *motivo pessoal* para encontrar Anderson. E o fará a qualquer custo. Muito bem! Quem mais quer se inscrever? Falem agora, ou calem-se para sempre.

Nenhum dos Sukatas levantou a mão ou moveu um músculo. Cássia, da ResEx, caminhou até perto de Rios, e fixou os olhos em Tina e no marido, Otto. Buscava compreensão por seu voluntariado.

Alba começou a falar em outro idioma muito rápido com as parceiras icamiabas. Elas continuaram sentadas no chão, parecendo avessas à ideia de saírem dali para buscarem algo para aquele homem que as prendia. Alba pareceu irritada e contrariada, mas também caminhou até a frente da tenda.

– Quanto antes o garoto aparecer, mais cedo eu vou para casa. Cansei desta palhaçada.

Rios sorriu por um momento para ela, antes de se voltar para os reféns mais uma vez.

– Quem mais?

Um garoto loiro dos Gitae se levantou, alegando para os companheiros de grupo que iria pelo mesmo motivo de Cássia: garantir que o garoto voltasse são e salvo. Nenhum representante do Circomplexo ou dos Sukatas se moveu do lugar.

– Pouca gente, mas o suficiente. Até rimou! – Wagner Rios ordenou a Romero que fosse acordar os mercenários suecos, pois dividiria os voluntários e seus homens em grupos de busca. Depois, voltou-se mais uma vez para Krauss. – Tenho uma missão extra para você, meu caro. Caso o garoto tenha morrido naquele rio e o muiraquitã tenha se perdido, o que acho pouco provável, devido ao fato de o amuleto ser do elemento água...

Rios e Krauss se afastaram, cabeças próximas e tom de voz baixo. Os voluntários permanecerem de pé sob a guarda de Lionel e de sua adaga comprida, enquanto esperavam a chegada dos lobisomens. Cássia ainda parecia aflita, e resolveu falar em voz alta com Otto e Tina, que a encaravam com expressões angustiadas.

– Espero que entendam...

– Tudo bem, amor. – Otto resmungou, a mão apoiada sobre a ferida da perna. – Você corre bem, pegue o garoto e não deixe que nada de ruim aconteça a vocês.

Otto terminou de falar, e lançou um olhar um pouco mais pesado para Pedro, que mantinha os punhos fechados e o rosto também fechado, como de praxe.

– Espero que vocês me entendam também – disse secamente, com um olhar significativo para a amiga da Organização. Tina não parecia tão compreensiva.

– Não sei se tenho pena ou nojo de ver você trabalhando para eles... agora, de verdade.

E abaixou a cabeça, fungando de leve.

Pedro também abaixou a sua. Certas palavras machucavam mais que um "mata-leão".

Dodô era um poço de inocência e espontaneidade. Enquanto caminhava na frente de Anderson, apontava flores e folhas com comentários animados e empolgados. Como se já não as tivesse visto dezenas de vezes antes.

Anderson compartilhava com ele tudo o que o velho lhe apontava. E ele realmente achava as flores bonitas e tudo o mais, mas o excesso de insetos no ar o estava deixando um pouco irritado...

– Está tudo bem, Euaianderson?

– Sim... só estou cheio de coceiras...

– Ah, sim, sim! Muitos "suga-sangues" por aqui!

– E eles não picam você?

– Já picaram, sim! Mas depois de tanto tempo aqui, acho que enjoaram de mim. Que bom!

Anderson riu do jeito de Dodô, e, ao mesmo tempo, ficou a observá-lo. Sua pele cinzenta era quase azulada à luz do sol. Apesar disso, ele era completamente humano. Era apenas um velhinho bem louco naquela pele estranha.

Após muito tempo de uma caminhada que nunca seguia em linha reta, e que parecia fazer sentido unicamente para Dodô, a dupla parou à sombra de uma árvore frondosa, que estava carregada de frutos que pareciam granadas de mão. O cajado do guia de Anderson derrubou umas quatro frutas-do-conde, que estavam suculentas.

– O único problema disso são os caroços – reclamou Anderson, jogando-os por cima do ombro.

– Problema para nossa boca, Euaianderson! Para a mata, os caroços e as sementes geram outras árvores da mesma fruta. E elas um dia derrubarão frutas que serão colhidas por algum animal feito você...

– Ei!

– ...e que deixará os caroços para nascerem outras árvores, que um dia...

– Dodô, eu entendi! Eu me expressei mal, desculpe. Você quer dizer que é o ciclo natural das coisas, né?

– Sim, sim! Ciclo! As coisas continuam acontecendo. Não com as mesmas pessoas, mas as coisas continuam acontecendo... Se um dia você se for, alguém comerá a fruta no seu lugar. Ah, sim! E esse alguém jogará as sementes por cima do ombro. A natureza não precisa de alguém exclusivo para acontecer. Ela só precisa de um de nós.

Anderson achou a conversa de Dodô maluca – como tudo o que ele falava –, mas com um grande fundo de verdade. As coisas aconteciam novamente, mesmo que com outras pessoas. Ele mesmo, na Organização, cumpria um papel que antes fora de Anselmo. E o ciclo natural das coisas o havia unido de alguma forma ao seu semelhante, mesmo que um deles estivesse em uma "não vida".

E, em um clique de inspiração, também pensou na situação atual de Anistia, e na história da sua origem.

– A história... está meio que se repetindo aqui, também.

– Como, Euaianderson Essoanderson? Não entendi o que você disse!

– Invasores querendo tomar uma terra livre... Wagner Rios não deixa de ser um novo homem branco querendo tomar algo dos índios. Por mais que não existam mais índios por aqui.

– Oh, mas os índios estão aqui! Mesmo que não estejam aqui e agora, os índios fazem parte deste lugar! – Dodô acenou para todos os lados. – Cultivaram essas terras! Resistiram bravamente! Mesmo depois de a terem deixado, muito das suas forças foram passadas para esta ilha, entende?

– Sim, acho que sim. E isso é bem bonito. Mas agora, fisicamente, eles não estão aqui para resistir a essa nova invasão.

Dodô piscou duas vezes, mais desinformado que uma avó em uma Feira de Games.

Que invasão?

– Wagner Rios... Ah, é um cara mau, muito mau. Ele está nesta ilha, agora.

– Hum, que coisa! E por isso você quer encontrar o Grande Caipora?

– É. Talvez com o poder dele ele possa fazer alguma coisa...

– Hum, talvez! Se você o vir! Eu nunca o vi, depois de tanto tempo aqui. Nem sei como ele é!

Anderson sentiu uma pontinha de desânimo. Se o doidinho do bairro não conhecia o Grande Caipora, como ele o encontraria? Existia uma pequena chama de esperança em seu coração, tudo por causa da possibilidade de chegar ao centro de Anistia. Dodô não tinha procurado por lá, certo?

E Zé havia dito que o Grande Caipora se tornara um recluso, um ermitão. Provavelmente nunca saía da lagoa em que o pacto fora firmado. A *zona de contaminação.*

– Posso perguntar uma coisa, Sr. Essoanderson? – perguntou Dodô, tirando-o de seus pensamentos e cuspindo caroços de fruta-do-conde à distância.

– Sim, claro.

– Você tem flechas dentro da sua mochila. Algumas. É para você defender Anistia, como os índios um dia fizeram?

– Ah, as flechas. – Anderson tirou as três que sobravam de dentro da mochila, e observou as penas amassadas, tortas e úmidas. Talvez inutilizadas. – É, vieram junto com isto daqui. – Anderson apertou o botão do seu arco retrátil, e respirou aliviado quando ele abriu, apesar de fazer um ruído que antes não se fazia ouvir. – Deve ter entrado um pouco de água, mas ele é bem leve...

– Oh! Um arco que cresce! Bonito! Exótico! Você sabe atirar?

– Não o suficiente para proteger Anistia, ao que parece...

– Mostre!

Anderson coçou uma picada de pernilongo no pescoço, sem graça.

– Ah, eu não sou muito bom.

– Mostre! Atire em algum lugar... Ali, naquele tronco caído.

Dodô apontou para um grande tronco em diagonal sobre uma rocha. Devia ter caído há muito tempo, pois já estava quase inteiramente coberto por musgo verde.

Anderson pegou as flechas e tentou dar uma ajeitada nas penas. Não adiantou grande coisa, mas elas deveriam voar, de algum jeito. Dodô bateu palmas e ficou a observar, atento. A primeira flecha passou direto pelo tronco e cravou-se em algum lugar próximo, pelo ruído seco.

– A próxima será boa! – o velhinho exclamou, tentando encher Anderson de confiança. E assim foi, pois ele acertou o tronco, e a terceira flecha também, quase em cima da anterior.

– É, não fui muito bem.

– Eu gostei! Você atira de um jeito diferente! Exótico! Faz de novo?

Com um riso sem graça e um leve coçar no pescoço, o garoto foi buscar as flechas. A primeira, que passou direto pelo tronco, levou alguns minutos até ser localizada. Então ele voltou, e suas tentativas seguintes foram bem melhores.

– Muito bem! Bem, bem!

– Sei não. Se Anistia dependesse de mim, ela estaria lascada...

– Não diga isso! Você atira com o coração, praticamente sem mirar. Eu percebi isso!

"E não é que o tal de Dodô não é tão doido assim?", pensou Anderson. Ele havia reparado que ele praticava o tiro instintivo, que já tinha se tornado tão comum para Anderson que ele tinha se esquecido de que nunca mirava muito em seus alvos.

Como uma criança, Dodô pediu que ele repetisse mais tiros. E Anderson de certa maneira sentiu-se feliz por estar divertindo aquela pessoinha tão simpática. Após mais três séries de três, Dodô fez uma sugestão.

– Você poderia atirar mais rápido, sabia?

– Oi?

– Oi, tudo bem?

– Ai, caramba... Como assim, atirar mais rápido?

Dodô levantou-se e foi até onde Anderson estava, pegando suas flechas.

– Em vez de colocar as flechas de lado, em um alforje ou no chão, você poderia segurá-las entre os dedos da mão esquerda, que segura o arco... assim. Olha só! Ficou mais bonito!

Anderson tinha agora uma flecha na corda, e outra duas cruzadas na frente do arco. Achou que elas atrapalhariam na hora do tiro, mas Dodô voltou a tagarelar.

– Assim que você solta a corda do arco, sua mão já está ao alcance de outra. Em um movimento só, você pode pegar a flecha, encaixá-la, puxá-la e... *PIMBA!*

Anderson arqueou as sobrancelhas.

– *Pimba?*

– Sim, *pimba!* Tente fazer tudo de forma fluida. Vamos!

Anderson tentou. Atirou a primeira flecha, já agarrou a segunda e a encaixou. Em um intervalo mínimo já estava disparando-a e pegando a terceira. Era como colocar o item *Speed Booster* no arco de Shadow, no Battle of Asgorath.

– Ei, isso funciona! Ha-ha! Eu acho que atirei um pouco mais rápido, mesmo!

Dodô bateu mais palmas.

Anderson sentiu vontade de apertar as bochechas cinza daquele velho. Comemorava comendo mais uma fruta-do-conde, quando um único uivo cortou a mata. E não muito longe dali.

Apressar-se era preciso.

< capítulo 15 >

GRANDES EMPECILHOS

As árvores naquela região eram mais espaçadas, e permitiam que Anderson caminhasse ao lado de Dodô. Andavam rápido, o *toc-toc* do cajado do guia bem mais audível que antes.

Já Anderson, não conseguia andar dez metros sem olhar por cima dos ombros.

Aquele uivo podia ser de um dos três lobisomens importados. Mas também poderia ser de Chris. Havia conseguido atingir a forma Insana? Se sim, talvez Anderson estivesse com mais medo dele que dos suecos.

Continuaram caminhando rápido, até que em certo momento Anderson ultrapassou Dodô. Olhou para trás e o viu estacado no lugar, olhando para o garoto.

– Ei, Dodô! O que está esperando? Vamos!

– Não posso ir além daqui, Euaianderson Essoanderson. Estamos perto demais do centro da ilha!

– Jura?

– Sim! Pegue o seu mapa... Veja, estamos aqui. Este barulho de água, é o Riacho da Prata, cerca de dois minutos de caminhada naquela direção.

– Uau, estamos perto mesmo! Mas... e você? Eu não encontrei o seu porco...

Dodô sorriu, balançando a cabeça.

– Não há problema! Eu vou encontrar o meu porco. É um porco teimoso!

– Mas o trato era eu ajudar...

– Não existe mais trato, Euaianderson! Existem agora dois amigos. E amigos se ajudam porque querem, naturalmente. Não há trato na amizade!

Anderson sentiu um calor na garganta, algo prestes a transbordar nos olhos e uma vontade de sorrir incontrolável. O velhinho tinha conseguido emocioná-lo.

– Então... *a-ham*... é só eu seguir nessa direção?

– Sim, sim! E espero que você consiga falar com o Grande Caipora, Euaianderson Essoanderson. Foi um prazer conhecê-lo!

E apertaram as mãos mais uma vez. Desta vez não por um trato, mas por pura amizade. E gratidão, da parte de Anderson.

– Desculpe-me ter jogado seus *cocholates* horríveis fora! – acrescentou Dodô, enquanto Anderson já se afastava. O garoto se virou para ele novamente.

– Ah, não tem problema. Eu acho que prefiro uma fruta mesmo, no momento... Ei, você ficará bem? Vai que os lobisomens... sei lá. – Anderson teve uma ideia repentina, e enfiou uma das mãos no bolso. – Dodô, quero te dar uma coisa!

– São *cocholates*? – perguntou o outro, com olhos alarmados.

– Eu nunca faria isso com você. É algo meu. Um estilingue!

Dodô o segurou.

– Que bonito! Exótico!

– Ô se é! Está vendo esse elástico? Você coloca qualquer coisa aqui, tipo uma pedra, puxa, mira e atira. Você pode usar para se defender, entendeu?

– Claro! Obrigado, Euaianderson! Espero nunca precisar usá-lo de verdade!

Anderson sorriu e levou os dedos à têmpora.

– Eu também espero. Obrigado por tudo, Dodô.

E foi procurar o curso do Riacho da Prata, sozinho.

Foram pouco mais de dois minutos, mas Anderson encontrou o Riacho da Prata. Era mais largo e mais selvagem que todos os que havia encontrado na ilha. Foi margeando a água e acompanhando o mapa conforme andava, sendo ladeado por diversas árvores que derrubavam cipós no caminho, como serpentinas em um pós-baile de Carnaval. Percebeu que a qualquer momento chegaria ao lugar em que estavam marcados os dois nomes, um de cada lado da linha que representava o riacho.

Pirilampo e Coralino.

Anderson estava do lado Pirilampo do riacho, seja lá o que aquilo representasse. Seriam rochas? Árvores? Não fazia a mínima ideia, até quase colidir com uma panturrilha branca e gigantesca.

Por pouco Anderson não bateu nela. Tapou a boca com uma das mãos e se atirou para trás de uma das árvores, tentando processar o que havia acabado de ver, e o que por sorte não o tinha visto por puro milagre.

Um gigante.

Mais de dois metros e meio de altura. Para ele, aquelas árvores centenárias eram como arbustos de morangos silvestres. Suas copas ficavam quase ao alcance do braço do ogro que, pelo menos de costas, era como um homem pelancudo e *bem* acima do peso. Vestia uma tanga esfarrapada e incolor muito parecida com a de Dodô, dadas as devidas proporções. Anderson imaginou que sua única peça de roupa podia facilmente ser feita dos restos de uma barraca de família. Parte das nádegas aparecia, e seu cofrinho exposto estava mais para a Casa da Moeda inteira.

Ele pendurava uma espécie de lampião do tamanho de uma lixeira em um galho alto de uma árvore, e parecia chateado consigo mesmo. Resmungava com uma voz que combinava demais com a sua estética: uma fala lenta, arrastada e que parecia com notas graves de um trombone. Anderson surpreendeu-se ao perceber que o gigante tinha um indecifrável sotaque nordestino. Manso como o *baianês*, sublinhado por toques do dialeto cearense e mais um *quê* que era uma incógnita.

– E o que Pirilampo ganha de Coralino? *Vôxi*, nada! Pirilampo sempre fazendo os deveres. Sempre consertando teto da Casa de Todos. Sempre arrumando o desjejum desse povo todo que aparece de três em três anos, e arrumando frutinha por frutinha em uma pilha com essa mão grande da pleura que não é feita para serviço delicado... E Coralino me agradece? Ah, não... Depois eu que sou vagal, quando eu durmo durante a vigília...

O monólogo de Pirilampo continuava. Só naquele trecho Anderson já podia supor que ele e o tal de Coralino, o outro provável gigante que ficava do outro lado do rio, eram os responsáveis pela arrumação e preparação da área do fórum. Logo, eles obedeciam às ordens de alguém... O Grande Caipora.

Anderson sorriu consigo mesmo. O medo que havia sentido pelo grandão era infundado. Ele era um amigo.

Deu um passo, deixando a proteção da árvore que o ocultava, e tossiu contidamente.

– *A-ham*... Com licença... Sr. Pirilampo?

O gigante se virou, quase em câmera lenta, mas olhava na mesma altura da sua visão, e obviamente nada viu. Anderson primeiro reparou no rosto dele. Nariz grande e parecido com uma batata, olhos semicerrados tranquilos e pouco cabelo. Seu maxilar era projetado para a frente. Então, Anderson acenou e assobiou, e Pirilampo foi abaixando a cabeça, aos poucos. Como uma grua que precisasse ser operada com lentidão para que não despencasse.

– *Ôxi*! Um caipora moderninho. – A palavra soou como *muderrniiinho*. O gigante estava *baianescamente* intrigado. – Quem é você, meu filho?

– Ah, eu... não sou um caipora! Sou Anderson Coelho, vim para o fórum daqui de Anistia e preciso da ajuda do Grande Caipora, urgente!

– *Bichim*, eu não posso deixar ninguém passar daqui, não. – Ele abriu os braços, como se com todo aquele tamanho ele ainda precisasse daquele gesto para impedir a passagem de alguém. – Lá perto do rochedo tem coisa ruim, você pode ficar todo esculhambado. Só com autorização do Grande Caipora, e ele não está. Entende?

Anderson abriu a boca para protestar, mas não sabia o que dizer. Resolveu insistir.

– Mas é que a ilha corre perigo, Sr. Pirilampo... Tem uns caras malvados lá perto da entrada, e eles trouxeram lobisomens. – Anderson forjou a expressão mais sombria possível em seu rosto. – E não duvido nada que eles apareçam por aqui...

– Mas *vôxi*... Se aparecer algum lobisomem por aqui, eu lhes sentarei a mão nas orelhas. Não se *avexe*, meu irmão e eu sabemos nos cuidar!

Anderson abaixou a cabeça, estalando a língua de impaciência.

– Seu irmão, Coralino?

– Ele mesmo. Coralino protege a outra margem para nenhum desavisado sair doente da ilha... E é quase impossível chegar ao centro pelos outros lados, sabe? Tem muita colônia de mapinguaris nas árvores, e um *moooonte* de bichos arretados. A cada três anos nós somos guardas aqui, mas gorjala que é gorjala não gosta de ficar de guarda, sabe...

Gorjala.

Anderson se lembrava desse nome. E sabia muito bem de *onde* e *quando*, pois por várias vezes ficou a conjecturar como seriam aquelas criaturas, desde que Chris, naquela lanchonete da Vila Madalena, havia lhe contado que os pais de Wagner Rios tinham morrido em uma incursão pelo Rio São Francisco. "Os Rios nunca voltaram. Sumiram. Sem deixar vestígios, provavelmente naufragados no São Francisco, ou devorados pelos gorjalas do Nordeste."

Anderson então perguntou o que seriam *gorjalas*. E a resposta do amigo foi:

"Gigantes, se preferir. Homens com mais de três metros de altura, sem nenhum senso de civilidade. Vivem em regiões áridas, e curtem uma carne humana malpassada."

Sem ter consciência do movimento dos pés, Anderson deu três passos para trás, afastando-se de Pirilampo. O gorjala fez cara de ofendido ao notar a expressão assustada do garoto, mas seu tom de voz continuou bem relaxado.

– *Ôxi*. Não se *avexe*, não. Eu sou gorjala do bem, só como fruta e casca de árvore... Meu irmão também, e por isso fomos expulsos de nossa tribo... Como eles diziam mesmo? Que "gorjala que é gorjala come carne crua e que ainda fala". É, acho que era isso mesmo. Coralino e eu nunca gostamos dessa dieta. Por isso também não crescemos e não nos desenvolvemos tanto quanto os gorjalas de verdade lá da tribo...

Anderson quase engasgou com a própria saliva.

– Ah! Você é *subnutrido*, então?

– Acho que sim. O Grande Caipora diz que eu estou bem, e que vou viver mais que os gorjalas lá da tribo, mas sei não... Eu me sinto um fracote, às vezes...

Anderson não pôde deixar de sentir uma ponta de dó do grandalhão. E remorso por pensar que ele seria capaz de devorá-lo. Se não fosse a pressa para evitar o plano de Wagner Rios, até ajudaria Pirilampo a discutir a questão e se aceitar da maneira que era, como sua própria mãe fazia quando há alguns anos ele chegava em casa dizendo que nunca poderia ser um jogador de futebol como os outros garotos da escola. Dona Regina, sempre muito sensata, mostrou a Anderson que ele estava longe de ser um Ronaldinho Gaúcho, mas que algum dia ele descobriria algum talento que o faria único no mundo.

"Saudade, mãe!", pensou. "De você e dos pães de queijo."

E então se aproximou mais uma vez do gorjala frutívoro, sem medo.

– Escute, você não é um fracote! E sei que também é um ótimo guarda... Você nem tem medo de lobisomem! Escuta só: "Gorjala que é gorjala não come carne e é bom de guarda!". Ha-ha, gostou? Tá bom, não foi aquelas coisas...

Pirilampo deu um riso curto e tímido, mas abanou a cabeça.

– Você é legal, bichinho, mas não posso deixar você passar, mesmo assim. Não quero levar bronca de novo, entende? Toda vez Pirilampo leva bronca... Se quiser tentar convencer meu irmão, eu lhe ajudo a atravessar para o outro lado do rio... Estico uma corda de cipó para você, e aí você tenta com Coralino.

Percebendo que o gorjala estava irredutível, Anderson aquiesceu. O gigante mostrou uma parte do riacho em que havia algumas pedras que, se fossem pisadas com cuidado, poderiam levá-lo até o outro lado sem problema. De trás de uma árvore, tirou um rolo de uma corda grossa feita de cipó e entregou uma ponta para o menino, aconselhando-o que a amarrasse na cintura durante a travessia.

Como em um antigo jogo de Atari, Anderson foi de pedra em pedra até chegar à outra margem. Observou que a correnteza vinha do centro da ilha, e que jamais poderia se infiltrar pelo rio. Caso o fluxo de água fosse na direção contrária, talvez pudesse chegar até os domínios do Grande Caipora despercebido.

"Dentro de um barril, por exemplo", pensou.

Desamarrou a corda de cipó da cintura e acenou para Pirilampo, que ergueu sua manzorra. E correu por entre as árvores, perguntando-se se Coralino seria tão irredutivelmente gentil quanto o irmão.

Ouviu uma voz grave conforme se aproximava do local em que as árvores não formavam uma cerca viva intransponível. O outro gorjala também falava sozinho? Era mal de família?

Alguns passos mais tarde, Anderson percebeu que se enganara.

Coralino não estava falando sozinho.

Coralino falava com Bruno Krauss.

– Saia da minha frente, seu monte de banha! Gordo inútil! – Krauss cortava o ar com sua faca, mas o gigante só recuava o suficiente para não ser atingido. Ele se parecia demais com Pirilampo, com a diferença que tinha uma dúzia de trancinhas longas na cabeça. E usava uma toga bege e esfarrapada, em vez de uma tanga. – Eu vou picar você em pedaços!

– Sorte sua que eu não como carne, cabra! – rosnou Coralino, de punhos cerrados. Sua fala era bem mais enfezada que a de Pirilampo. – Dê mais um passo que eu mudo de ideia!

Cerca de cinco metros atrás de Krauss, algumas pessoas observando a cena. Anderson reconheceu um dos garotos Ghouls, o magrelo com cara de águia. Reconheceu um dos lobisomens, Lannerbäck, em sua forma sueca. E reconheceu...

– Pedro?! – exclamou em voz alta, sentindo-se imensamente estúpido logo em seguida, por ter denunciado a sua posição.

Coralino desviou a sua atenção para Anderson, sem entender nada. Descuidou-se e levou um corte de faca na mão, antes de Krauss rolar habilidosamente para longe e escapar de um possível contra-ataque.

Como se houvesse câmeras filmando-o, o astro da televisão pôs uma das mãos na cintura e, em pose de chaleira, pronunciou-se pomposamente:

– Se eu soubesse que o menino fujão viria até mim, teria evitado toda essa palhaçada com o gigante otário. – Apontou a faca para o garoto, esbugalhou os olhos de psicopata, e gritou: – Pivete com cabelo de porco-espinho! Cigano! Mogli-sueco-que-eu-ainda-não-aprendi-a-diferenciar-dos-outros-dois! Peguem o garoto e o muiraquitã dele!

Anderson não pensou duas vezes antes de correr. Já tinha perdido a conta de quantas vezes recorrera àquele recurso desde que chegara a Anistia. Tudo era fuga. Tudo era perseguição. Já estava cansado de tudo aquilo.

De qualquer modo, achava que podia se garantir na corrida contra Pedro ("E o que diabos ele está fazendo ajudando Rios?" – pensou Anderson. – "Traidor de segunda categoria e segunda oportunidade!") e o garoto Ghoul. Estava com boa vantagem sobre eles.

Mas sabia que desta vez era bem provável que não conseguisse fugir do lobisomem e de Krauss, que estava obstinado a *vencer* aquela tarefa. Para ele, era um *reality show.*

Portanto, o garoto não pôde deixar de agradecer a Coralino quando o gorjala puxou briga com Lannerbäck, que se transformou no lobo bípede daquele jeito grotesco e brutal. O arranca-rabo – em sentido quase literal – fez com que Anderson sentisse no peito uma ponta de esperança de conseguir escapar mais uma vez.

Pensou em jogar-se no Riacho da Prata para repetir a sua sensacional fuga em "nado cachorrinho". Então, do outro lado da margem, mais um lobisomem bípede apareceu. Tinha as duas orelhas. Logo, era Larssen.

Com um urro, o licantropo chutou uma árvore alta da espessura de uma trave de futebol, próxima da margem. Ela rachou em apenas um golpe, e tombou por sobre o fluxo de água, formando uma ponte precária. Larssen subiu no tronco, com equilíbrio exímio, e ali ficou, afogando qualquer chance de Anderson fugir pela água.

Ele mudou a rota para dentro da mata fechada. Não estava com o estilingue para dar algumas pedradas para trás. E sacar o arco também estava fora de cogitação. Não havia espaço para um tiro preciso, nem tempo para procurá-lo na mochila. Também corria o risco de acertar Pedro. E, por mais que ele estivesse ajudando o inimigo, atingi-lo era algo impensável.

"Eu não deveria me importar!", pensou, sentindo o cigano emparelhando. Ele tinha um punhal! Correndo ao seu lado, tentou furar o flanco de Anderson, que desviou em um movimento de sorte.

Pedro também parecia poder alcançá-lo, mas, quando estava quase em cima de Anderson, tropeçou nos pés do Ghoul, e isso o levou ao chão de forma brutal. Por algum tempo, estaria livre dos dois. Mas e Krauss? Onde ele estava? O garoto virava a cabeça freneticamente, e só via verde e verde e verde...

Desceu aos tropeços um barranco de terra fofa, sentindo que havia se afastado bastante de todos os perseguidores. Ouvia rosnados e uivos dos lobisomens, não tão distantes, e perguntou-se se eles conseguiriam farejá-lo, como cães de caça.

– Anderson!

Era um grito feminino. Ela estava a cerca de vinte metros dele.

– Cássia?

– Entregue o muiraquitã! Senão você pode se machucar...

– *Qualé*, você também?! – E começou a correr sem esperar mais um segundo. Lembrava-se de Beto dizendo que ela tinha uns pernões, e que tinha talento para corrida. Nada bom, nada bom...

A ex-membro da Organização começou a perseguição, tentando dissuadi-lo daquela fuga sem futuro.

– Eles estão com lobisomens, Anderson... Por favor!

– Eu sei! E não vou entregar! – gritou por sobre os ombros. E a moça realmente corria horrores, pois estava quase o alcançando. A mochila de Anderson estava enganchando em alguns galhos, e ele sabia que o pouco peso dela poderia ser decisivo naquela hora.

Como em tantos filmes de guerras submarinas, Anderson soltou o seu lastro e, em um único movimento, deixou sua mochila cair atrás de si. Agora era ele e mais nada.

Por algum lance de sorte, Cássia tropeçou na mochila. E Anderson não deixou de sentir pena da moça... Ela parecia ser legal, mas agora ela seria uma pessoa legal com algum machucado bem feio, pois cair durante uma corrida naquela velocidade não seria indolor.

Sentia-se bem mais rápido, agora. Embalou em outra descida de barranco, e, como dizia o ditado, "Na descida, todo santo ajuda". Achava-se novamente em boa vantagem, quando teve a sensação de ter o pulmão apunhalado de dentro para fora. Precisava descansar e respirar, senão morreria de exaustão.

Apoiou as mãos nos joelhos, sorvendo o ar com força.

– Desista, Garoto Goiaba Alienígena.

– *Aaaaah!!!* – gritou de susto. Não bastava o pulmão quase parando de funcionar, e agora Alba aparecia assim, do nada, quase fazendo o coração também ir para a cucuia. Vestida como se fosse para uma balada, ela destoava completamente daquele cenário tão natural. – De onde você veio?!

– Eles não vão parar enquanto você não entregar ou enquanto você não estiver morto. Anda. – Ela disse isso de modo *blasé*, descruzando os braços e estendendo a mão direita com as longas unhas vermelhas. E provavelmente postiças. – Entregue a tartaruga e me faça um favor. O ricaço vai ficar feliz e nos deixará ir embora.

– Alba... não... Ele vai fazer coisas terríveis se puder mover a...

– Ele vai fazer coisas terríveis de qualquer forma, não entende?! Ele sempre vai inventar um jeito de lucrar em cima das coisas! – esbravejou ela, apertando os lábios e batendo com as mãos nos quadris. – Que saco! Você, minha irmã e toda essa galerinha *descolada*... Ficam com essa mania de querer salvar o mundo! Tem horas que *não dá*, entendeu? Eles são mais fortes, numerosos, e fugindo você só vai conseguir deixá-los mais nervosos! Pense em todo mundo que está lá no acampamento, reféns! E pare de pensar só em você e na sua causa impossível. Vamos! Passe o muiraquitã.

A mão de Anderson agarrou a tartaruga em seu peito.

– Como você é diferente da sua irmã, Alba!

– Óbvio, ela é *muito* mais gorda do que eu.

Anderson chacoalhou a cabeça.

– Você está errada. Eu não estou pensando só em mim. Estou pensando no pessoal que foi feito refém, e muito além! – disse ele, dando passos para trás. Alba não parecia contente.

– Nem pense em correr. Vamos resolver isso agora!

Anderson não deu ouvidos a ela. Aqueles segundos em que ficara parado tinham sido essenciais para que recuperasse um pouco o fôlego.

Alba revirou as órbitas, olhou para os lados para se certificar de que ninguém estava olhando, e começou a se despir, amaldiçoando o garoto a cada peça de roupa jogada na terra.

Anderson precisaria de muito fôlego para suportar o que viria a seguir.

< capítulo 16 >

FÔLEGO

O Papa-Léguas. O Ligeirinho. O Flash. O Mercúrio, filho do Magneto. O lourinho dos Incríveis. Personagens inspiradores, que corriam muito e o tempo todo. Eram retratados sempre como espertalhões, que poderiam dar mil voltas ao redor do Maracanã antes que o bandido puxasse o gatilho. No entanto, uma coisa nunca era retratada: como o ato de correr era cansativo.

Se conseguisse sair daquela, Anderson nunca mais aceitaria um Papa-Léguas que não ficasse com a língua de fora. Um Ligeirinho que não manifestasse asma. Um Flash que não terminasse uma luta horrivelmente suado. Definitivamente, desenhos só serviam para dar um impressão distorcida da vida real. Correr de seus perseguidores fazendo *Bip! Bip!* era uma mentira sem tamanho.

Sem mochila e sem saber mais para onde ir, Anderson também possuía mais que um Coiote no momento. Ouvia passos na floresta, e um som gutural que definitivamente não vinha da garganta de nenhum dos lobisomens.

Saindo em uma clareira em que o sol batia com mais abundância que em qualquer outro lugar da mata fechada, Anderson se deparou com um paredão de pedra de mais de quinze metros de altura que não deveria ser tão difícil de escalar. E aquele seria um bom obstáculo entre ele e os perseguidores.

Pôs os pés nas primeiras saliências rochosas, e avançou pelo menos quatro metros com velocidade surpreendente. Sorriu. As coisas não eram tão ruins quanto pareciam.

Mas aquele pensamento positivo despencou tão rápido quanto Anderson, após a onça-pintada aparecer.

Sentiu dentes ao redor de um dos tornozelos. As mãos tentaram agarrar-se em saliências que não estavam mais lá. Frio no estômago quando o apoio dos pés também sumiu. O impacto do solo nas costas arrancou-lhe todo o ar dos pulmões, e sua cabeça quicou por duas vezes antes de o mundo começar a girar.

Desta vez, Anderson não apagou. Viu tudo em um carrossel bizarro, que em vez de cavalos fazia onças orbitarem ao seu redor.

– A-alba...?

O felino rugiu na sua cara. Cheiro de perfume feminino caro veio do animal, e não o esperado mau hálito de um predador.

Anderson agarrou o muiraquitã. A irmã de Elis, a icamiaba. Ela se transformava em onça, agora lembrava. Bem, teria de comer a sua mão para levar o amuleto embora... Viu sombras se aproximando, mais pessoas. Já era. Fim de linha...

Como se toda a desgraça fosse pouca, ainda se surpreendeu com mais uma cena impensável. Pedro. Chegou correndo na frente de todos, empurrando a Alba-onça para o lado como se fosse um pufe em seu caminho. Debruçou-se sobre Anderson e começou a... socá-lo?

– Pegamos ele! Pegamos ele! – ele gritava, esmurrando o peito do companheiro de Organização. Anderson não sentia dor de verdade nos golpes. Não sabia se Pedro batia como uma idosa, ou se a iminência de desmaio já tinha arrancado toda a sua percepção nervosa do corpo.

Pedro tentou agarrar o muiraquitã. Anderson resistiu. Levou um soco na cara, e aquilo lhe causou uma raiva absurda. Não conseguiu falar nada, mas acertou um soco mole com a mão livre, bem na testa do traidorzinho, que parecia estar se dedicando muito àquela causa. Pedro não arrefeceu.

Segurou o pulso de Anderson para trás, com o joelho sobre o seu peito, e com a outra mão arrancou o amuleto com um só puxão. Ainda deu alguns socos no peito do garoto quase derrotado, o que era algo totalmente desnecessário e cruel, devido às circunstâncias.

– É, você teve sua vingança, Pedro! – Essa era a voz de Bruno Krauss, mas Anderson só conseguiu enxergá-lo quando sua figura já estava quase em cima do seu corpo, encobrindo a luz do sol e encarando-o. – Veja só! Finalmente a pilha do pivete acabou...

– Vai... *cof, cof*... se...

– Opa! Palavrão aqui, não! – Bruno afastou os olhos sádicos de Anderson, e estendeu a mão para Pedro, ríspido. – O muiraquitã. Agora!

O menino obedeceu, sem encará-lo. Depois foi afastado por Sávio, o cigano com a adaga. Krauss olhou para a tartaruga com desinteresse, como quem analisasse uma surpresa de Kinder Ovo indesejada. A relíquia só tinha valor para Wagner Rios, pelo jeito.

Voltou-se para Anderson, que tentava permanecer acordado. Lutando contra a tontura que fazia o mundo ir perdendo o foco, notou Cássia observando-o, com lágrimas nos olhos, e sendo vigiada de perto por um dos lobisomens. Alba, na forma de onça, também o olhava. Pedro o encarava com uma expressão estranha e muito difícil de ser decifrada... Seria arrependimento por ter ajudado os crápulas?

Havia ainda um garoto loiro que, pelas vestes e pelo pouco que lembrava da hora da confraternização na Casa de Todos, fazia parte dos Gitae. Olhava para o chão, emanando toda a vergonha e a impotência de estar ali junto com aqueles bandidos.

– Ainda resiste? – perguntou Krauss, trazendo o resto da atenção de Anderson para si, disparando frases de efeito e fazendo caretas premeditadas como se o garoto estivesse com uma câmera na cabeça. – Aqui vai um sonífero dos bons

E Krauss chutou a câmera com tudo.

Horrorizada, Tina testemunhou Wagner Rios recebendo a sua comitiva de busca ao muiraquitã com aplausos entusiasmados. Indicou uma tenda recém-erguida para os voluntários que o tinham ajudado, ao lado da tenda de comando. Havia doces, frutas e quitutes de dar água na boca, e aquela era a primeira recompensa de Rios a quem atendera ao seu chamado.

Sávio e os três lobisomens foram para lá, e começaram a devorar a refeição. Wagner pôs uma das mãos nas costas de Cássia, que chorava compulsivamente, para encaminhá-la até a nova tenda dos mimos. Ela se afastou com um movimento brusco, como se o bilionário tivesse alguma doença contagiosa. Voltou por escolha própria para a tenda dos reféns, enterrando o rosto no peito de Otto e soluçando sem parar. O garoto Gitae, que se chamava Lucas, também a seguiu, triste.

Alba chegou em sua forma de onça, com movimentos ondulados típicos de felinos predadores, e carregando suas roupas humanas na boca para se trocar em breve. Pedro não entrava na tenda dos reféns, nem se encaminhava para o banquete dos privilegiados de Rios. Olhava para Tina, parecendo assustado e em dúvida sobre o que deveria fazer.

– O que aconteceu?! – gritou Tina para o companheiro de Organização, mas ouviu Cássia, ao seu lado, murmurando para o marido.

– Aquele cara da televisão, ele simplesmente... eu acho que ele... oh, meu Deus, era apenas um garoto...

As pessoas ao redor que ouviram aquilo pareciam fracas. Impotentes, quebradas. Inácio, Rafael, Rute... todos se deixaram abater, sem acreditar no que havia acontecido. Tina voltou a olhar para Pedro. Estava chocada. E ele parecia apenas... assustado.

– Ei, garoto! – Wagner Rios chegou ao lado dele, fraternalmente, e com o tom de voz elevado o suficiente para quem quisesse ouvir. – Ouvi dizer que foi você quem capturou o Coelho! Eu sabia que poderia contar com você. Por que não vem comer alguma coisa?

Tina levantou-se do círculo, com um dedo acusador, trêmulo.

– COMO VOCÊ PÔDE!? EU TE ODEIO, PEDRO! EU TE ODEIO!!!

Houve lamentos, vindos de todos os lados. Michelle ganiu, baixinho. As icamiabas passaram a conferenciar, cabeças juntas, tentando colher cacos das informações ouvidas em português. Cássia chorava mais alto. O mais trágico e doloroso, sem dúvida, foi o lamento de Zé, aprisionado naquela jaula improvisada e exposto ao sol desde a sua captura. Sua pele estava ressecada, e ele ainda estava cheio de escoriações que permaneciam sem curativo ou qualquer tipo de ajuda. Ele se sacudia nas barras, batendo com os punhos e gritando o nome da sua maior desavença. Estava puramente selvagem, e sem ingerir a sua aguardente mágica.

– RIOS!!! NÓS VAMOS ACERTAR AS CONTAS!!! RIOS!!! ERA SÓ UM GAROTO! ERA SÓ UM GAROTO!

Rios deu as costas àquelas coisas tão desconcertantes. Com as mãos nos ombros de Pedro, encaminhou-o até o banquete.

O garoto olhou para Valentina, por sobre os ombros, enquanto era conduzido pelo causador de tudo aquilo. Ela ainda permanecia de pé, o dedo em riste. O rosto era uma das cataratas do Iguaçu de lágrimas.

Não chorava externamente. Mas, por dentro, era consumido por dor e dúvida.

Rios foi até Soares e Romero, e recolheu os dois muiraquitãs que havia deixado com eles, o de tatu e o de sapo. Sávio, mastigando um suculento pedaço de pizza, entregou o muiraquitã de tartaruga que pertencia a Anderson para o chefe, que agora tinha os quatro amuletos. Rios aproveitou para fazer uma pergunta ao garoto Ghoul e entender por que o seu mercenário mais famoso não havia retornado junto com o grupo.

– E Krauss, por que não veio? Onde está?

O jovem cigano aproximou-se do ouvido do chefe, e confidenciou-lhe algo em um sussurro inaudível. Rios assentiu.

– Entendo... Existe uma no bote, leve até Krauss. Eu preciso me pronunciar aos nossos amáveis prisioneiros.

Sávio partiu em passos rápidos. Wagner chamou Lionel para junto de si, e foi até a entrada da sua tenda. Sua voz foi alta o bastante para que fosse compreendido por todos.

– Caros colegas, eis que tenho os quatro muiraquitãs! Todos os problemas de vocês já estão para terminar, em breve. Assim que eu ancorar Anistia em terra firme, vocês estarão livres! Comportaram-se bem, e muitos de vocês até me ajudaram. Sei que devem estar com fome, e meus homens vão passar oferecendo sobras dos nossos... digo, petiscos e copos de água. – Juntou a palma das mãos, sorrindo satisfeito por não ter sido interrompido por nenhum grito histérico ou revoltoso. – Agora, se me dão licença, preciso dormir!

Foi se retirando para sua tenda de controle, com Lionel no seu encalço.

– Dormir? Não disse que moveria a ilha?

Rios passou por Pedro – que não conseguia comer – e os três suecos, dando-lhe tapinhas no ombro. Olhou para seu segundo em comando e respondeu, chacoalhando os quatro muiraquitãs em seu pescoço.

– Mas é dormindo que se move Anistia, meu caro Lionel.

Anderson abriu os olhos, que ofereceram resistência.

O sol acima da clareira estava em uma posição muito diferente da que ele estava antes de ser pego. Suas faculdades mentais podiam estar prejudicadas depois de tantos maus-tratos, mas ele teve a presença de espírito de perceber que algumas horas tinham se passado desde o seu desmaio. O pôr do sol não tardaria a chegar.

Ao mesmo tempo, parecia haver uma moldura escura ao seu redor... como se o céu acima estivesse contido em um porta-retratos...

Com um assomo de terror, foi realizando que estava em um buraco disforme. Com as costas na terra fria.

Bruno Krauss apareceu à beira do buraco. Estava suado, e segurava uma grande pá nas mãos. Olhava para baixo, apreciando o trabalho de escavação que tinha feito. Ao seu lado, apareceu o cigano Ghoul de nariz adunco, segurando a mochila de Anderson em uma das mãos e seu arco retrátil na outra. "Tire as patas dele!", pensou o garoto debilitado, sem conseguir fazer a língua emitir algum som. Seus olhos deviam ter se mexido de forma chamativa, pois Sávio empalideceu e cutucou o astro de TV.

– Eu... acho que ele está vivo!

Krauss olhou para Anderson, cova abaixo. Claro que notou os olhos do garoto bem vivos. Claro que notou seu peito subindo e descendo.

Sorriu.

– Não... Impressão sua!

Sávio chacoalhou a cabeça.

– Olhe direito, como não consegue ver? Ele está respirando! Você vai enterrá-lo vivo?!

Krauss fincou a pá no chão e encarou o cigano por segundos, sem dizer uma palavra. Sávio baixou os olhos, constrangido. Por fim, foi questionado.

– Quer tirá-lo de lá? Eu te ajudo a descer *bem rápido.*

O rapaz balançou a cabeça, parecendo um fantasma.

– Bom. Vá brincar com esse arco que você encontrou nessa mochila velha enquanto eu termino o meu serviço sujo.

E olhou novamente para baixo, agora com um meio sorriso que continha tudo, menos humanidade.

Aquilo causou vertigem em Anderson... Sentiu o habitual calor no peito, mas sabia que o muiraquitã não estava mais por lá. De tanto partilhar sensações com o amuleto, ainda sentia-o sob a camisa, alertando-o, pulsando energia...

Com esse último pensamento, Anderson desmaiou. Antes que quilos e quilos de terra desabassem sobre o seu corpo.

< capítulo 17 >

O LADO BOM DO ALÉM-VIDA

O mesmo rio escuro que o transportara das outras vezes.

Desta vez, não havia uma cama como embarcação. Tampouco um sofá ou um banquinho. Anderson descia a correnteza como se fosse um boneco de pano, girando e se debatendo, sem conseguir se manter o tempo todo na superfície.

Tentar nadar ali era impossível, considerando a fúria daquelas águas que, em outros sonhos, tinham se apresentado tão calmas. De qualquer maneira, foi tentando se aproximar da margem...

E uma mão salvadora o içou pela gola da camisa. Reconheceu-o pelos pés, sem nem olhar para cima.

– An-Anselmo?

– Fala, garoto.

Anderson fora salvo de um afogamento no mundo dos sonhos. Sentia-se trêmulo e um pouco envergonhado, pois nem molhado estava mais. Assim, de um segundo para o outro. Parecia que aquilo invalidava todo o seu abalo emocional, fazendo-o sentir-se como uma criança chorona reclamando do que não existia.

– Relaxa – tranquilizou-o Anselmo. – Leve o tempo que precisar.

– Sei... afinal, tenho todo o tempo do mundo, certo? – Anderson levantou-se. E surpreendeu-se ao ver o amigo não vivo com o colete marrom da Organização. – Algum motivo para você estar vestido assim?

– Só me deu vontade. E um pouco de saudade.

Anderson olhou ao redor. Aquela quietude, verde e azul...

– É um lugar bem bonito para passar a eternidade. Eu vou sentir saudade também, da vida? Dos meus pais, dos meus amigos...

Anselmo pôs a mão sobre a sua cabeça.

– Você deixa de ser quem você é durante o sono?

Anderson ergueu os ombros.

– Eu nunca esqueci de como era ser Anderson depois de umas horas de sono. – E acrescentou com a voz mais baixa: – Nem depois do dia em que eu dormi quatorze horas seguidas, em um domingão.

– Nossa mente é preenchida por essência, e depende disso para funcionar. É nossa essência que vem para esse lado, à noite. E é nossa essência que vem para cá quando nossa mente morre, quando o cérebro se apaga e o coração para.

– Ou seja... eu vou sentir saudade da vida...

Anselmo olhou para o alto, como se enxergasse além do azul.

– Não tem um dia em que eu não me lembre de como era estar entre amigos.

Anderson soltou um arquejo e abraçou Anselmo, sem sobreaviso. Ele era uma espécie de irmão mais velho, encontrado no lugar e na hora mais improvável. Ambos tinham servido à Organização, ambos tinham padecido de uma doença chamada Wagner Rios.

– Ei, carinha! Não fica assim. Existe um lado bom de estar aqui, sabia?

– E qual é? – perguntou Anderson, com a cara afundada no colete marrom do outro.

– É o fato de podermos, *sim*, fazer algo pelos que estão do lado de lá. Inclusive, agora mesmo.

Anderson deu um passo para trás. Anselmo sorriu, como uma criança prestes a aprontar a maior arte.

– Wagner Rios vai tentar mover Anistia para algum lugar de interesse dele. Quer assombrá-lo um pouco?

Afastaram-se da margem do rio como nunca. Anderson achou que daquela vez não haveria nenhum problema na forma de sombras gigantes que faziam o mundo dos sonhos tremer. Afinal, ele estava morto. Podia ir aonde quisesse naquele lugar.

Enxergaram ao longe uma pedra que se elevava sobre um imenso campo de flores. Só que, em vez de um babuíno levantando um pequeno leão, havia a amarga imagem de Wagner Rios, olhando para os céus.

– O que são aquelas coisas ao redor dele? – perguntou para Anselmo, enquanto corriam sem desprender um pingo de suor.

– Parecem estátuas. Vamos chegar mais perto... Quer ficar olhando de uma distância segura?

Anderson riu, exasperado, sem diminuir o passo.

– Segura para quê? Para que ele não nos mate? Que nada, eu quero é brincar de tocar o terror no Wagninho!

Anselmo riu. O garoto estava se saindo bem melhor que ele como morto.

Chegando mais perto, Anderson viu que de fato Rios estava rodeado por quatro estátuas de quase um metro de altura. Imagens cinza de animais, esculpidas em pedra.

Um mico-leão. Um sapo. Uma tartaruga. Um tatu.

– Saquei – disse Anderson, mais consigo mesmo que com Anselmo. – É meio que uma representação dos amuletos, e agora ele vai fazer uma mandinga qualquer. Será que a gente consegue atrasá-lo?

– Vamos descobrir.

Anderson e Anselmo correram pelo caminho verde até alcançarem a projeção rochosa onde a forma onírica de Wagner Rios se encontrava, cercado por estátuas de animais.

– Ei, você! – gritou Anderson, às suas costas.

O magnata virou o pescoço, lentamente. Anderson reparou, com uma perversa satisfação, que mesmo ali no mundo dos sonhos e dos não vivos o seu inimigo mantinha o reflexo de enfiar uma das mãos no bolso para tocar o Cachimbo de Ouro. Claro que ele não estaria ali, e claro que ele seria inútil naquele lugar.

Após parecer ligeiramente preocupado, Rios tratou de dizer em alto e bom som.

– Vocês não estão aqui. São projeções da minha mente.

– *Pééééin.* Resposta errada – disse Anselmo.

– Estamos aqui, e não na forma de sonho – emendou Anderson. – Justamente porque, mesmo indiretamente, você nos matou, os dois.

Rios os encarou.

– Talvez eu tenha matado, mas no momento estou ocupado, e vou continuar a mover a ilha. Peço licença aos dois Gasparzinhos.

– Mas nem que a vaca tussa eu saio daqui! – gritou Anderson, avançando até o círculo de animais de pedra. – Eu vou infernizar você!

Rios suspirou, dando as costas ao garoto.

– Eu sou uma pessoa focada. Vou conseguir fazer o que preciso com você se lamentando por sua morte inútil ou não. – E voltou-se para o céu, parecia estar esperando alguma coisa acontecer. Ainda teve tempo de fazer um gracejo de muito mau gosto. – Prometo que mando suas lembranças póstumas ao seu pai, lá na MadeirAço. E permitirei que ele se afaste por umas duas semanas de luto. Afinal, o coitado nem vai poder enterrar o filho. Krauss já fez isso por ele...

Anderson recebeu aquela piada da pior maneira possível. Anselmo percebeu a expressão do amigo, e adiantou-se até o lado dele.

– Não ligue para o que esse crápula diz...

Mas Anderson não estava escutando. Ele apertava os punhos. Ele pensava em um enterro simbólico seu, em Rastelinho. E uma missa sem corpo presente. Com seu Álvaro e Dona Regina, chorando. Com Renato e seu pai, Valdemir, usando uma camiseta do Raul Seixas mesmo em uma ocasião como aquela. Talvez até Fernanda, a Dead, aparecesse com a família, apesar de terem passado pouco mais de um dia juntos pessoalmente, apesar de todas as centenas de horas trabalhando em equipe, em Asgorath.

E Valentina. Zé. Kuara. Elis e Beto. Chris, se ele pudesse sair de lá vivo. Sharp e Gaia, representando a Primavera Silenciosa. Patrão talvez não comparecesse, mas simplesmente para não deixar o Casarão da Organização sem cuidados. De certa forma, Anderson não o queria por lá... O Casarão não poderia parar. Mais que nunca, queria ver a Organização crescendo, e queria que alguém assumisse o seu lugar. Para continuar o trabalho que ele e Anselmo haviam começado...

– Anderson! – Anselmo gritou, tirando-o do transe de especulações. Aquele sonho dentro do sonho. – O que você está fazendo?

– Simplesmente invejando muito quem está do lado de lá, ao alcance do pescoço de Rios! – ele grunhiu, raivoso. Nem percebeu o fato a que Anselmo se referia, e que ao mesmo tempo deixava Rios intranquilo.

– Estou me referindo aos céus... Eles estão escurecendo! E está ventando muito!

Somente aí Anderson percebeu. Como uma tempestade se aproximando, o ambiente se tornou cinza. Frio. Não existia mais o céu azul paradisíaco, e daquela forma até a grama verde se tornava lúgubre, sinistra.

– Eu... eu estou fazendo isso? – perguntou o garoto, olhando para as próprias mãos.

– Não está funcionando! – gritou Rios, olhando para o céu que se revoltava. – Eu não entendo! Eu tenho os quatro muiraquitãs! – E então se voltou para Anderson, como se uma ideia estivesse surgindo aos poucos. – Você... Você tem algo a ver com isso!

Anselmo agarrou o braço de Anderson e sussurrou:

– Eu acho que não é você quem está fazendo isso, meu velho. E acho que sei o que está acontecendo...

– Então me explica! – gritou Anderson, andando para trás e para baixo da elevação rochosa, conforme Wagner avançava em sua direção com os cabelos esvoaçantes. – Eu tô mais perdido do que quando assisti ao *Piratas do Caribe 3*!

E nisso um conhecido ruído soou.

O mesmo barulho enlouquecedor que soara em cada canto do mundo dos sonhos durante o primeiro encontro entre Anderson e Anselmo. Aquele rumor que era como as engrenagens enferrujadas de uma máquina do tamanho do universo tentando girar. Uma sirene que poderia levar qualquer um que a escutasse por muito tempo à loucura, um ribombar contínuo...

O mesmo barulho que despertara o gigante de sombras, naquela vez, cumpria mais uma vez a sua tarefa.

– Cara...

– Anderson, tem algo muito errado por aqui...

Wagner Rios voltou-se para trás, encarando-a, boquiaberto.

Olhava para a forma humanoide erguendo-se nos céus. O ser de sombras coroado com o cocar de penas negras também feitas de escuridão densa e palpável. O titã que parecia se levantar com dificuldade no horizonte, como alguém que desperta depois de um sono exageradamente longo.

Anderson se esquecera de recuar. Diferentemente da outra vez, não tinha para onde correr. A *coisa* parecia poder alcançar o que quisesse, se assim o desejasse.

– Anselmo, se liga na cara do Rios... Ele parece estar gostando do que está acontecendo! É *assim* que se move a ilha?

– Tenho certeza que não...

De fato, Rios estava com a atenção totalmente devotada para a sombra. Aterrorizado e maravilhado. Amedrontado e fascinado. Não havia mais rabo de cavalo em sua cabeça, e seus cabelos chicoteavam para todos os lados conforme ele balbuciava.

– Eu consegui... Não achei que fosse encontrá-lo tão cedo, mas consegui...

Anderson leu os seus lábios, pois era bom naquilo. Wagner Rios conseguira o quê?

Tudo já estava bem assustador até o barulho cessar de súbito e a coisa resolver falar. A voz não vinha da cabeça da sombra, e sim parecia brotar de cada canto daquele lugar, assim como o rugido de maquinaria que a despertara.

QUEM OUSA ME PRÉ-DESPERTAR NESTA CAMADA?

Rios estava maravilhado demais para responder. Só não parecia ter ganho na loteria porque o prêmio da Mega-Sena devia ser menor que os rendimentos mensais da Rio Dourado.

Anderson olhou para Anselmo, que parecia tão confuso quanto ele, mas fez a pergunta que não queria calar.

– Anselmo, quem é ele?

O rapaz, sem tirar o olho da grande sombra, respondeu de forma abstrata e vaga, como se tivesse medo de pronunciar um nome.

– Ele é o senhor do sono e da morte. O que une as duas coisas...

VOCÊS.

Um grande dedo apontava na direção das três figuras sobre o rochedo. Anderson sentia que ele era destinado a ele e a Anselmo.

VOCÊS DOIS NÃO DEVERIAM ESTAR AQUI. MINHAS LEIS SÃO CLARAS. QUEM SE AFASTAR DEMAIS DA MARGEM, NÃO DESPERTA.

Anselmo deu um passo à frente, ficando ao lado de Rios.

– Meu nome é Anselmo Ferro, senhor. Eu já pertencia ao Reino dos Olhos Fechados por definitivo. Esta criança atrás de mim é nova por aqui, mas também acaba de contemplar sua não vida. Seu nome é Anderson Coelho. Nós nos afastamos da margem pois não podemos mais ser despertados.

O ribombar irritado se repetiu por alguns segundos, conforme a sombra parecia analisar o caso. A sua mão gigantesca continuou pairando, e o dedo indicador voltou a ficar em riste.

VOCÊ NÃO CHEIRA COMO NÃO VIVO, ANDERSON COELHO.

– E-eu? Mas eu juro que tô bem mortinho... Não me mate de novo, por favor...

Wagner Rios pôs-se de joelhos, de cabeça baixa.

– Talvez seja a minha presença que cause o seu desagrado, *milorde*. Eu sou da Realidade dos Olhos Abertos, e estou aqui em visita. Meu nome é Wagner Rios.

A coisa soltou outro daquele urro.

E O QUE FAZ AQUI?

Rios não se levantou. Continuou humildemente curvado, o que era algo esperto a fazer.

– Vim por ter a posse de quatro muiraquitãs confeccionados por magia da água e da terra... No entanto, com vossa presença, creio que eu tenha um propósito mais importante. Há muito tempo espero uma oportunidade de conferenciar com o Grande Jurupari, Senhor dos Sonhos e Pesadelos, e...

COMO OUSA PRONUNCIAR MEU NOME,
INSETO ARROGANTE?

– Pronuncio-o com todo o respeito, senhor. Por reconhecer o poder de vossa divindade sobre todos nós, que sonhamos, e sobre todos os que deixam de acordar! – retrucou Rios, ainda agachado, mas erguendo a cabeça para alinhar o olhar com a sombra. Por mais que fosse a pessoa mais odiosa e maldita do universo, Anderson teve de admitir que ele tinha coragem de sobra. A sombra, que pelo jeito se chamava Jurupari, também pareceu reconhecer algo ali. Demoraram-se segundos de pura tensão até a voz voltar a falar.

VOCÊ TEM O DOM DA FALA, WAGNER RIOS. SERÁ QUE POSSUI NESTA SUA LÍNGUA ALGO QUE ME FAÇA ESQUECER

MINHA PRÓPRIA LEGISLAÇÃO E ENTÃO PERDOÁ-LO POR ESSA INCURSÃO PARA TÃO LONGE DA MARGEM?

– Sim, meu senhor. Eu creio que tenha algo que lhe interesse. Algo que o faça sentir que agora é a hora de despertar através da última Camada e retornar à Realidade dos Olhos Abertos.

Anderson e Anselmo assistiam àquela conversa quase grudados um no outro. Sabiam que, seja lá o que Rios tivesse em mente, não podia ser bom.

E O QUE É?

Rios levantou-se, sentindo-se seguro para isso após ter a atenção da sombra.

– Tenho uma terra pura e digna em que poderá firmar o seu trono para a reconquista. A ilha itinerante de Anistia! Está sob o meu controle, e foi por isso que vim até aqui, inicialmente.

Houve um clarão por trás da cabeça da sombra, como se a criatura chamada Jurupari estivesse pesando as palavras de Rios.

O DOM QUE LEVA NA PALAVRA NÃO O BENEFICIOU COM OS NÚMEROS, WAGNER RIOS.

E essa pareceu pegar o magnata de surpresa.

– Desculpe-me, mas não entendi, senhor. Eu tenho certeza de que Vossa Majestade sabe sobre a regra dos quatro muiraquitãs que dão poder sobre...

NÃO VENHA QUESTIONAR A MINHA CAPACIDADE DE COMPREENDER AS LEIS, CRIATURA! EU SOU A LEI! EU SOU O LEGISLADOR!

Anderson sentiu uma gota de satisfação em seu corpo não vivo ao ver que Rios engolia em seco ante a manifestação de raios e trovões que explodiam no negrume do céu, conforme Jurupari falava.

– Eu sei que sim, senhor. E reconheço-o como a Lei, e por isso anseio tanto por sua volta. Para que conserte os erros que o homem branco, do qual eu vergonhosamente descendo, causou após o seu adormecer... No entanto, isso não muda o fato de eu ter os quatro muiraquitãs que me dão o direito sobre a ilha de Anistia, que pretendo passar a Vossa Majestade assim que...

VOCÊ NÃO TEM QUATRO MUIRAQUITÃS,
WAGNER RIOS. VOCÊ TEM APENAS TRÊS.

A gigantesca mão negra se fechou nos céus, e tudo começou a tremer sob os seus pés. As estátuas de animais ao redor de Rios começaram a trepidar e a criar rachaduras. Apenas uma delas se desfez em pó, como se fosse feita de sal.

A estátua do tatu.

VOCÊ NÃO POSSUI O MUIRAQUITÃ DO TATU.
E NÃO POSSUI O DIREITO QUE DIZ EXERCER SOBRE A
ILHA DE ANISTIA. A LEI É CLARA.

– *Oh-oh* – fez Anselmo, com uma careta.

– *Oh-oh* para quem? Para o Rios, né? – Anderson perguntou, alarmado, enquanto o vilão se virava para os dois, o rosto lívido.

– Cara – começou Anselmo. – Eu acho... que você não morreu.

– Como não?! – Anderson enfiou os dedos sob os cabelos encaracolados. – Bruno Krauss me enterrou!

Rios dava as costas para Jurupari, nos céus. E caminhava até os dois rapazes.

– Você! Você tem a ver com isso...

Anselmo se pôs entre Anderson e o homem.

– Vamos pensar: Rios, de alguma forma, não está com o amuleto do tatu. Ele apenas pensa que está, como pudemos ver. Você foi enterrado ainda vivo... mas não morreu. E por isso Jurupari foi despertado, pois um vivo se afastou demais da margem! Rios pode caminhar por mais tempo para longe do rio escuro, pois tem três dos muiraquitãs... mas não quatro, e isso também deve ter contribuído para o despertar dele...

– Do que você está falando, seu morto que anda?! – Rios esbravejou, tentando entender a situação. Anselmo não se alterou, mesmo com a silhueta ameaçadora que recortava os céus também prestando atenção à sua fala.

– ...logo, você deve ter um muiraquitã com você, Anderson! Que estava com você, mesmo sem você saber! Que lhe permite de alguma forma suportar o peso da terra sobre o seu corpo. Ou seja: o muiraquitã de tatu.

– Impossível! – Rios socou a palma de uma de suas mãos. – Eu o tenho no meu pescoço, lá fora!

– Eu não entendo! – Anderson sentia-se completamente absorto. De um minuto para o outro, ele passara do estado de morto para vivo. Só não

entendia como ele poderia ter conseguido um muiraquitã sem perceber.
– Eu perdi o muiraquitã de tartaruga logo depois que Alba e Pedro me pegaram e... Ah, caramba. Caramba, caramba, caramba!

Anselmo o encarava, com um sorriso de "eu disse" que se parecia muito com o de sua mãe. Rios, com olhos arregalados, tentava entender.

E Jurupari observava.

– Pedro! – exclamou Anderson. – Ele não estava me esmurrando... Ele colocou o muiraquitã no bolso da minha camisa, de um jeito que ninguém percebesse!

– Não pode ser! – gritou Rios.

– Pode sim, queridão. Pedrinho tem a mão leve – zombou Anselmo, com voz baixa, em seguida tomando a frente de Rios e ajoelhando-se ao dirigir-se a Jurupari. – Grande Jurupari, Senhor dos Sonhos e Pesadelos! O garoto conhecido como Anderson Coelho cometeu um engano ao pensar que havia deixado definitivamente a Realidade dos Olhos Abertos. Como um residente de seus domínios, eu, Anselmo Ferro, peço-lhe encarecidamente que o deixe voltar sem provar de seu castigo. E ficará entendido que apenas sua misericórdia pode quebrar as leis anteriormente estabelecidas com tanta sabedoria.

A sombra que era Jurupari ficou por um bom tempo parada, analisando o pedido de Anselmo. Então, as nuvens começaram a se mexer e a se concentrar sobre o cocar negro do titã.

EIS OUTRO HOMEM QUE ENTENDE DA MAGIA DAS PALAVRAS. ADMIRÁVEL. MUITO BEM, ANSELMO FERRO. ANDERSON COELHO PODE VOLTAR PARA A SUA REALIDADE DOS OLHOS ABERTOS, DESDE QUE NÃO ME FAÇA REPENSAR A MINHA ATITUDE. SE EU O VIR MAIS UMA VEZ LONGE DA MARGEM, NÃO PERMITIREI O SEU DESPERTAR.

Anderson não sabia o que fazer ou responder. Balançou a cabeça, bateu uma continência estúpida e mostrou o polegar levantado. Aquilo pareceu ser o bastante para Jurupari.

QUE ESTE SEJA UM REGISTRO DA RARA MISERICÓRDIA DO LEGISLADOR. E ASSIM TENHO DITO.

– Sugiro que você corra, meu velho – disse Anselmo, levantando-se e correndo até Anderson. – O Wagner Rios aqui vai despertar e mandar os seus capangas irem desenterrá-lo. Você vai precisar sair dessa, e fugir com o muiraquitã... Senão já viu, né? Rios com o controle remoto de Anistia é sinal de problema grande. Gigante! – Ele pegou a mão do garoto, com força. – Talvez o Patrão já esteja chegando em Anistia. Ou talvez não. Mesmo assim, resista! Só há você entre o sucesso e o fracasso de Rios.

Wagner se aproximou de Anderson e Anselmo, lábios crispados e cabelos pululando ao redor da cabeça.

– Nós nos vemos muito em breve, Coelho.

E saiu correndo na direção do rio escuro, rumo ao despertar.

– Vamos, você também vai para lá – disse Anselmo, empurrando-o. – Eu o acompanho até a margem.

Antes de começar a correr, Anderson voltou-se para o gigante nos céus cinzentos, temendo estar sendo desrespeitoso. O senhor daqueles domínios parecia já estar desvanecendo, voltando para o sono do qual fora perturbado.

Anderson jamais se esqueceria do terror e do espanto causado pela presença dele. E jamais esqueceria do poder ancestral que sentiu emanar da mera pronúncia daquele nome.

Jurupari.

< capítulo 18 >

SOB A CHUVA E SOB A TERRA

A escuridão pesava. A impossibilidade de movimentos sufocava. E o som das batidas do seu coração era tão pausado que evocava em Anderson a imagem de um gigante caminhando sobre o chão. Mais de três segundos entre um pulsar e outro. Temia que aqueles fossem os últimos suspiros do seu motor central. Sua placa-mãe.

E era isso. Trevas, a impossibilidade de movimentos e aquele ruído surdo e compassado que vinha do seu peito, a única coisa que interrompia o silêncio absoluto.

Seus sentidos começavam a voltar aos poucos. Tomou consciência do calor que fazia ali, sentiu o gosto de pó na língua. Argila, terra. Raízes de plantas. Tudo aquilo em seu paladar.

E sentiu o calor que começou a irradiar em seu peito. O muiraquitã de tatu? Seria ele que o fazia suportar toda aquela agonia de estar enterrado vivo? Ele é que proporcionava aquela calma absurda?

Ele é que trazia a impressão de estar tão integrado ao solo?

Anderson não sentia mais o peso que comprimia seu corpo. Sentia que, se quisesse, poderia nadar na terra. Mexer seus membros livremente, como se estivesse brincando de dar cambalhotas na água.

Tentou abrir os olhos, e conseguiu. Era uma ideia idiota, que poderia cegá-lo. Suas pálpebras se moveram sem dificuldade. E era como se existisse uma película que separasse os grãos de terra das retinas. Anderson piscava repetidas vezes. Anderson sorvia oxigênio que era destinado às raízes de plantas próximas.

Levantou um braço, e o peso da escuridão não ofereceu resistência. Era como se a terra se revolvesse nos locais em que o garoto se mexia. Era como estar de volta em uma piscina de bolinhas, em seus longínquos cinco anos de existência.

Levantou uma perna, e depois a outra. Conseguiu trazer o braço esquerdo até o peito, cortando a terra, e conseguiu fechar a mão sobre o bolso da camisa. Havia um volume ali. E o calor que emanava só podia ser de um muiraquitã.

"Vamos, Anderson!", pensou consigo mesmo. "Você está respirando na sua capacidade mínima. O ar está chegando aos seus pulmões como se fosse por um canudo de suco de caixinha. Você não tem tanto tempo assim!"

Lembrou-se dos últimos momentos antes de ser enterrado vivo. Bruno Krauss sorria, e estava prestes a jogar toda a terra removida de volta no buraco, sobre ele. Logo, lembrou-se de que havia sido sepultado com o nariz voltado para o céu.

"Ótimo! Não quero correr o risco de cavar para baixo e sair por acidente no núcleo da Terra. Ou em uma civilização de toupeiras mutantes."

Começou a mover os braços. Pesava, mas não era impossível. Era como uma piscina de bolinhas, sim, mas uma piscina de bolinhas de chumbo. Logo foi sentindo lesões se formarem na ponta dos dedos.

Sentiu como se estivesse na diagonal, o muiraquitã mais quente do que nunca. Ele estava emprestando os dons de um tatu para seu portador, e Anderson tentava fazer o melhor que podia com aquelas novas habilidades. Estava muito mais acostumado à presença do amuleto de tartaruga.

Imprimia força nas coxas. Sentiu câimbras nas duas panturrilhas, e nem aquilo o fazia parar. Quando suas pernas não funcionavam, içava-se através da terra usando somente os braços. Gritou de dor com as dores dos músculos, e engoliu mais um pouco de terra.

O ar começava a escassear. Sentiu medo de estar cavando mais para o fundo ao invés de ir na direção da superfície, mas seu bom-senso dizia que aquela era uma preocupação infundada. Estava indo na direção certa.

E os seus movimentos começaram a ficar mais suaves. Sua roupa começou a umedecer, e sentiu um toque morno e quase agradável na pele exposta à terra... Lama! Macia, pastosa e extremamente reconfortante.

Lama.

Água com terra. Os dois mesmos elementos que haviam se juntado para formar Anistia.

Empurrou a lama para os lados, forçou passagem. Chutou, cavou e empurrou. E assim, sua mão direita foi a primeira a emergir para a superfície. Quando conseguiu, sentiu água gelada nos dedos. Estava chovendo lá fora! E, pelo jeito, de forma torrencial. Seria recepcionado por um banho dos céus.

A dor nos pulmões se intensificou. As câimbras tornaram-se insuportáveis. E ele continuou, músculos gritando, centímetro por centímetro por centímetro por centímetro...

Anderson emergiu. Apenas o tronco para fora do buraco, a terra ainda abocanhando a metade inferior do seu corpo. Ele deixou-se tombar um pouco na lama, exausto. Seu corpo e o solo tinham a mesma cor. Cabelos, braços... todos enlameados. Sorveu o ar com a água da chuva, ofegante, sem conseguir pensar em nada.

Em meio ao temporal que caía, teve a inconfundível sensação de estar sendo observado... Nem havia conseguido sair por completo da cova feita por Bruno Krauss e já teria de lutar por sua vida? Não acreditava ter condições de se defender, ainda mais com metade do corpo dentro da terra.

– Q-quem está aí? – perguntou, sua voz soando como se não lhe pertencesse. Em vez de uma resposta em palavras, ouviu alguém pigarrear, próximo ao paredão de pedra que Anderson tentara escalar antes de ser pego.

Com nuvens carregadas por todo o caminho da ilha naquele momento e nenhuma fonte de luz, a superfície era somente um pouco mais clara que o negrume sob a terra. No entanto, talvez por força do muiraquitã de tatu, Anderson enxergava bem no escuro. Arregalou os olhos e abriu a boca para manifestar a sua surpresa.

– Você...

Dodô estava sentado tranquilamente embaixo do aguaceiro, recostado no paredão. Seu cajado estava aos seus pés, no meio da lama. E ele observava o garoto com algo diferente no olhar. E faltava o sorriso doidinho, que lhe era tão característico.

– Estava esperando você, Anderson – ele se fez ouvir. E o garoto demorou a processar que não fora chamado de *Euaianderson*.

– Você disse... meu nome... da maneira correta.

Ele sorriu, lembrando um pouco o velho Dodô bonachão.

– Talvez porque agora você possa me enxergar da maneira correta.

Anderson o olhava, e tentava se livrar da lama por completo. Grunhia com o esforço, mas sentia que a perna estava presa em algum lugar dentro da cova. Acabou esbravejando para o ancião, que não movia um músculo ante todo o seu esforço.

– E você nem para me ajudar a sair daqui? Ajudar a me desenterrar? Ficou aí observando por quanto tempo até eu brincar de zumbi e meter a mão para fora da terra?

Dodô pegou o seu cajado e se levantou. Apenas isso. Não fez nenhum movimento em direção ao garoto.

– Você precisava saber como sair deste buraco por você mesmo. Com seu esforço, com suas mãos, para que nunca mais fique preso nos seus problemas. E eu não poderia interferir no aprendizado mais importante da sua vida.

Anderson absorveu as palavras que só mais tarde ganhariam um sentido extra, e encheu os pulmões de ar. Com um grito e com os dentes trincados, puxou sua perna, que começou a se mover lentamente. Então, sua mão esquerda voou para dentro do bolso da camisa, e agarrou o muiraquitã de tatu que realmente lá estava. Quente. Em contato com seu elemento.

E, com um último puxão, Anderson se viu livre.

A chuva açoitava seu rosto e mesmo assim a lama não se dissipava. Dos pés à cabeça, Anderson parecia um monstro feito de barro. Dodô vinha em sua direção, devagar. A água também não parecia um problema para ele, que nem sequer tremia de frio.

– Você agora é como eu – disse, demonstrando uma sabedoria pulsante nas feições. – Uma criatura da terra.

– Você é o Grande Caipora – constatou Anderson. O outro sorriu de forma bondosa, mais próxima à sua versão bonachona anterior.

– Que bom que estamos nos entendendo. Bem, aqui estou eu!

– Você não se parece com um caipora – disse Anderson, gritando para se sobrepor ao ruído da chuva, e soando meio ríspido. – Você é bem mais alto que o Zé, parece humano...

– Por isso é que eu sou o Grande Caipora. Um anão alto.

Anderson chacoalhou a cabeça... Aquilo era complicado demais. Então, o homenzinho que se fingira de um bobo alegre na verdade era um ser com quase ou mais de quinhentos anos de idade, e que fora um dos responsáveis pela magia que tornara Anistia aquele pedaço de impossibilidade física.

– Você... você pode parar Wagner Rios – disse Anderson, apontando para o Grande Caipora. – Precisa fazer algo com sua magia...

– O problema que Wagner Rios traz não é proveniente da magia. Esse jogo de muiraquitãs e lobisomens é somente uma parte de todo o mal que aquele pobre homem pode causar.

Anderson engasgou uma risada.

– De pobre aquele homem não tem nada.

O Grande Caipora pôs uma mão no ombro do garoto.

– Gostaria que você enxergasse a alma daquele rapaz. Creio que você já sabe lidar com ele, de certa forma. Eu não vou parar Wagner Rios. Você vai.

A chuva cessou, de imediato. Como se a ducha do banheiro tivesse sido desligada, de um segundo para o outro. Como Anistia se movia sobre as águas, provavelmente tinha acabado de sair da região tempestuosa.

E em um deslizar de nuvens carregadas, a lua apareceu. Cheia.

À distância, ouviu uma série de uivos difusos. Alguns segundos depois, *um* lobo se manifestou em resposta, à sua maneira. De forma tão profunda que o garoto teve vontade de voltar para aquele buraco sob a terra. O Grande Caipora apertou o seu ombro, chamando a atenção de Anderson para si.

– E Wagner Rios não será a única coisa que você deverá parar. Vamos.

Anderson começou a seguir o homem, trôpego. Não sabia para onde, mas era a sua única opção mesmo...

O ruído rápido do cajado batendo no solo ditava a velocidade do seu passo. E, em sua cabeça, só havia espaço para um pensamento:

Aquele uivo aterrorizante era o de Chris.

Valentina tremia, abraçada aos próprios joelhos. Tremia de frio, e por tudo o que tinha visto nas últimas horas.

Primeiro, viu Wagner Rios se isolar na sua tenda de comando, fechando todas as lonas para que ele pudesse dormir tranquilamente. Lá dentro, somente ele e os quatro muiraquitãs, agora reunidos em seu poder...

Cerca de uma hora depois do maldito adormecer, Bruno Krauss finalmente voltou da busca, acompanhado de Sávio. Krauss segurava uma pá suja. O cigano levava a mochila de Anderson nas costas e segurava seu arco portátil em uma das mãos.

Aquela cena era completamente desoladora. Não podia sequer imaginar o que aqueles monstros – e ela não se referia aos lobisomens – tinham feito com o seu amigo, que conseguira resistir por tanto tempo, mas em menos de vinte e quatro horas após a sua fuga havia sucumbido. Tina chorou, baixinho, e recebeu carinho de muitos dos reféns que estavam sob a sua tenda de observados. Notou muitos deles também abalados. Eugênio balançava a cabeça na última meia hora, e havia recusado a cota de pão e suco que Romero passara distribuindo à guisa de jantar. Muitos o imitaram. A maioria do pessoal da ResEx. Rute dos Sukatas e Rafael do Circomplexo. A própria Tina, que não queria mais nada da mão daqueles assassinos.

Os voluntários que haviam ajudado o vilão estavam de certa forma passando bem em uma nova tenda, montada ao lado da jaula que prendia Zé – que estava mais acabado que nunca, choramingando e repetindo o nome de Anderson. O pessoal da tenda especial não parecia de fato *convertido* pela conversa e pelas promessas de Wagner Rios, mas de certa forma eles sentiam medo de voltar a se sentar entre os reféns normais. Era verdade que muitos olhares hostis eram dirigidos a eles. Principalmente a Alba, que, de acordo com a conversa dos capangas, havia sido fundamental na captura de Anderson. Pedro também estava lá, cabisbaixo, parecendo considerar a possibilidade de cavar um buraco no chão e sumir nele.

As coisas começaram a mudar depois de a ilha se enfiar em uma região que era castigada por uma tempestade de vento e água.

A tenda dos reféns não possuía lonas laterais para protegê-los. Seus flancos estavam completamente expostos ao frio e à água gelada. Os capangas de Rios vestiram capas de chuva amarelas, que foram trazidas por Lionel do tal bote que ninguém tinha visto. Zé, dentro daquela jaula minúscula, começou a se revirar na lama formada em sua jaula, e chacoalhava as barras que o prendiam, gritando por ajuda.

Já a tenda dos reféns *privilegiados* tinha proteção lateral. Lá dentro, lampiões foram acesos e suas silhuetas podiam ser divisadas por quem estava do lado de fora, encharcando os ossos. Estavam protegidos da chuva e da ventania, mas não do que estava prestes a acontecer.

Rios irrompeu da sua suíte provisória, no meio da chuva. Caminhou com firmeza até Soares, e o agarrou pelo colarinho. Arrancou um dos quatro amuletos do seu pescoço, e o esfregou bem debaixo do nariz do seu guarda.

– Está vendo isso, seu infeliz?! Esse muiraquitã de tatu?! Pois bem! Ele é falso! Ele é de madeira, nem do mesmo material das outras relíquias ele é feito! E eu o deixei sob a sua guarda, Soares!

Rios largou o tal muiraquitã na grama encharcada, e soltou o colarinho do segurança, que, mesmo sendo bem maior que o chefe, não arriscou sequer a levantar a voz. Lionel, brincando com sua adaga, aproximou-se da cena, mas Rios partiu novamente como uma locomotiva, para dentro da tenda dos privilegiados.

Em um teatro de sombras aterrorizante, todos viram Rios entrar na tenda gritando o nome de Pedro. E a sua sombra adulta agarrando a inconfundível sombra do menino pelo braço com mais brusquidão do que havia utilizado com Soares.

O som surdo de uma única bofetada foi ouvido, mesmo com a chuva. Tina se encolheu ainda mais, sem entender o que estava acontecendo. Até Lionel se agachar para pegar a réplica do amuleto de tatu do chão, e começar a falar com um atordoado Soares:

– O garoto passou você para trás, seu brutamontes descerebrado. Naquela hora em que ele tentou fugir e o derrubou, o seu muiraquitã caiu. Ele o trocou por esta réplica, com a velocidade de um prestidigitador. – O cigano do mal riu, olhando para aquele tatu quase autêntico. – O ladrãozinho se daria muito bem entre os Ghouls. Prezamos essas habilidades.

Soares começou a esbravejar, mas Tina continuava prestando atenção à confusão na tenda ao lado. Rios por fim acabou saindo de lá, irado, arrastando Pedro pelos braços. Ele o largou no chão, a meio caminho da tenda de comando, fincando na terra um canivete – muito próximo aos olhos do garoto.

Enquanto ele dava ordens para que Krauss e os seus mercenários licantropos fossem acordados, Tina correu até onde Pedro estava esparramado, sem se importar com os seguranças e se eles iriam alvejá-la por sair debaixo da área delimitada aos reféns.

Ajoelhou-se ao lado dele. E de perto, pela luz da lua que surgia novamente nos céus após uma súbita parada da chuva, ela pôde ver o que aquele adulto havia feito com o rosto do amigo... que, no final das contas, tinha se arriscado somente para salvar Anderson, de alguma maneira que ela ainda não entendia por completo.

– Pedro... Você me escuta?

Ele olhou para a amiga, mas apenas um olho seu se abriu. O outro era apenas um inchaço roxo lacrimejante. Não emitiu nenhuma palavra. Nem um *ai*. Ele não daria aquele prazer aos homens de Rios.

– Desculpe por ter dito aquelas... coisas horríveis – disse Tina, abraçando-o e deixando as lágrimas rolarem. Ela se sentia péssima, por ter duvidado do amigo (mais uma vez) e por ver a dor que lhe havia sido infligida.

Pedro cuspiu sangue e saliva na grama ao lado. A mão de Rios era grande o suficiente para que cobrisse a metade do seu rosto. Disse algo embolado, mas que Tina recebeu em seus ouvidos como um elixir revitalizante.

– Anderson... está vivo...

Nesse momento, Lionel e Romero agarraram os dois membros da Organização e os arremessaram de volta à tenda, sem delicadeza nenhuma.

Do lado de fora, Wagner Rios urrava para Krauss, Antonsson, Lannerbäck e Larssen, alinhados ombro com ombro como se fossem militares. Receberam ordens, em sueco e em português, de pegarem alguns outros itens e um certo controle remoto no bote, de acharem algum velho em algum lugar e de tirarem Anderson do buraco em que havia sido enterrado junto com o verdadeiro muiraquitã de tatu.

– E o quero vivo, dessa vez. Ou pelo menos em um estado em que ele possa me ouvir.

Os três mercenários rasgaram as próprias roupas com selvageria, e seus membros começavam a se deformar enquanto ainda se despiam. Eles gritavam para a lua cheia acima com um primitivismo que fez todo e qualquer ser humano são daquele acampamento tapar os ouvidos. Wagner Rios não o fez. Bruno Krauss não o fez.

E em algum lugar do meio da mata fechada, um quarto lobisomem uivou, em afronta.

< capítulo 19 >

O CORAÇÃO DE ANISTIA

Anderson seguia o Grande Caipora para o centro da ilha. Tinham pegado um atalho entre as árvores que os levaria direto para lá, sem que precisassem passar pela patrulha de Coralino e Pirilampo – e com isso economizariam tempo com todas as perguntas que os gorjalas fariam aos dois.

– Pirilampo é muito curioso, iria querer saber tudo a seu respeito antes de deixá-lo entrar... mesmo com a minha autorização – disse o ancião. Anderson o seguia, tendo como única luz no caminho aquele gelo azul que escorria da lua cheia.

– Pirilampo é qual dos gigantes? – perguntou Anderson, confuso. – O de toga ou o de tanga?

– O de tanga – respondeu o Grande Caipora, sem parar de andar. – Coralino não é tão curioso ou tão amistoso, mas também nos encheria de perguntas. Melhor passarmos por aqui, as jiboias estão dormindo no momento.

Com lábios mudos, Anderson emulou um palavrão às costas do seu guia. Pensou nos perigos adormecidos àquela hora na ilha, e lembrou que não possuía mais arma alguma.

– Eu não tenho mais um arco, Dodô... Digo, Grande Caipora.

– Como não? – retrucou o outro. – Você tem tudo de que precisa ao seu redor.

– Lama? Porque eu estou coberto disso...

– Madeira, Anderson. Você fará o seu arco, como todo caçador do meu povo.

– Mas o seu povo não é muito de usar arcos – observou Anderson, que sabia muito sobre os caiporas por causa de todas as conversas com Zé. – Vocês não preferem zarabatanas, e tal?

O Grande Caipora, andando cerca de cinco passos à frente, demorou a responder.

– Preferimos, mas eu sou o tipo de caipora que sabe usar um arco.

– Verdade. Porque você é o *Big Caipora.* Um *anão-zão.*

– Já estamos chegando – disse o outro, não dando ouvidos à piadinha de Anderson.

– Preferia você como Dodô, menos sério. Era bem mais divertido, mesmo falando tudo errado...

– Mas eu não deixei de ser aquele que você conheceu – respondeu ele, olhando rapidamente por cima dos ombros magros. – Existe hora certa para a brincadeira e hora certa para a seriedade. E agora não é hora de brincar. É hora de você aprender a se defender. *Dodô* é a forma que eu assumo quando não preciso me preocupar com questões de vida ou de morte.

Anderson escutou tudo, um pouco encabulado. Mesmo assim, achou que não seria tão fora de momento fazer uma pergunta.

– Por que *Dodô*? Tem alguma explicação? Assim, eu sei que existiu um pássaro, já extinto, e ele se chamava dodô...

– Extinto em suas terras, Anderson! – exclamou o Grande Caipora. – A estúpida realeza de vocês que o caçou até o seu desaparecimento! Aqui em Anistia, ele ainda existe. Esta terra que não pertence a lugar algum é também uma reserva de animais que estavam à beira da extinção nas matas... Foram trazidos para cá, como forma de preservação. Você viu os mapinguaris, que já habitaram normalmente a Amazônia séculos atrás. E você viu um dodô, assim que acordou de cabeça para baixo na armadilha para pegar o meu porco.

Anderson quase entrou em choque.

– Oh, minha nossa! Verdade, aquele passarinho doido das perninhas grossas! Eu vi um dodô, um bicho extinto! Que coisa mais... estranha.

– Estranha para você. Para mim, ele nunca deixou de existir. Na hora que você perguntou o meu nome, eu não sabia o que dizer... Meu nome verdadeiro já foi há muito esquecido, e não vejo por que usá-lo. Então, eu me inspirei na presença do nosso amigo emplumado e respondi Dodô. Sem muita razão.

– Eu gosto de Dodô! – exclamou Anderson, sinceramente. O outro riu.

– Pode continuar me chamando assim, se quiser. Eu acho que também gosto de Dodô. É um animal antigo... Faz sentido. E *Grande Caipora* é um nome muito longo para gritar em uma situação de perigo. Veja! Já estamos chegando!

Anderson ouviu o ruído de água corrente. E alguns minutos depois, no caminho sendo arranhado por galhos e espinheiros que pareciam não incomodar Dodô, uma paisagem totalmente diferente se descortinou diante do garoto.

Por tudo o que já tinha ouvido falar, aquele era o coração da ilha.

Tinha tudo para ser. Um rochedo. Uma nascente que vazava precariamente das pedras, sustentando a pequena lagoa. Mais à frente, o fio de correnteza que saía dela para rapidamente se tornar o Riacho da Prata, adiante.

E a lua cheia coroando o cenário.

– Você precisa dormir e se esconder, agora – disse Dodô, arrancando Anderson do torpor e da observação daquela pintura natural que era o cenário. – Anistia não é um lugar tão grande assim, apesar de ter seus obstáculos naturais. Seus perseguidores podem chegar a qualquer momento e nos surpreenderem.

– Eu posso entrar no riacho para tirar essa lama toda do corpo?

– Não esta noite. A lama será sua camuflagem durante o sono. E também impedirá os lobisomens de farejarem o seu rastro

Anderson seguiu o anfitrião até a beira da lagoa. Na grama alta e nos arbustos ao redor, pequenas luzinhas verdes de vagalumes oscilavam como enfeites do Natal que se aproximava, mesmo que Anistia estivesse tão fora daqueles costumes quanto a Antártida. "Há quanto tempo eu não vejo vagalumes?", pensou Anderson, que mesmo morando no interior de Minas Gerais não via mais aqueles insetinhos com tanta frequência. "Anistia é *mesmo* um museu vivo de tudo o que morreu e o que está morrendo neste país... Triste, e ao mesmo tempo consolador!".

Dodô lhe mostrou uma árvore alta desprovida de folhas, ressequida, de tronco robusto e nodoso. Anderson não entendeu o que ele deveria fazer ali e levantou os ombros para o velho, que respondeu:

– Suba até aquele galho que se precipita sobre a lagoa. Dentro do tronco há uma reentrância oca que lhe servirá de abrigo. Deixei uma coberta caso você sinta frio durante a madrugada, mas tenho certeza de que a lama em seu corpo cuidará desse problema.

Anderson hesitou antes de trepar na árvore. Teve alguns pensamentos excessivamente cautelosos e ficou com medo de insetos peçonhentos que pudessem viver naquele tronco Alguns segundos depois, não com muita facilidade na escalada, estava de frente para a reentrância escura no "primeiro andar".

– Eu não corro o risco de acordar com um morcego dentro da minha boca? – gritou para Dodô, que o observava lá de baixo, apoiado em seu cajado.

– Não se você dormir com a boca fechada – respondeu o outro, com traços da sua personalidade inocente e divertida. Anderson, sem saber se ria ou se costurava os lábios com cipó, entrou de gatinhas no buraco.

Lá dentro era outra história. Podia ficar de joelhos sem que sua cabeça acertasse a madeira. O cheiro era até agradável, e não havia lascas ou farpas ou qualquer outra coisa que pudesse atrapalhar o seu sono. Assim que ele se deixou largar ali dentro, toda a preocupação com insetos e morcegos bateu asas e voou. Era como se ele tivesse certeza de que eles não atacariam um irmão *da terra.*

Sem saber se essa convicção vinha do seu novo muiraquitã de tatu, da lama em seu corpo ou do medo maior que sentia ao imaginar-se enfrentando lobisomens famintos e homens cruéis que enterravam crianças vivas, Anderson dormiu.

Desta vez, não teve sonhos lúcidos. Precisava descansar corpo e mente para tudo o que viria a seguir.

Acordou com o roncar do próprio estômago. Arrastou-se para fora da sua suíte natureba e viu que o sol banhava todo o coração da ilha. Anistia devia estar passando por algum lugar de clima ameno, pois fazia calor e ainda assim o sol não esturricava os seus olhos.

Equilibrou-se pelo galho que pairava acima da lagoa, com um pouco de receio de cair na água. Apoiou a mão no tronco para se segurar, e percebeu algo próximo à sua mão que não poderia ter sido visto à noite.

Havia algo grafado no tronco, com faca ou estilete:

– W e H? – leu Anderson em voz alta, sem perceber. Aquilo parecia o tipo de pichação brega que o pessoal do colegial rabiscava nas carteiras da escola, com suas iniciais e as da namorada dentro de um coração. Aquilo que via em volta das duas letras se parecia mais com uma orelha do que com o símbolo do amor. – Nada romântico...

– Anderson! – gritou Dodô lá de baixo. O garoto pôs a mão sobre o peito, quase escorregando do galho.

– Quer me matar de susto?!

– Não era a intenção. Só queria matar a sua fome, pois você deve estar com muita fome! – respondeu Dodô, apontando para uma pirâmide de frutas ao seu lado. O estômago do Anderson roncou em resposta à visão.

– Uau! Mas eu posso tirar essa lama antes de comer?

– Seu banho o está esperando bem abaixo de você.

Anderson olhou para a lagoa, receoso.

– Sem piranhas?

– Sem piranhas e candirus.

– O que são candirus?

– Um monstro horrível que você não vai querer conhecer. Pode pular de onde está, a lagoa tem profundidade razoável!

Anderson abriu um sorrisão com a possibilidade de brincar de *tchibum*, como quando era criança e ia a algum sítio com piscina. Pulou, abraçando os joelhos em pleno ar, e espalhou água para todos os lados. A água estava em temperatura agradabilíssima e ele só não se demorou mais em seu banho especial porque sua fome era ainda maior que a vontade de se divertir.

Saiu pingando da lagoa, pronto para atacar a pilha de frutas. De longe enxergava a pirâmide, e, no meio de maçãs, mamões, abacaxis e bananas, podia até ver algumas pitaias – as suas famigeradas goiabas alienígenas.

Porém, um porco preto do tamanho de um leão surgiu do meio do mato, e também se precipitou até a pilha de frutas, sem um olhar sequer para os lados.

Anderson se atirou de volta na água, agitando os braços e gritando. Dodô não entendeu nada.

– Por que fez isso?

– Olha isso aí! – respondeu o garoto, já no centro da lagoa, apontando um dedo acusador para o bicho que enfiava o focinho de tomada no seu café da manhã. – É o Pumba anabolizado com raios gama, e você me pergunta o *porquê* de eu ter corrido?!

– Sexta-Feira é um animal dócil! É o porco que eu estava procurando, lembra-se?

Anderson ficou quieto, olhando para o moicano de pelos grossos que ia da cabeça até o meio das costas do bicho. Mirou as presas inferiores protuberantes, triturando um abacaxi sem nem mesmo tirar a casca. Ele foi se aproximando devagar da margem, envergonhado pelo comportamento histérico.

– Ah, sim... eu me lembro. E um amigo me contou que os caiporas usavam porcos-do-mato como montarias, certo?

– Não os *usamos* como montarias. Eles nos deixam montá-los, e em troca nós trazemos comida para eles. Porcos desse tamanho não sobem em árvores... O Sexta-Feira aqui, em especial, está bem gordinho e mal consegue subir em cima de um tronco caído...

Anderson parecia menos medroso, e saiu da água devagarzinho.

– Você apelidou um porco de Sexta-Feira?

– Chame-o como quiser, se não gostou. – Dodô chegou até o *bichinho* e afagou aquele pescoço que mais parecia o tronco de um jacarandá. – Nós não nos importamos com a forma que você nos chama, e sim com a forma que você nos trata. Vamos, faça carinho nas suas orelhas ou diga alguma coisa para ele! Não que ele vá responder, mas ele entende muito bem.

Anderson se aproximou, fez cosquinhas atrás das orelhas, que se moveram rapidamente com alegria. Não sabia que assuntos levar com suínos.

– Hakuna Matata?

O porco pareceu espirrar, e Anderson tirou as mãos correndo, assustado.

– Só falta ter se resfriado, animal teimoso – disse Dodô, dando tapinhas amorosos no bicho. – Os outros riachos são muito gelados de madrugada... Vamos, Anderson! Coma! Você tem de se alimentar bem para tudo o que fará hoje.

– E o que eu farei hoje? – perguntou, mordendo uma maçã.

Dodô sorriu, enrugando os olhinhos.

– Entre muitas coisas, aprenderá a usar um arco de uma vez por todas.

– Que arco? – Anderson indagou, com a boca cheia. – O povo que tentou me matar levou tudo o que estava na minha mochila.

– Um homem só se torna um arqueiro a partir do momento em que constrói a sua própria arma.

Após o farto e colorido desjejum de Anderson e Sexta-Feira, Dodô apareceu com um facão que era quase do tamanho de uma espada. Estendeu-o para o garoto, que ficou olhando do objeto para a cara do velho.

– Vamos lá?

– Aonde?!

– Escolher a árvore que dará a madeira para o seu arco. E depois você vai lixá-lo com esta lâmina até que ele fique liso, e fazer flechas...

– Eu vou simplesmente cortar um galhão de uma árvore? Tipo, você é um caipora, não deveria me incentivar a *não* fazer isso?

– Eu já as avisei que é por uma boa causa, para defender a ilha e tudo o que nela vive. Assim como elas, as árvores. Você precisará pedir licença para elas, de qualquer forma.

E assim começaram a dar uma volta e olhar os tipos de madeira. Anderson às vezes apontava para uma árvore qualquer, e Dodô lhe dizia que aquela era muito dura ou muito quebradiça para fazer um arco. A madeira ideal seria firme e flexível, para poder envergar quando a arma fosse tensionada.

Por fim, Anderson resolveu dizer algo que cruzou a sua mente sem motivo algum.

– E aquela árvore seca em que eu dormi? Não serve?

Dodô olhou para ela, e depois de volta para o garoto.

– Por que diz isso?

O garoto deu de ombros.

– Sei lá, talvez ela não dê mais frutos e folhas, mas ainda pode nos dar algo de bom.

Dodô sorriu, como se estivesse tocado por aquelas palavras sem pretensão alguma. E lá se foram os dois colher a madeira.

Durante o processo, Anderson pensou em perguntar sobre o W + H, se algum estudante vândalo tinha se esgueirado até ali, mas resolveu se concentrar no corte da madeira. O Grande Caipora o fez subir bem alto no tronco ressequido para pegar um galho ideal, que era quase do tamanho do menino. Ele estava bem acostumado a atirar com o arco retrátil ou os semiprofissionais de Organização, que não eram tão robustos.

Trabalharam nele por quase duas horas, até as mãos de Anderson se encherem de calos e pequenas bolhas. Depois, usaram outras madeiras mais duras para fazer as flechas. Anderson usou o facão para afiar as pontas dos projéteis, deixando-as parecidas com grandes lápis de madeira.

– E as penas das flechas? – perguntou, braços cansados de tantos movimentos repetitivos com o facão. Havia feito pelo menos vinte flechas. – Como faremos?

O Grande Caipora pegou um mamão do que tinha restado da pilha de frutas na beira da lagoa, e pediu para o garoto segui-lo. Mais para dentro da mata, havia um agrupamento de pássaros grandes e terrestres.

– Dodôs! – exclamou Anderson, fascinado, fazendo muitos deles correrem de forma desengonçada.

– Sim, mas as penas deles não servem para flechas. Vamos mais para lá...

Chegaram a uma região que estava repleta de chilreios de pássaros dos mais variados, o paraíso para um ornitólogo. Dodô – o Grande Caipora, e não os pássaros grandes – pegou o facão e partiu o mamão ao meio. Deixou-o ali, as sementes pretas e sua carne alaranjada expostas, e foi se esconder no meio de um arbusto, ao lado de Anderson.

– Observe.

Um passarinho azul desceu, e começou a bicar a fruta. Depois outro igual, e outro maior. Depois um tucano, mais meia dúzia de canários e duas araras vermelhas, que fizeram Anderson se lembrar de Kuara, com um aperto no coração. Ele estaria bem?

Em menos de um minuto, havia quase três dezenas de emplumados disputando uma bicada no mamão, fazendo uma algazarra de muitos tons. E aquele montinho de pássaros só se desfez quando o mamão foi consumido por inteiro, até a última sementinha.

– Tá doido! – exclamou Anderson, ainda por trás dos arbustos. – Isso foi o mais próximo de um ataque de uma horda zumbi que eu já presenciei. Não sobrou nada do mamão, só...

– Só o quê, Anderson?

– Ha-ha-ha, só um monte de penas! Dodô, você é genial!

As flechas estavam quase prontas.

Anderson testou suas flechas em um tronco, observado pelo Grande Caipora e por Sexta-Feira. Utilizou o método que o ancião havia lhe ensinado, de segurar as outras flechas entre os dedos da mão que segurava o arco. Depois de uma longa série de tiros, reclamou que suas pontas trincavam ou se partiam após o impacto, e sentou-se no chão, ao lado da sua plateia.

– Se tivéssemos algum metal para fazer pontas mais resistentes... Não acredito que eu consiga fazer estrago em um lobisomem com alguns espetos para churrasco.

Dodô, acariciando o focinho do porco preto, perguntou de forma displicente.

– E o que faria estrago em um lobisomem, Anderson?

– Sei lá. Prata? Uma AK-47? Uma AK-47 com balas de prata?

– Não conheço essa arma que você citou, mas, se quiser, pode ir tomar mais um banho no riacho.

Anderson fungou debaixo do próprio braço, com ar de indignação.

– Está tão grave assim?

Dodô revirou os olhos.

– Não tanto assim, mas um banho no *Riacho da Prata* sempre pode clarear as suas ideias.

Anderson ia reclamar da insistência de Dodô, mas acabou emudecendo, deixando cair o queixo lentamente.

– Seu velho sacana! Estava escondendo o jogo!

Dodô riu, e o porco também. Eram risadas parecidas. Se houvesse uma câmera por ali, o vídeo se tornaria *hit* no YouTube.

– Não é muito bom sair avisando qualquer visitante de Anistia que existe uma mina de prata bem no coração da ilha. Já pensou se algum deles fica tentado com tanta riqueza e resolve voltar para fazer algum mal à nossa terra?

Anderson pensou no assunto e teve de dar razão ao Grande Caipora. Pelo menos ele tinha confiança em sua pessoa

– E quanto à doença que acomete os homens que chegam ao centro da ilha? Também era só uma balela para espantar os olhudos?

– Sim e não. Realmente existe uma doença para quem tem contato direto com o minério que existe em abundância na ilha. Ela se chama *argíria*. Seus médicos e cientistas diriam que ela é causada quando seu organismo absorve uma quantidade exagerada de prata. Não é uma doença letal, e muito menos é contraída do nada. Demora muito tempo!

– A lenda diz que homens e índios adoeciam...

– A argíria faz a cor da sua pele mudar. Você se torna cinza-azulado.

Anderson arregalou os olhos.

– Você é cinza-azulado!

– Eu tenho argíria. E é só isso que a argíria faz, dá uma cor especial. Imagine isso para homens que não faziam ideia do que estava acontecendo, séculos atrás? Mudavam de cor, entravam em depressão, achavam que algum espírito maligno os tivesse possuído... Adoeciam pelos efeitos colaterais que suas crenças e mentes lhes pregavam. De minha parte, eu não me importaria se me tornasse verde-vagalume ou amarelo-gema. Somos somente Sexta-Feira, Pirilampo e Coralino e eu neste lugar, e nenhum de nós liga para essas coisas. Agora, vamos! Eu vou lhe mostrar como se consegue a prata mais pura!

Anderson e o Grande Caipora estavam no meio da lagoa. Da margem, Sexta-Feira e um bando de dodôs os observavam, curiosos.

– Consegue segurar a respiração por algum tempo? – perguntou o velho.

– Eu tenho um amigo, Renato, que de vez em quando faz coisas horríveis que exigem o máximo do meu fôlego. Vamos mergulhar fundo?

– Vamos nadar até a base do rochedo. Há uma caverna lá embaixo, e a travessia demora uns vinte segundos. Siga-me!

Dodô mergulhou, esguio como um peixe. Anderson encheu os pulmões e foi atrás dele.

O fundo da lagoa ficava iluminado, graças aos raios de sol. A entrada ficava logo abaixo da cascatinha que era a nascente de água. Ali a luz começava a arrefecer, e Anderson passou a seguir o barulho que faziam as pernas de Dodô batendo na água. Passou por um túnel estreito e sentiu um bocado de claustrofobia. Ser enterrado na *terra* com um muiraquitã do elemento *terra* era uma coisa, estar cercado de água sem nenhuma segurança era outra.

Por fim, o túnel de pedra terminou muito antes que o garoto começasse a ficar sem fôlego. Subiu até encontrar ar gelado e escuridão absoluta. Não havia nenhuma fonte de luz. Anderson estava mais cego que um morcego vendado. Ouviu Dodô saindo da água e o barulho de alguma coisa raspando. Uma faísca surgiu no escuro, o Grande Caipora a assoprou e logo uma fogueirinha surgia em cima de dois pedaços de madeira e um pouco de capim.

E a visão que Anderson teve foi incrível.

Era um espaço pouco maior que a sala de aula da professora Mariley, apenas mais alto e sem a lógica de quatro paredes. Mil estrelas brilhavam nas paredes conforme o fogo ganhava força e iluminava melhor o cenário. Anderson aportou em uma prainha de areia que se formava e continuou olhando para aquela pequena fortaleza subaquática.

– Isso tudo brilhando são... veios de prata?

– Exato! E você vai retirar um pouco dela junto comigo. Antes, deixe-me fazer com que esse fogo fique forte o suficiente para não se apagar...

Enquanto Dodô se ocupava da fonte de luz, Anderson olhou para os cantos da caverna e percebeu que havia coisas empilhadas ao lado de algumas estalagmites: roupas que nem o brechó mais velho de Rastelinho guardaria. Chapéus com plumas. Botinas. Bússolas. Lanças partidas. Aljavas de flechas. Chegou mais perto de um livro antigo de capa dura, que estava com as páginas onduladas por causa da umidade na caverna.

– *Robinson Crusoé* – leu baixinho. Virou as primeiras páginas e encontrou o ano de edição do exemplar. – Mil novecentos e sessenta e oito. Pelo jeito, esse livro é a coisa mais nova neste lugar...

– Podemos começar? – perguntou Dodô, aproximando-se por trás de Anderson sorrateiramente e fazendo o garoto dar um pulo. Estendeu a ele um cinzel e uma estaca.

– Esse martelinho é para quê? – perguntou, olhando para o cinzel e devolvendo o livro ao seu lugar.

– Para extrair a prata. Vamos!

Do lado de fora, acima da superfície da lagoa, Sexta-Feira e os dodôs ficaram alarmados. Sentiram perigo no ar e sabiam que não poderiam mais ficar por ali, aguardando o retorno dos dois. Eles gostariam de avisar o Grande Caipora, mas porcos e aves não eram feitos para mergulhar em lagoas.

Sem outra escolha, correram para o meio do mato, pouco antes de o quarteto formado por três lobisomens e um artista da televisão conseguir encontrar o centro da ilha.

< capítulo 20 >

UIVOS

Saíram da caverna aquática cerca de duas horas mais tarde, levando as peças de prata em um saco de estopa – que também era coisa velha da coleção de relíquias esquecidas em Anistia.

Anderson estranhou o fato de não haver nenhum animal perto da lagoa, nem mesmo algum passarinho cantando no céu. Dodô não se pronunciou a respeito disso, e pareceu ignorar o estranhamento do garoto.

Começaram a raspar as peças de prata e a esfregá-las em uma grande pedra, para darem o formato de biqueiras de flechas a elas. Muitas já pareciam boas o bastante para serem incorporadas aos projéteis. Algumas, nem tanto.

– Essas aqui, que não vão servir, o que faço? – perguntou Anderson, com um punhado de prata nas mãos e no colo. – Jogo na lagoa?

Dodô riu e se aproximou do garoto.

– Muito me alegra ouvir isso. Você nem sequer pensou em levá-las embora, escondido. Você tem um coração muito bom, Anderson!

O garoto ficou vermelho, o que acontecia quando alguma tia dizia que ele era bonito.

– Bom, falando assim, até posso levar um pedacinho ou dois...

– Ha-ha-ha, e também é muito engraçado! Não, ainda não se livre delas. Tenho outra coisa para você...

O Grande Caipora saiu rapidamente e voltou alguns segundos depois com algo em mãos.

– Meu estilingue! – exclamou o garoto. – Você o guardou!

– Achou que eu iria jogá-lo fora? Você pode usar estas lascas de prata como munição, caso suas flechas se esgotem.

– Mas eu o dei como um presente, Dodô! Não posso aceitá-lo de volta.

– Ele nunca foi meu, Anderson. Eu só o guardei por um tempo. Vamos, pegue-o!

Anderson o aceitou.

O garoto passou o dia todo sem camiseta, descalço e com a mesma bermuda com a qual fora enterrado. Ainda estava com ela e não podia reclamar: nunca se sentira tão limpo, tão confortável e tão integrado à natureza. Se não houvesse asfalto e civilização, provavelmente nunca voltaria a calçar tênis.

Mergulhou muitas vezes na lagoa durante a tarde e treinou muito com o novo arco. No começo, achou que ele era muito pesado e que oferecia resistência demais na hora de puxar a corda. Depois, percebeu que aquilo fazia com que seu tiro saísse mais forte que nunca.

Quanto à velocidade com que disparava, após aprender a técnica de segurar as flechas junto ao arco, também havia melhorado muito. Treinou até a exaustão, sempre seguindo as instruções do Grande Caipora.

Em certo momento, quando o sol já estava quase se pondo, pensou que estava sendo um tremendo idiota. Seus amigos eram reféns nas mãos de Wagner Rios e ele estava lá, treinando e se divertindo. Sentiu-se culpado por se esquecer de Tina, de Pedro, de Zé e de todos os outros por algumas horas... Nem sabia como andava o pedido de socorro pelo qual Elis se arriscara. Estaria o Patrão a caminho de Anistia? Caso estivesse, como ele encontraria a ilha, que poderia estar em qualquer lugar do Brasil?

Estava pensando em todas essas questões quando o chão começou a tremer. E, por consequência, suas pernas também. Terremoto?

Não. Apenas Pirilampo e Coralino irrompendo no coração da ilha, correndo.

– Grande Caipora! – gritou Pirilampo, o gigante de tanga.

– As fronteiras foram invadidas! – reportou Coralino, o gigante de toga.

Ambos pareceram ignorar a presença de Anderson, pequenino perto das suas pernas grossas.

– Muitos animais foram atacados, há uma trilha de morte dentro da mata!

– O senhor e o Grande Porco terão muito trabalho pela frente! – disse Pirilampo, agitando o seu lampião e parecendo assustado.

Dodô alisou a barba crespa e grisalha. Olhou para Anderson, em silêncio. O garoto sentiu calor no estômago e no peito. Ele estava com o muiraquitã.

– Hora de pará-los.

– Estou pronto – mentiu. Ele não estava pronto, mas não havia mais tempo para se preparar. Pelos seus amigos, que subitamente voltaram a preocupá-lo, por Anistia e por tudo o que era livre e lá existia.

– Devemos voltar para nossos postos? – perguntou Coralino, sisudo.

– Nossos inimigos já estão aqui dentro, meu amigo. Não há fronteira a ser guardada – respondeu o Grande Caipora. – Preciso de vocês agora em outro lugar. Fiquem a postos próximos a zona de recepção dos visitantes, mas não se exponham. Algo grande vai acontecer, e vocês saberão exatamente o momento em que deverão ajudar. Agora, vão!

Os dois gorjalas partiram, fazendo a terra tremer.

O céu escurecia rapidamente, agora que o sol não podia mais ser visto, atrás das copas das árvores. Dodô mergulhou mais uma vez na caverna secreta e trouxe a antiga aljava de flechas que Anderson tinha visto no meio da coleção de antiguidades. Ele as preencheu com os projéteis e enfiou o estilingue no elástico da bermuda, mais uma vez. Preencheu os bolsos com as lascas de prata, que pesavam, e isso fazia sua única veste escorregar um pouco para baixo. Não se importaria de pagar cofrinho, ninguém o observaria.

Seu coração se acelerava. Podia ver o céu desbotando, tom por tom, até as primeiras estrelas começarem a aparecer e a lua cheia se tornar a única fonte de luz.

Os primeiros uivos foram ouvidos, muito próximos.

– Vamos lutar aqui mesmo? – perguntou Anderson, com uma flecha já encaixada no arco e sua mente de jogador de MMORPG funcionando a toda. Falava muito para tentar encobrir o medo que sentia. – Talvez consigamos aumentar nossa vantagem em um terreno mais fechado, onde os lobisomens não possam ser tão ágeis.

– Não sabemos quantos deles virão – respondeu Dodô, com a calma de quem aguardava o *motoboy* no escritório. Parecia muito velho, apoiado em seu cajado, e pouco preparado para uma luta de vida ou morte. – Vamos aguardar. Dependendo da situação, recuamos para a mata.

Uivos mais próximos. Não pareciam vir de uma só direção.

– Eles se espalharam! – Anderson estava suando frio. – Vão nos cercar!

– Já estamos cercados – constatou Dodô, apontando com o cajado para o alto do rochedo. Bruno Krauss estava lá em cima, aplaudindo zombeteiramente.

– Olha só, finalmente consegui encontrá-lo! Nunca achei que fosse demorar tanto para achar um garoto morto. Quer cavar a própria cova desta vez e nos poupar do trabalho, Anderson Coelho?

O garoto estava inquieto. A lua estava gigantesca e brilhava bem atrás da cabeça de Krauss, oferecendo ótima visibilidade para um tiro. O que valia também no sentido inverso: Krauss conseguiria ver bem para onde as mãos de Anderson iriam com toda aquela luz, e poderia se deixar fora de perigo com anos-luz de antecedência.

– Não haja por impulso – recomendou Dodô, calmíssimo. Não olhava para Krauss e sim para os arbustos que se moviam na linha das árvores. Um lobisomem, dois lobisomens, três lobisomens. Todos estavam lá, cercando-os.

Estavam na forma Insana, com as garras respingando sangue. Ou seja: pareciam ter matado *algo* há pouco tempo, e não para se alimentarem. Simplesmente pelo prazer de caçar. "É o primitivismo do animal misturado à insanidade do homem", havia dito Chris a respeito daquela transformação. Anderson estava comprovando a sua teoria.

– Rios me deu três missões depois de constatar que você não estava morto, Anderson! – gritou Krauss, do alto do rochedo. Estava de peito inflado, como se estivesse discursando para as câmeras. – Uma era recuperar o seu muiraquitã de tatu, que aquele trombadinha passou a você. A outra era matar esse velhote ao seu lado, o único que poderia complicar o lance dele de movimentar a porcaria da ilha. E a terceira... Ah, esta é surpresa. Então, proponho o seguinte: aproveite a sua flecha já encaixada e mate o velho, agora. Depois, jogue o muiraquitã para qualquer um dos lobos. E então você sai vivinho, escoltado e com todos os seus membros no lugar.

Anderson olhou para o lobisomem à sua frente. Sem orelha. Antonsson. Abaixou o arco, ainda com a corda puxada.

– Você garante que eu volto vivo? – gritou. Pela primeira vez, a expressão tranquila de Dodô se desfez.

– Eu sei que minha palavra não deve valer muita coisa depois de ter jogado pás de terra na sua cara, mas sim, eu garanto. – Krauss pôs uma das mãos no peito e levantou a outra, com a palma para fora. – Palavra de escoteiro. E olha que fui um bom escoteiro quando tinha a sua idade, viu? Era Lobinho. Ha-ha, que ironia! Lobinho, ha-ha-ha...

Anderson deu três passos resolutos para longe de Dodô, virou-se e levantou o arco na direção da sua cabeça.

– *Boooooa*, garoto! – gritou Krauss de cima do rochedo.

– Não o culpo, mas não hesite muito – disse o Grande Caipora, entristecido. – Você é melhor com tiro espontâneo do que quando faz mira.

– Eu sei – respondeu Anderson. Então, sem tirar os olhos de Dodô, virou o arco para o topo do rochedo e soltou a corda. Sem mirar.

Foi uma pancada seca, uma verdadeira paulada. O arco era bem mais forte que o portátil. A flecha cortou o ar e cravou-se no olho direito de Bruno Krauss, na diagonal. A boa luz da lua mostrou que a ponta saiu ao lado do crânio, pouco acima da orelha. Krauss, que mal teve tempo de tirar o seu sorriso presunçoso do rosto, levou as duas mãos ao olho perfurado. Sem emitir uma palavra, caiu de joelhos na ponta do rochedo e deu uma cambalhota rumo ao fundo da lagoa. Um grande *tchibum*.

– Corpo fechado o escambau – disse Anderson entre os dentes, e viu as feições de Dodô relaxarem.

– Pimba – disse ele.

– Pimba – repetiu Anderson, assentindo com a cabeça. – Fala sério, você não achou que eu me voltaria contra você, né?

Dodô sorriu.

– Quando eu disse que não o culparia, eu disse a verdade. Existem situações que nos levam ao extremo. Muitas vezes fazemos besteiras pela nossa sobrevivência.

Os três lobisomens uivaram ao mesmo tempo. Pareciam querer lembrar à dupla de que estavam ali.

– Então é hora de sobrevivermos a esses também – disse Anderson, mandando uma flecha contra Lannerbäck, à sua esquerda. Ele se desviou movimentando o tronco e o inferno triplo começou.

Os três avançaram contra eles. Nesse meio-tempo, Anderson disparou rapidamente mais duas vezes. Errou as duas, mas conseguiu fintar um ataque de Larssen, atingindo-o em seguida no rosto com o seu pesado arco de madeira. Dodô, cercado pelos outros dois lobisomens, girava o seu cajado e os mantinha afastados. Estocava com sua arma e driblava os inimigos com toda a maestria que o nome Grande Caipora lhe trazia. Quando abriu espaço entre as duas bestas, assobiou forte usando os dedos. E uma terceira fera surgiu do meio do mato.

Sexta-Feira se fez presente, como um míssil. Atingiu as panturrilhas de Antonsson com a cabeça, levando-o ao chão, e derrapou bem ao lado de Dodô, que prontamente o montou. Segurava seu cajado à frente como uma lança de torneio de justa, e fez carga contra Lannerbäck, que tentava abocanhar Anderson.

Atingiu o no estômago, fazendo-o curvar-se. O porco-do-mato parou ao lado de Anderson e Dodô fez sinal para que ele subisse.

– A sua ideia de ir para terreno mais fechado... Agora seria uma boa.

Anderson montou, sem pestanejar, e o porco partiu a toda.

Aquilo era bem diferente de cavalgar as costas de um lobo-guará. Chris, em sua forma quadrúpede, corria com o cuidado de não arquear demais as costas para evitar a queda de Anderson. Já montar Sexta-Feira só devia ser algo menos desengonçado que tentar montar uma sanfona.

Ele se chacoalhava todo conforme corria, procurando os melhores atalhos pelo mato. Dodô segurava nos pelos grossos do moicano de Sexta-Feira, mas Anderson não podia segurar-se com as duas mãos em Dodô, pois uma delas carregava o arco, que não era lá muito leve. No chacoalhar do processo, mordeu a língua duas vezes antes de ter a ideia de cerrar os dentes.

Os lobisomens vinham atrás. Para alívio de Anderson, mais uma vez eles não adotaram sua forma quadrúpede, muito mais ágil. Talvez fosse orgulho, talvez fosse burrice. Eles os perseguiam na forma Insana, o que dava uma leve vantagem na corrida ao time da casa.

Após alguns segundos de perseguição, o porco freou bruscamente. Anderson e Dodô voaram por cima do veículo suíno e rolaram pelo chão. Exceto as cinco flechas que Anderson segurava junto ao arco, todas as que se encontravam em sua aljava se espalharam pelo mato. O porco guinchava, olhando para algo mais à frente.

– Ai, minha cabeça – resmungou Anderson, levantando-se e cambaleando, cheio de folhas no cabelo. – Por que o porco fez isso?

Dodô, que se levantara de maneira muito mais ágil que Anderson, foi o primeiro a ver o indivíduo que interceptava o caminho. Anderson seguiu o seu olhar.

Parado no meio das árvores, nu e com a pior aparência possível, lá estava Chris. Com as maiores olheiras da face da terra, sujo, descabelado, e parecia um pouco... perturbado.

– Chris! – Anderson correu em sua direção, sem ligar para o fato de ele estar completamente pelado. – Cara, que bom! Estávamos em três contra dois, agora podemos encará-los de igual para igual! Você... está bem?

– Eu... eu...

– Cara, você está acabadaço...

– Eu fiz a Transformação Insana, mas não me lembro direito... Não sei como consegui voltar...

– Então acho que é bom você fazer esse negócio de novo... Olha eles aí.

Os três lobisomens cinzentos se aproximaram, salivando. Estavam encurvados, ombro a ombro, prontos para matar. Dodô e seu porco se colocaram ao lado de Chris, que nem ao menos lhes dispensou um olhar. Estava muito ocupado com seu conflito interno entre homem e fera. Tentava suprimir a pressão que a lua cheia causava lá no alto, através das folhas das árvores.

– Nossa – exclamou Anderson, olhando para os três inimigos alinhados à sua frente, e depois olhando para Chris e Dodô, que montava um Sexta-Feira bastante inquieto.

– O que foi? – perguntou o Grande Caipora, sem entender.

– É como jogar *Marvel versus Capcom*. Três contra três...

– Do que você está falando? – perguntou Dodô, que naturalmente nunca fora a um fliperama sequer.

Anderson ajeitou uma flecha no arco. Tinha apenas cinco delas, não poderia desperdiçá-las.

– Eu pego o sem orelha.

Chris segurou seu pulso por um momento e fitou seus olhos.

– Isso é prata?

Anderson assentiu, sombrio.

– Você me promete uma coisa? Se eu perder o controle, atire em mim.

– Para de graça...

– Não tente dialogar com a minha forma Insana. Eu não quero matar você, Anderson... Eu não quero matar você e todo mundo com quem me importo... Tina, Zé, Pedro... Eu não poderia viver com essa culpa.

– E eu? Poderia?

Não houve tempo para a resposta de Chris. Ataque triplo de lobisomens.

A primeira flecha de Anderson se perdeu entre as árvores. Com um palavrão, ele tentou encaixar outra na corda, mas levou um safanão involuntário de Larssen, que era infernizado pelos ataques de Dodô... Que por sinal, naquele momento, nem poderia ser chamado por esse nome tão meigo. Agora ele incorporava definitivamente o nome Grande Caipora: não dava descanso para o inimigo, lutava de forma imponente e com a agilidade de um mico-leão. Montava e desmontava Sexta-Feira quando era mais conveniente e, quando ele e o porco estavam juntos, pareciam ser um só. Moviam-se sempre para o lugar certo, evitando as garras do lobisomem e atacando de forma efetiva.

Chris, na forma humana, rolava para todos os cantos a fim de fugir de Lannerbäck. Evitava a transformação, mas estava prestes a se tornar defunto.

Anderson, por sua vez, fazia o possível para ganhar distância e conseguir encaixar um tiro, mas estava difícil. Do jeito que as coisas andavam, era pouco provável que o seu lado saísse vencedor da peleja.

– Chris! – gritou, agachando-se bem a tempo de se desviar da garra de Antonsson e manter a cabeça sobre o pescoço. – Pare de correr e se transforme! Precisamos virar esse jogo!

Nesse momento, Lannerbäck atacou-o frontalmente com a pata traseira, arremessando o corpo de Chris no meio de arbustos espinhentos. Seria nocaute, mas o sueco ainda foi se embrenhar no meio do mato para finalizar o oponente, Em seguida, sumiu.

Bastaram três segundos para o lobisomem cinzento voltar. Voando.

A carapaça de Lannerbäck atingiu uma árvore e a derrubou, arrancando-a pela raiz. Um uivo veio de onde Chris havia se enfiado. Era mais agudo que o uivo dos três lobisomens cinzentos. Duas notas acima, para ser mais exato.

E muito mais assustador.

A forma Insana de Chris saiu do meio do mato como uma carreta desgovernada. Era esguio, orelhas pontudas e pelo avermelhado. Sobre duas patas, alto e feroz, precipitou-se sobre Antonsson urrando e espumando de raiva.

O lobisomem sem orelha arranhou seu rosto com força, mas era o mesmo que atirar um graveto em uma pedra. Chris saltou sobre a vítima e mordeu sua jugular, chacoalhando a cabeça para todos os lados. Ele só parou quando um grande naco de pele foi arrancado e cuspido no chão. Arremessou Antonsson como se ele fosse um trapo inútil e se jogou sobre Larssen, rolando pelo chão.

Lannerbäck se recuperava do golpe e correu para ajudar o outro, que enfrentava o novo e perigoso oponente. Saltou nas costas de Chris, que ganiu de dor quando as garras do lobisomem cinzento se cravaram nele. Anderson, sem pestanejar, retribuiu com uma flechada no meio das costas do inimigo. Ele urrou, mas não largou Chris. Anderson pegou mais uma flecha, e aquela acertou a nuca de Lannerbäck com um baque impressionante. Com a prata entranhada bem fundo em sua coluna, o primeiro inimigo tombou.

Mal teve tempo de comemorar e o Grande Caipora gritou em alerta, fazendo Anderson se atirar para o lado de forma desajeitada, mas evitando a mandíbula que estalou no ar.

Mesmo a boa distância, Chris ergueu o corpo de Larssen e o arremessou sobre Antonsson. Anderson quis comemorar, mas desistiu ao ver as presas do amigo expostas e aqueles olhos voltados em sua direção.

Estavam completamente brancos. Enlouquecidos.

Anderson se arrastou de costas no chão, vendo que Chris se aproximava a passos largos.

– Cara, sou eu, Anderson! Ataque os outros! Os lobisomens!

Suas orelhas se mexeram, parecendo reconhecer o tom da voz de Anderson. No entanto, continuou avançando na direção do garoto.

O Grande Caipora se aproximou pelas costas do Chris insano e desferiu um golpe de cajado na junta das pernas arqueadas. Elas mal se dobraram, e ainda se flexionaram para chutar o velho ancião a muitos metros de distância.

– Nós não! Ataque os lobisomens!

Lannerbäck e Antonsson se agruparam logo atrás de Chris, lado a lado, rosnando baixinho. Eles eram tão organizados que tinham até formação de batalha, percebeu Anderson. Finalmente, o lobo brasileiro se voltou para trás, sentindo o cheiro da ameaça maior no ar. Chris empertigou-se e mirou o focinho para a lua, que aparecia por completo naquele pedaço da mata. Uivou tão forte que Anderson tapou os ouvidos, sem ter controle total sobre as mãos. Sentiu seus dentes baterem em uma tremedeira incontrolável e o peito reverberar com aquele som.

Os dois inimigos recuaram um passo, como se reconhecessem a selvageria daquele espécime e a temessem. Talvez a primeira Transformação Insana fosse a mais perigosa de todas, pois não tinha filtros. Ela continha toda a pressão exercida anteriormente pelo autocontrole de Chris, que por tanto tempo suprimira aquela versão da fera aprisionada em seu corpo.

"É como se ele tivesse passado anos chacoalhando uma garrafona de Coca-Cola e a estivesse abrindo só hoje", pensou Anderson, enquanto o Grande Caipora o ajudava a se levantar.

– Você está bem?

Anderson não respondeu. Tateou em busca das últimas três flechas...

...e constatou que elas haviam se quebrado na queda.

– Porcaria!

– Use o estilingue e as lascas de prata!

E foi o que ele fez. Larssen avançou contra Chris, mas este o agarrou pelo pescoço e começou um sufocamento cheio de rosnados e urros. Antonsson, mais atrás, flexionou as pernas para saltar sobre o inimigo guará, mas o estilingue de Anderson cuspiu um pedregulho prateado contra a sua testa. Arrancou um considerável tufo de pelo e deixou uma ferida vermelha.

Antes que Antonsson pudesse entender o que havia acontecido, Anderson atirou mais duas vezes, no ombro e no tórax. Mais tufos de pelo voaram, como se a prata os separasse da derme com mais facilidade que uma pedrada comum. O lobisomem sem orelha já tinha três falhas na pelagem cinzenta, e agora parecia bem mais interessado em devorar Anderson que ajudar Larssen contra o lobisomem brasileiro.

– Corra! – gritou o Grande Caipora, posicionando-se entre a besta e o garoto. Anderson pegou mais uma munição prateada e não recuou.

– É melhor você sair da frente, Dodô – avisou ele, puxando o elástico com tanta força que temia que ele se rompesse. Isso seria problema. – O sem orelha me quer, e eu tenho algo para ele!

Dodô saltou para cima de uma árvore com a agilidade de um macaco e escapou por pouco das garras de Antonsson. Olhou para a presa à sua frente, tão frágil com aquela arma infantil, e deu o bote.

Com a bocarra escancarada, ele saltou.

Anderson não recuou um centímetro que fosse, até que o estilingue de madeira estivesse quase debaixo daquela fileira de dentes pontiagudos. Somente então soltou o elástico e em seguida foi ao chão, protegendo o pescoço com os braços – como haviam lhe ensinado uma vez na escola, em caso de ataque de cachorro com raiva. Não que fosse funcionar com *aquele* tipo de cachorro, que poderia engolir o pescoço, os braços da vítima e mais uma bola de basquete. Na verdade, tinha agido por reflexo.

O garoto esperou a mordida que poria o ponto-final em sua vida, mas ela não veio. O que veio foi o ruído molhado de um engasgo. Muito alto, por sinal.

O lobisomem cambaleava, as garras arranhando o próprio peito e a língua vermelha pendurada para fora. Caiu de joelhos, parecendo tentar expelir uma bola de pelos. Anderson levantou-se aos poucos, tentando confirmar o feito. Antonsson tinha engolido a pepita de prata e não estava passando muito bem com a digestão da coisa...

A transformação começou a ser revertida, de maneira um pouco convulsiva. O lobisomem estrebuchou no chão da floresta, babando e rosnando até que seus braços e suas pernas começaram a se encurtar e ele voltar a ser um homem pelado, sujo, e com feios hematomas onde as lascas de prata haviam atingido o lobisomem.

Anderson olhou para Dodô, que estava sobre o galho mais alto. Assoprou o estilingue como um caubói faria com a fumaça do cano da arma após um duelo. O Grande Caipora saltou para o chão, não fazendo barulho ao pousar, e assobiou para que o porco Sexta-Feira voltasse. E assim aconteceu.

– Vamos para onde estão seus amigos. Eles precisarão de ajuda.

Anderson pegou o seu arco no chão. A briga de Chris e Larssen, a dez metros dali, era uma das coisas mais violentas que já tinha visto. Engoliu em seco.

– Tenho que ajudar o Chris, não posso deixá-lo.

– Ele não pode reconhecê-lo, Anderson.

– Dodô, não posso! Vá, eu encontro você daqui a pouco.

O Grande Caipora, já montado em seu porco fermentado, pôs a mão sobre o ombro do garoto e olhou-o com aquelas duas jabuticabas brilhantes.

– Quando tiver de escolher, faça isso rapidamente. Antes que a oportunidade e tudo o mais se vá.

E partiu a galope para o acampamento.

Anderson começou a tatear o chão em busca de alguma flecha perdida do momento da queda e o escuro não ajudava. A copa da árvore mais próxima bloqueava a luz da lua e uma visão mais clara do chão. Naquele momento, o disco prateado parecia ser um holofote para o embate mortal entre os dois lobisomens – os raios de luz eram para eles. Anderson continuou tateando as folhas secas e os galhos, imaginando quanto tempo de luta ainda teriam...

Então, o inconfundível ruído de ossos estalando fez o favor de avisar que ela havia terminado. Para Chris ou para Larssen.

< capítulo 21 >

IMPACTO IMINENTE

Ele ergueu o corpo do outro lobisomem no alto como se aquela carcaça bestial não pesasse nada. Era como se o oferecesse para a lua. Uivou enquanto o fazia, depois deixou o ser inerte rolar para o chão.

Chris não havia atingido a Transformação Insana para perder.

Anderson congelou. O amigo não parecia vê-lo. Sua única preocupação era uivar para o alto, como se estivesse desafiando qualquer criatura vivente daquela ilha a vir contestar a sua vitória contra o oponente cinzento.

Ninguém foi louco de contestar, mas Anderson foi louco de dar um passo para a frente, ainda que com as pernas trêmulas.

– C-Chris?

O uivo cessou. Uma pata cortou o ar e Anderson voou de encontro a uma árvore.

– *Ungh*... Chris, sou eu... – balbuciou inutilmente, sem largar o seu arco. Ele não tinha nenhuma flecha em mãos. Tivera a sorte de receber o golpe do lobisomem-guará com o punho cerrado. Caso contrário, estaria agora dividido em duas porções. – Você... pre-precisa voltar...

O lobisomem avançou mais uma vez. Em um piscar de olhos já estava sobre o garoto, erguendo-o pelo pescoço e arremessando-o para o lado oposto.

Anderson não largou o arco. Também não disse nada.

A fera foi atrás do seu novo brinquedo de apanhar. Apanhar em um sentido duplo. Anderson se levantou, olhando para os olhos brancos de raiva da criatura que um dia fora seu amigo.

– Cara... sou eu... Nós cavalgamos o Boitatá... Você dirige o Carro Verde...

Anderson voou mais cinco metros, torcendo o punho ao cair. O arco desta vez escapou das suas mãos, mas ficou próximo ao seu corpo.

– V-você toca piano... e me ensinou q-que a lua é... m-mentirosa...

O lobisomem urrou, como uma ordem para que ele se calasse. Anderson não perdeu o contato visual com o monstro, tentando despertar ou encontrar qualquer resquício do amigo naqueles olhos.

Eles continuavam brancos, como se fossem repletos do brilho prateado da lua. A insanidade que ela havia trazido para Chris, e que só iria embora do seu corpo junto com seu último suspiro animalesco.

Anderson tentou se levantar. Se morresse ali, tudo bem. Tinha tentado até o fim trazer o seu amigo de volta da loucura que o salvara e que o condenara. Apoiou as mãos no chão e soltou um gemido de dor: havia espetado a palma da mão no bico de uma flecha que ainda estava inteira.

Uma flecha de prata.

"Quando tiver de escolher, faça isso rapidamente. Antes que a oportunidade e tudo o mais se vá."

Sem pestanejar, e arranjando forças extras para se endireitar, puxou o arco para si, encaixou a flecha e se pôs de frente para o monstro, que rugiu como um Cérbero na porta do Inferno. Anderson deu três passos para trás.

– Chris! – gritou, a corda esticada até atrás da orelha direita. – Se você estiver aí, me dê um sinal! Qualquer sinal!

O lobisomem fez um gesto inesperado: bateu repetidas vezes no próprio peito, com muita força. Aquele era um gesto meio de Tarzan, meio de primata. E foi o bastante para Anderson abaixar o arco.

– Você me escuta?!

Como resposta, ele tentou abocanhar o garoto na altura do pescoço. Anderson escapou por pouco, saltando para trás. O gesto não parecia condizer com a sua atitude assassina.

– O que você quer dizer?! Eu sei que você está aí, Chris!

Os punhos gigantescos continuaram a martelar o peito. E Anderson sentia-se incapaz de soltar a corda do arco.

Até Chris arranhar a própria pele. Ele o fez com tanta força que o sangue começou a escorrer e tingir os pelos brancos do peito.

O arranhão foi do lado esquerdo. Sobre o seu coração.

"Ele não está batendo no peito para dizer que me escuta. Ele estava pedindo para que eu o acertasse... no coração. Ele quer que eu o mate!"

E então, a longínqua voz do amigo se fez repetir em sua consciência: "Não tente dialogar com a minha forma Insana. Eu não quero matar você, Anderson... Eu não quero matar você e todo mundo com quem me importo... Tina, Zé, Pedro... Eu não poderia viver com essa culpa."

Anderson soltou um ruído involuntário, como um miado de filhote de gato. Uma lágrima escorreu pela sua bochecha e parou no canto da boca. Era salgada. Daquele dia em diante, toda escolha ruim ou difícil na vida de Anderson lhe traria aquela sensação. O gosto salgado de uma lágrima.

Não se tratava mais da própria segurança ou da própria vida. Era pela segurança de todos os amigos em comum. Pelas vida deles e por todo o sacrifício da sua transformação suicida.

Sacrifício.

– Desculpe, Chris...

No exato momento em que a sombra do lobisomem-guará cresceu sobre aquela presa indecisa e encobriu a lua cheia, a corda do arco foi solta.

Àquela distância, era impossível não acertar. Por mais que Anderson quisesse errar.

O Grande Caipora e Sexta-Feira eram um só borrão cortando a mata, diretamente para o ponto de encontro de Anistia. Como havia informado a Coralino e Pirilampo, ele sabia que algo muito grande aconteceria por ali. Uma urgência interior crescia dentro dele, resultante de toda a sua ligação com o humor da ilha. Eram anos partilhando da mesma energia vital que mantinha *terra* e *guardião* vivos e dependentes um do outro.

Saiu da mata, o estardalhaço dos cascos do porco-do-mato fazendo todo o acampamento voltar os olhos para o recém-chegado. Iluminados pela lua cheia e pelas inúmeras tochas, os reféns, os capangas de Rios... e o próprio Wagner Rios.

– Isto é uma surpresa! – exclamou o homem, preventivamente enfiando as mãos nos bolsos das calças. – O Grande Caipora, saindo da sua longa reclusão para se juntar a nós neste momento tão importante.

Dodô não estava para brincadeiras. Segurava seu cajado como uma lança e os olhos não pareciam mais tão dóceis.

– Quer que eu dê um jeito nele, chefe? – perguntou Soares, engatilhando uma de suas pistolas.

Rios balançou a cabeça, com displicência.

– Apesar de toda essa aparência selvagem, este pequeno ancião sabe ser muito civilizado quando necessário. Vai cooperar conosco!

– O que faz com que você pense isso, vermezinho? – A voz de Dodô saiu cortante, como um saque de vôlei profissional.

– Ora, você não viria aqui para me enfrentar! – Rios lançou um olhar à tenda dos reféns, sarcástico ao extremo, como se estivesse buscando apoio neles. – E você sabe que eu quero o controle da ilha. Talvez você tenha vindo até aqui para me passar a herança do seu poder e para salvar o garoto Anderson com o amuleto de tatu. Quer dizer, se ainda há algo dele naquela mata para ser salvo...

– O garoto está vivo – rosnou Dodô sobre o porco, rodeando Rios. – Não posso dizer o mesmo do seu súdito assassino e das três feras do Velho Mundo.

Nessa hora Rios pareceu realmente surpreso.

– Três mercenários licantropos e um verdadeiro *sobrevivente* derrotados por um pirralho e um velho... É, isso é algo inesperado. Eu o subestimei, morador da mata.

– Pare de me chamar assim.

– Ué! Isso é o que o seu título significa. Vem de *caapora*, morador do mato. Eu entendo disso, e eu sei que é assim que você se denomina, mas eu não posso lhe chamar de “caipora”, de fato... Seria um desrespeito aos caiporas puros de espécie, como o nosso querido José da Silva Santos, na jaula ali atrás. Quer dizer, ele também é mestiço... Droga, estou cercado de miscigenados.

Zé, em seu cativeiro, agarrou as barras que o cercavam e arranjou forças para bradar:

– Ele é o caipora responsável pelo surgimento de Anistia! Fez o pacto da terra com a água, seu crápula! Como ousa falar dele assim? É um dos maiores caiporas que já viveram neste mundo!

O porco-do-mato parou, rosnando para Rios. Dodô parecia triste, olhando para o chão. Alguma coisa ali o havia tocado, afetado profundamente. Rios, pelo contrário, parecia estar rindo de algo que ninguém mais tinha entendido.

– Realmente, um dos maiores que já viveram! Não acham isso estranho? Ele não é um pouco *alto* para um caipora? Diga-me, José, daí de dentro de sua gaiola... A despeito da cor... ele não lhe parece humano demais?

Os reféns, os Ghouls e Soares acompanhavam em silêncio cada etapa daquela conversa estranha. Olhavam de Rios para o Grande Caipora e para José, na gaiola.

– Não importa o que ele parece – disse Zé, sem dar o braço a torcer, pois o caso era mesmo muito estranho.

– Eu acho que importa, sim – discordou Rios, agora rodeando Sexta-Feira. – O maior defensor de Anistia, vivendo recluso há séculos... Não se parece com um caipora, e os poucos que já o viram o tratam como uma exceção. Vocês aí dentro, da Organização! Vocês da ResEx, e de todos esses grupos *hippies* a que pertencem. Não são vocês que dizem que devemos questionar as coisas? Pois eu estou levantando uma questão interessante!

– Aonde você quer chegar, Rios? – gritou Inácio Primo, do meio dos prisioneiros.

– Meu caro amigo do pé torto, você e todos os veteranos dos grupos sabem de cor e salteado a história do conflito que gerou Anistia. A cada fórum vocês contam a mesma balela para as suas crianças. Eu sei disso! Bom, sugiro que da próxima vez que forem contar essa lenda, corrijam certo tópico...

Dodô chacoalhou a cabeça.

– Isso é cruel, homem...

– ...a parte que diz respeito ao índio intérprete que serviu aos homens brancos duas vezes antes de ser tratado com desprezo pelo líder da resistência selvagem. Essa parte, ah, está bem errada...

– E daí, seu trouxa? – gritou Otto, com coragem renovada. – Você quer nos dar aula, agora?

Rios levantou um indicador e fez cara séria.

– Eu, como antropólogo por formação e grande pesquisador da história de nossa gentil pátria amada, Brasil, tenho um compromisso com a disseminação da verdade. Portanto, querido Otto – ele suspirou, mas na verdade estava tomando fôlego para o que viria a seguir –, CALE A MALDITA BOCA ANTES QUE EU PEÇA PARA ALGUM CIGANO ARRANCAR SUA PERNA DE VEZ E TRANSFORMAR VOCÊ EM UM SACI BRANCO!!!

Fez-se silêncio e Rios continuou, compenetrado, como se nada tivesse acontecido.

– Como eu dizia, essa parte sempre é mal contada. Para onde foi o intérprete que serviu contra o berço indígena? Ele se jogou nas águas do rio e encontrou o seu fim? Cometeu suicídio enforcando-se com uma cobra-coral? Ou será que ele simplesmente fugiu para dentro de Anistia, para onde os invasores tinham posto fogo, e morreu? Essa é a versão mais conhecida, que eu saiba...

Como um relâmpago turvo, o Grande Caipora se atirou sobre Rios, derrubando-o no chão de terra batida e levantando poeira. O vilão que provocava o ancião caiu de costas, como um pino de boliche, sem tirar as mãos dos bolsos.

– Você está brincando com a pessoa errada, garoto – disse Dodô, e apesar de ter posto o cajado na cara de Rios e o derrubado, seu tom de voz era completamente calmo. – Até parece que você é a criatura mágica por aqui.

– Cuidado, Grande Caipora! – gritou Zé. Romero começou a se dirigir até sua jaula para fazer com que o meio-caipora se calasse, mas ele continuou: – Wagner Rios leva no bolso o Cachimbo de Ouro, que lhe confere imunidade!

– Cachimbo de Ouro? – perguntou Dodô sobre o peito do adversário que o provocava. – Você está com as mãos nos dois bolsos. O que tem no outro?

Rios tirou uma das mãos do bolso, rindo. Segurava um objeto pequenino como um alarme de carro, com um único botão vermelho no centro.

– É um controle remoto. E ele pode te dar um bocado de trabalho.

Rios apertou o botão.

O lobisomem não fazia som algum. A lua banhava o corpo peludo com aquela flecha tão rústica cravada sobre o coração, e Anderson se agarrava a ele desesperadamente.

Era o garoto quem uivava.

– Me desculpa, só fiz como você pediu – murmurava, pela décima vez, as lágrimas banhando todo o seu rosto abaixo da linha dos olhos. – Me desculpa...

Qualquer urgência de outros assuntos havia sido reduzida a zero. Naquele momento Chris era mais importante. Mesmo morto... Não! Mesmo não vivo. *Morto* era uma palavra muito pesada e triste. Apesar de toda aquela melancolia que derretia o peito de Anderson como ácido, ele não queria comparar Chris a algo ruim. Seu amigo era feliz, espontâneo... Sempre abanava a cauda, mesmo que simbolicamente. Tinha a personalidade de um lobo, era livre. Um filho da lua.

O muiraquitã de tatu vibrou em seu peito. Tentava avisá-lo de algo? Anderson não sabia. Ainda seria procurado pelos homens de Wagner Rios, pois ele...

Rios.

– Ele... Foi tudo por causa dele...

Anderson se levantou, depositando com cuidado a cabeça lupina de Chris no chão. Tentou movê-lo para debaixo de uma árvore, mas era pesado demais. E talvez fosse melhor deixá-lo ali, banhando-se de lua. Depois haveria tempo para lamentar a morte do amigo e para um funeral decente. Depois. Agora, Anderson só queria saber de uma coisa:

– Rios... Ele vai pagar por isso...

"E para esse tipo de coisa não haverá dinheiro que o salve", completou em pensamento.

Logo depois disso as explosões começaram, arremessando árvores para o alto.

Os estrondos foram ensurdecedores. O cajado do Grande Caipora foi para o chão e ele caiu de joelhos. Dentro da mata, pinheiros inteiros foram arrancados do chão e línguas de fogo imensas surgiram em pelo menos dez pontos distintos.

E tudo aquilo, de certa forma, era sentido em seu velho corpo.

– Eu optei por uma maneira um pouco mais complicada, mas pelo visto funciona – começou Wagner Rios, levantando-se e sacudindo o pó das vestes. Segurava o Cachimbo de Ouro em uma das mãos e o controle remoto na outra. – Como pensei que seria impossível encontrar você, recluso em seu esconderijo, pedi para Krauss e os mercenários suecos, que Deus os tenha, colocarem várias cargas explosivas em regiões diferentes da ilha. Isso para ver se um incêndio dava conta de você, que compartilha da energia vital deste lugar.

Dodô balbuciava, ainda de joelhos. Os reféns gritavam, assustados. Pela reação exagerada de Lionel e seus ciganos, nem eles sabiam dos planos de Rios.

Ele continuou..

– De qualquer modo, eu já pretendia dinamitar aquele rochedo recheado de prata. Quero retirar todo e qualquer recurso antes de deixar este lugar plano e pronto para abrigar uma base militar flutuante.

– Não...

– Ah, sim. Você morrerá em pouco tempo, pelo jeito. Anderson queimará lá dentro, um inferno na selva, e depois eu me viro para encontrar os restos dele. O muiraquitã não queimará. Então eu pego o muiraquitã que me falta. E controlo Anistia. – Rios empurrou o Grande Caipora com a ponta dos pés e ele se esparramou pelo chão. – Não posso dizer que foi simples, mas foi bem executado. Aliás... Soares! Faça-me um favor!

O capanga do lábio leporino se aproximou. Rios tentava se sobrepor ao barulho das explosões que começavam a ficar mais espaçadas.

– Acho que não quero ver esse velho agonizar. Apaga ele, agora.

– Sim, senhor – respondeu Soares, fazendo mira na nuca do Grande Caipora, mas sem perceber que o braço magro do ancião havia alcançado o cajado e que um porco-do-mato gigantesco estava prestes a atingi-lo pelas costas.

Soares foi ao chão antes de notar o que havia acontecido. O tiro atingiu o chão e Dodô aproveitou para golpear o segurança várias vezes com sua arma de madeira, antes de derrubar Rios com uma ágil rasteira. Montou Sexta-Feira e galopou por entre os Ghouls, que em vão tentavam pegá-lo. Formavam uma dupla escorregadia e chegaram fácil até a jaula em que Zé estava cativo. Uma única investida do porco foi suficiente para libertar o meio-caipora.

– Está livre, meu amigo,

– Obrigado, Grande Caipora! – disse Zé, ainda um pouco perdido.

Atrás deles, os reféns começavam a se levantar contra os Ghouls, que mesmo armados recuavam ante a turba enfurecida. A insurreição tinha começado e parte dos planos de Rios havia saído do controle.

Sávio, deixando a tenda dos privilegiados de Rios e carregando o arco portátil do garoto que ele havia ajudado a enterrar vivo, apertou o botão para acioná-lo, mas foi surpreendido por um grupo de icamiabas furiosas e sedentas por um arco. Sávio nunca mais veria tantas mulheres sobre ele em vida.

Michelle, a *poodle* dos Circomplexos, pegava as armas de Soares com a boca a saía correndo, driblando pés e mais pés. Inácio, desajeitado, lutava corpo a corpo com um dos Ghouls, e Eugênio, que conseguira surrupiar a adaga de um cigano rival, caminhara direto na direção de Lionel e ambos travavam um duelo perigoso de lâminas. Tayala, a bruxa Ghoul, lutava com Rosa e Bárbara ao mesmo tempo. Perto dali, Tina e Pedro tentavam não ser esmagados pelos pés de Romero. Zé, ainda debilitado, apareceu para ajudar os garotos contra o gigante.

Spray de pimenta foi disparado. Gritos e palavrões. O fogo se alastrava com rapidez na mata e uma fumaça negra subia aos céus. Os gorjalas Pirilampo e Coralino saíram da mata assustados e com as vestes chamuscadas. Dodô galopou em direção a eles, apressado.

– Vamos voltar para a mata, podemos controlar parte do incêndio...

Dois tiros foram disparados pelos revólveres de Rios, mas erraram os alvos. Coralino, o de toga, levantou um tronco para protegê-los.

– Grande Caipora?

– Sim, Coralino?

– Aquele cabra tá me irritando com os dois cuspidores de fogo. Posso dar um jeito nele?

– Vá, e depois volte para nos ajudar contra o incêndio!

O gorjala grunhiu em resposta e arremessou o tronco na direção do cabeludo grisalho que disparava. Rios foi atingido em cheio, com brutalidade, mas teve o reflexo de soltar uma das armas e agarrar o Cachimbo de Ouro no bolso.

Enquanto isso, não muito longe dali, alguém tentava sobreviver àquele inferno sob a lua cheia.

As lágrimas eram pela ardência da queimada e pela perda do amigo. Anderson corria, com um remorso estarrecedor boiando dentro do crânio. Não queria ter abandonado o corpo de Chris no meio da floresta, mas as explosões muito próximas de onde ele estava o tinham obrigado a correr.

Além daquele desejo insaciável de vingança contra Rios. Aquele incêndio criminoso só podia ser obra dele.

"O incêndio causado pelos invasores", pensou o garoto enquanto corria. "Tudo se repete."

O muiraquitã de tatu ainda vibrava loucamente em seu peito, e parecia de algum modo guiar Anderson através dos melhores caminhos que ainda não estavam ocupados pelas chamas ou por obstáculos. O ar se enchia de fumaça rapidamente. O garoto teve de parar por duas vezes para tossir até quase pôr as entranhas para fora.

Não encontrava muitos animais fugindo das chamas, pois talvez estivessem já em outro ponto de Anistia, mas viu uma mãe mapinguari carregando um filhote ruivo e assustado, que abria uma bocarra banguela e enorme onde deveria ser sua *barriguinha*. Ela ignorou Anderson e continuou pulando de galho em galho. Eram dois animais em fuga.

Encontrou um riacho estreito por que já tinha passado antes e resolveu molhar o corpo para aguentar o calor crescente. Enfiou o estilingue no elástico da bermuda e as munições que carregava no bolso. Pôs-se de joelhos no chão e fez uma concha com as mãos...

Então outra mão saiu de *dentro* da água e agarrou o seu pescoço.

Anderson arquejou, tentando se livrar do aperto na garganta, ao mesmo tempo em que tentava entender o que era *aquilo.*

Em seguida tudo fez sentido. Um braço e um rosto também emergiram do riacho. Era um rosto enfeitado com uma flecha de prata bem no ponto que um dia fora a órbita direita de Bruno Krauss.

– MOLEQUE MALDITO! – gritou ele da melhor maneira que pôde, já que segurava uma das facas serrilhadas entre os dentes. Empurrou Anderson para o chão e utilizou a outra mão para se arrastar para fora da água. Estava repleto de escoriações, cortes e manchas de sangue pelas roupas. Definitivamente, cair do alto do rochedo com uma flecha no olho não tinha feito muito bem para o astro da televisão. – Você realmente achava que eu morreria com algo tão simples?!?!

– *Agh... aghrr...*

– Você vai pagar por ter levado o meu olho embora, pirralho! – Ele agora usava a mão livre para segurar a faca bem próximo do olho de Anderson, enquanto o erguia pelo pescoço e o encostava em uma árvore que começava a pegar fogo na copa. – Eu vou arrancar o seu globo ocular e fazer o Wagner Rios pagar um implante para mim, sim, vou sim! E depois vou usar os seus próprios olhos para assistir à *sua* missa de sétimo dia!

Anderson conseguiu apoiar um dos pés no tronco com firmeza e usou o outro pé para atingir a virilha de Krauss com toda a força que pôde. Isso o fez largar Anderson e os dois caíram no chão, de forma dolorosa.

– *Aaaaaargh*, seu nojento! Doeu, mas vai doer ainda mais em você, agora!

Anderson chutou o rosto de Krauss enquanto ele tentava recuperar a faca no chão. Depois se arrastou o máximo que pôde de costas, o maníaco se arrastando em sua direção como uma iguana, com o semblante mais doentio que ele já vira.

– Venha aqui!

Anderson se afastou ainda mais, tentando ganhar mais espaço, e Krauss continuava indo ao seu encontro, rastejando. Ele era um típico personagem de filmes de terror, que não morria com tiros, querosene, guilhotina e bomba atômica. Desesperado, Anderson só queria que a terra se abrisse e engolisse aquele homem horrível de uma vez por todas.

E o muiraquitã vibrou, como se dissesse que aquela era uma boa ideia.

– Que cara é essa, pirralho?! Você não tem para onde ir...

Anderson desejou, *literalmente*, que a terra se abrisse sobre os pés de Bruno Krauss. Ele já havia feito alguns pequenos milagres com o muiraquitã de tartaruga, como criar uma película de água protetora contra chamas... Rezar por buracos não parecia nada tão impróprio para os dons que o amuleto de tatu trazia.

– Hein? O que é isso?! – Krauss começou a afundar, exatamente onde Anderson estivera de pé segundos antes. – Não existe areia movediça nesta porcaria de ilha! Nem areia normal existe direito!

Krauss lutava. Anderson agarrava o tatu no cordão, e imaginava grãos de arroz descendo por um funil. Imaginava um escoamento para dentro de um cano, como água sendo sugada por um ralo. E a terra começou a se mover mais depressa sob o inimigo.

– Seu maldito, devem ser essas porcarias de mandingas folclóricas! – gritava o homem, usando uma máscara de ódio no rosto vermelho. A terra abocanhava o seu tórax. – Eu vou voltar... *gasp*... e vou encontrar você! Maldito seja!

– Agora estamos quites. – Esta foi a única coisa que Anderson conseguiu pensar em dizer para rebater todas as pragas. Krauss gritou com ainda mais ódio.

– Eu vou sair dessa, Anderson! Eu *sempre* saio! Eu tenho o *corpo fechado*, você sabe! Corpo fecha...

A gritaria cessou. Sobrou apenas terra irregular, recém-assentada. O garoto enxugou o suor da testa e voltou a correr, antes que o cenário ao seu redor piorasse com as chamas.

Sabia que estava chegando ao acampamento próximo ao cais de entrada. Imaginar que Wagner Rios estava ao alcance de suas mãos era uma motivação a mais para dar tudo de si naquela corrida final. No entanto, uma vozinha interior lhe dizia que sua energia deveria ser poupada, pois ainda encontraria trabalho pela frente.

A lua estava gigantesca no céu e poucos metros à frente as copas das árvores sumiam... Ele estava chegando, saindo da mata fechada.

Cruzou a linha das árvores, desta vez pelo caminho inverso, de dentro para fora.

E não esperava encontrar uma cena daquelas.

Spray de pimenta, empurra-empurra, um *poodle* latindo, pessoas duelando com facas e adagas. Os reféns tinham se libertado e entrado em confronto direto com Rios e seus capangas.

Mas onde estava Rios?

Anderson aproveitou para coletar algumas pedras grandes no chão, mais pesadas que os pedaços de prata que ele tinha no bolso. Achou quatro delas, arredondadas, que tinham o peso perfeito! Correu para perto do confronto, passando despercebido, e viu Romero perseguindo Tina, Pedro, um assustado Miguel, e ao mesmo tempo tentando enforcar Zé com o musculoso braço esquerdo, imobilizando-o.

Sem dúvida quanto ao que deveria fazer, a primeira pedrada de Anderson foi no meio da testa do cigano gigantesco. Ele afrouxou o aperto em Zé – que estava penando por não poder lutar sob o efeito da sua cachaça de açaí – e caiu de joelhos, derrotado. Era como abater um ogro a flechas no Battle of Asgorath. Muitos pontos de experiência.

– Anderson! – exclamou Tina correndo para abraçá-lo. Ele a repeliu segurando-a pelos ombros.

– Onde está Rios?!

– Que cara é essa, o que aconte...

– Onde está Rios, caramba?! – gritou, chacoalhando a amiga e derramando lágrimas de raiva. – Me mostra!

– Ali! – gritou Pedro, apontando para o lugar em que antes havia a tenda de controle, antes dos insurgentes a derrubarem a pontapés. Anderson mal reparou no rosto machucado do garoto.

Lá estava o responsável. Rios. Trocava socos e pontapés com Otto, Cássia e Inácio com a desenvoltura de um boxeador. Durante os movimentos rápidos das mãos era impossível enxergar o brilho dourado em seu punho.

– RIOS!!!

O grito de Anderson fez os quatro estacarem e olharem em sua direção. Na verdade, boa parte da arruaça congelou para ver quem havia gritado daquela maneira.

O garoto não correu, mas foi andando rápido na direção de Rios como uma locomotiva. Ghouls, Gitaes, Sukatas, ResExs, Circomplexos e icamiabas esqueceram-se de fazer qualquer outra coisa que não fosse assistir ao desfecho da coisa. Anderson irradiava uma mistura de fúria e autoconfiança que não era nem um pouco comum em uma criança de doze anos.

Sem contar o fato de que ele estava completamente imundo, descalço, sem camiseta e com um estilingue nas mãos.

– Você! – gritou o menino, enxugando as lágrimas que se acumulavam nos olhos. Não queria chorar naquele momento e aquilo lhe dava ainda mais raiva. Tudo isso se traduzia em dentes trincados, pernas ligeiras e olhos que queimavam mais que a mata de Anistia. – Você é um assassino, Rios!

O milionário deu um riso de meia boca. Foi caminhando na direção do garoto. Otto, Cássia e Inácio ficaram para trás.

– Muito bem, você trouxe o muiraquitã, Anderson. Entregue-o e tudo acaba aqui!

Anderson pegou uma das pedras rombudas. Não precisava mirar, pois sabia exatamente o que devia fazer. Atirou com o estilingue e a pedra bateu bem na mão de Rios, que não segurava o Cachimbo de Ouro com muita firmeza.

E ele foi ao chão, brilhando com a luz da lua.

– Mas que...

A pedrada seguinte atingiu a maçã do rosto de Rios. Ele foi ao chão, caindo sobre o próprio traseiro, enquanto Inácio mergulhava para pegar o artefato. Rios se recompôs, foi mais rápido e agarrou novamente o Cachimbo de Ouro.

Anderson correu na direção do homem e o puxou pelo rabo de cavalo, aproveitando a queda. Chutou, socou, bateu. Gritou, xingou e rosnou o nome de Chris várias vezes.

Era como bater em um saco de areia. Apesar da pedrada em seu rosto ter causado um grande corte – um grande hematoma esverdeado já surgia ao redor da área sangrenta –, Rios não esboçava dor ou qualquer outra reação. Na verdade, parecia até um pouco absorto com o comportamento violento e irracional de Anderson, que não parava de chacoalhá-lo.

– Você é o culpado, você...

– Ainda não percebeu que não adianta me bater, seu estúpido?! – Com as costas da mão, deu um safanão no garoto que o fez rodopiar. Rios aproveitou para se levantar e correr. Os mais próximos cometeram o erro de prestar assistência a Anderson, estirado no chão, em vez de ir atrás do magnata.

– Ele está fugindo! – gritou Anderson, com um corte no lábio inchado, tentando se livrar das mãos que tentavam ajudá-lo a se levantar. – Ele está indo para o cais!

Rios tinha uma grande vantagem na corrida. Parecia já ter admitido que não conseguiria mais dominar a ilha, com todo o seu plano degringolando minuto a minuto. Otto não conseguia acompanhar Anderson e Cássia, pois sua perna ainda estava machucada pela ferida causada pelo lobisomem Antonsson.

Anderson e a moça viam o cais de entrada e havia algo ao seu lado... Seria o tal bote?

– Ele estacionou o barco dele *em cima* da terra?! – arfou Cássia, forçando os olhos para enxergar ao longe.

– Não, é uma espécie de veículo anfíbio! – respondeu Anderson, que já tinha jogado muitos *games* com *hovercrafts* e outros veículos híbridos. O de Rios, no caso, realmente se parecia com um bote. Na verdade, com um iate cercado por boias infláveis, mas com esteiras parecidas com as de um tanque de guerra embutidas embaixo do revestimento flutuante. Anderson não queria imaginar quantas bocas o valor daquele troço poderia alimentar.

Rios estava subindo pela traseira do veículo e logo se encaminhou para a cabine de comando. Deu a partida no *hovercraft*. Não parava de olhar por sobre os ombros para ver em que ponto seus perseguidores estavam. Eles estavam a menos de trinta metros do bote.

Cássia ultrapassou Anderson na corrida até o fugitivo. Estava a pelo menos vinte metros de alcançá-lo quando Rios foi novamente até a traseira do veículo e tirou de um dos bolsos o mesmo controle remoto que causara todo aquele inferno na floresta.

O muiraquitã de tatu vibrou. Havia terra remexida próximo ao bote. Anderson percebeu em cima da hora o que aquilo significava e gritou a plenos pulmões:

– Cássia, pare!

Rios, no bote, apertou o botão e deu um sorriso de quem fechou um belo contrato.

A sequência de minas terrestres explodiu em uma linha reta a dez metros do bote. Cássia entendeu tarde o aviso de Anderson e, mesmo parando cerca de nove ou dez passos antes da armadilha, foi arremessada no ar como uma boneca de pano.

Anderson fechou os olhos e não diminuiu o passo, mesmo com o muro de terra e fumaça que se levantou entre ele e Rios.

"Por cima", mentalizou, com toda a força que conseguiu. "Quero passar por cima. Eu sei que você pode fazer isso, muiraquitã."

O chão em que Anderson pisava começou a se erguer, formando uma estreita passarela de rocha e terra que passava por cima da zona de impacto das minas. Sentiu o ar quente vindo de baixo, mas a poeira levantada não machucou seus olhos, assim como a terra não o cegara quando fora enterrado vivo.

Da ponte de terra que se formou, Anderson saltou e caiu de um jeito capenga na traseira do veículo anfíbio de Rios, na mesma hora em que ele conseguia acelerar na direção da parede de neblina que circundava Anistia.

– Inferno! – gritou Rios no controle da coisa, olhando por sobre os ombros e vendo que Anderson estava lá dentro. O veículo, que por sinal atingia uma velocidade muito acima do esperado, caiu na água e saiu do outro lado da névoa que disfarçava a ilha flutuante.

Anderson tentou se levantar e olhar por cima da amurada do anfíbio. Estavam em um rio muito largo, de margens distantes, e sua água era escura. Assim como qualquer rio seria àquela hora da madrugada. Talvez Anistia coubesse ali em seu tamanho real, sem que precisasse se compactar por mágica.

Rios fez uma curva fechada. Uma manobra perigosa que sacudiu a cabeça de Anderson e quase o fez saltar para fora da lancha. Depois repetiu a manobra. Desta vez, Anderson bateu a cabeça com força no chão. Ficou por alguns segundos estirado ali, incapaz de se mexer e enxergando três luas cheias no céu.

– Se for vomitar, por favor, tire o muiraquitã do pescoço antes – gritou Rios, ainda fazendo mil curvas totalmente sem noção. – Vou precisar dele!

E a verdade é que Anderson realmente queria vomitar. Nunca tinha entrado em um barco, tirando os pedalinhos em forma de cisne na Lagoa da Migalha, em Rastelinho. Lutou contra a vontade de pôr tudo para fora e sentou-se no chão. Percebeu que Rios pilotava com as duas mãos no timão eletrônico. Aquilo significava que a relíquia que o tornava indestrutível estava em seu bolso. Sacou o estilingue e pegou a última pedrona do arsenal para atingir a nuca de Rios. Poderia fazê-lo desmaiar, o que seria a melhor das hipóteses. Depois disso, Anderson precisaria assumir o controle do anfíbio e pilotar até terra firme com segurança.

O que seria moleza depois de ter pousado um helicóptero no início do ano.

"Pousado naquelas, né?", censurou-se.

Anderson atirou. Acertou a orelha de Rios...

...bem no momento em que ele faria uma curva.

– Maldito! – gritou, com a orelha esquerda sangrando, assim como a maçã do seu rosto. – Veja só o que você fez!

Rios virou-se para trás, mostrando o volante solto em suas mãos para Anderson. A lancha ia agora em linha reta para algum lugar, até que algum obstáculo a parasse à força...

Anderson se levantou e entrou na cabine. Rios já segurava o Cachimbo de Ouro, sua eterna precaução contra a dor e a morte. Soltou o volante no chão e ele ficou ali bamboleando por uns cinco segundos antes de ficar estático.

– Essa lancha vai bater – observou Rios, como se estivesse dizendo que naquela noite haveria chuva. Ele aproveitou para apontar em seu pescoço os três amuletos pendurados, dando ênfase ao que pertencera ao garoto. – Quando você não tem um muiraquitã da tartaruga ou do sapo a tiracolo, o Guaíba não é o melhor dos lugares para nadar...

"Guaíba?!", espantou-se Anderson, mas de bico calado. "Aquele rio que se tornou lago?! Anistia está em Porto Alegre?!"

Olhou para o painel atrás de Wagner Rios, que estava de costas para o controle – inutilizado. Os faróis do anfíbio iluminavam as águas ligeiras deslizando por baixo do casco. O farol natural da lua mostrava que, mais à frente, uma grande ponte cruzava o Guaíba, e parecia muito certo que o barco se chocaria contra uma das bases de concreto da ponte, próxima à margem do lado urbano da capital gaúcha.

– Aproveitando que temos cerca de dois minutos antes do choque fatal, proponho algo a você – disparou Rios, levantando o Cachimbo de Ouro na direção de Anderson como se estivesse brindando com uma taça de champanhe. – Lembra-se de quando caímos daquele helicóptero, em São Paulo, e dividimos a imunidade do Cachimbo de Ouro mesmo que por alguns segundos?

– Como eu esqueceria?

– Que bom que significou bastante para você – Rios ironizou, tranquilo demais para quem tinha pouco tempo para decidir coisas de importância vital. – Eu nunca estendo a minha mão duas vezes, Sr. Anderson. É pegar ou largar. Contudo, vejo que você consegue realizar feitos incríveis e não só pela aura de sorte que crianças atrevidas costumam criar ao redor de suas cabecinhas ocas. Você repetiu um feito incrível ao passar pelos meus... testes.

– Teste?! – gritou Anderson possesso, dando mais alguns passos para dentro da cabine. O *hovercraft* vibrava com a alta velocidade em que havia travado. – Está querendo dizer que Krauss me enterrou vivo e lobos assassinos tentaram me devorar porque tudo fazia parte de um teste?!

– Ora, não um teste exatamente premeditado, mas foram situações que você superou. E eu só posso contratar os melhores. É o que sempre digo: não há lugar para os segundos colocados ao meu lado. Krauss está aqui? Os nossos caros suecos estão aqui? Não. Você está aqui, Anderson.

A ponte do Guaíba estava cada vez mais próxima.

– Vai me oferecer emprego na MadeirAço também?

– Engraçado, você. Por que não? Se quiser trabalhar ao lado do seu pai... Você poderia ser meu Mídias Sociais, já pensou? Meu analista de segurança virtual. Trabalhar o dia todo na internet?

– Coloca seu filho para fazer essas coisas. Ele já está acostumado a participar de suas sujeiras.

– Wilson? – Rios abanou o ar, fazendo um beiço de deboche e não aparentando estar surpreso com o fato de Anderson saber que Caladão era o *player* por trás do Esmagossauro. – Você já me provou seu valor duas vezes, garoto. E eu o conheço há quanto tempo, um ano? Meu filho ainda não me impressionou em absolutamente nada! Não considero grande coisa ele ser o melhor do mundo naquela porcaria de jogo.

Aquilo foi uma alfinetada grave em todo o orgulho *gamer* de Anderson, que apertou os lábios antes de discordar de Rios:

– Ele *não é* o melhor do mundo no Battle. Mas é seu filho, babaca. Deveria ser o melhor do *seu* mundo.

– Que se dane esse jogo e que se danem os mundos – Rios disparou, sem registrar a ofensa de Anderson. – Quero saber dos negócios da vida real. Entregue-me o muiraquitã, trabalhe comigo. Nós dividimos o poder do Cachimbo de Ouro mais uma vez e escapamos desse desastre que acontecerá daqui a pouco. Nós dois sobrevivemos e todo mundo se dá bem.

Anderson se mostrou perdido, confuso. Mesmo assim, toda aquela confusão mental não apagava o que havia acontecido, o pior de tudo. Cuspiu as palavras seguintes.

– Você é o responsável pela morte do Chris.

Rios piscou, surpreso

– Chris? O guará morreu? Mero detalhe. Resolvemos isso depois.

– Mortes são meros detalhes? Você simplesmente consegue resolver um problema como esse? Assim como prometeu para o Olavo que traria os parentes dele de volta, certo? Seu... seu...

Rios abriu um grande sorriso e deu uma olhada por cima do ombro, na direção da ponte muito próxima. Menos de um minuto, provavelmente.

– Tem certeza de que você quer discutir esse tipo de coisa *agora*? Por mim, tudo bem, sabe? – E mostrou o Cachimbo de Ouro, como se Anderson já não soubesse. – Você ainda não me entregou o muiraquitã nem decidiu se iremos fechar essa parceria. De qualquer forma, quanto aos probleminhas que são as mortes dos outros... Você estava lá comigo, rapaz. Você viu Jurupari. E, no fundo no fundo, você sabe que ele pode fazer qualquer um *acordar* do sono eterno. Para isso, só preciso despertá-lo do Reino dos Olhos Fechados. E acredite, estou quase lá!

Anderson sentiu um tremor nas pernas que subiu para o corpo todo. Tudo bem que o *hovercraft* vibrava com força, mas sua tremedeira não era somente por aquilo. Ele agora sabia que o assunto era muito mais grave.

– Ok – murmurou Anderson, cansado.

– Isso é um sim? – perguntou Rios, satisfeito.

Anderson agarrou o amuleto de tatu em seu peito e olhou para os três muiraquitãs tilintando no pescoço do inimigo. O ideal seria conseguir escapar com eles, devolvê-los aos seus portadores. Mas como a situação estava prestes a terminar em chamas e destroços, escapar de qualquer maneira era melhor que nada.

– Sim – respondeu, com um turbilhão de pensamentos passando em desfile na sua mente. O discurso do cacique para o intérprete indígena que Zé havia reproduzido dias atrás voltou por completo à sua memória. – Isso é um "Sim, acho você um retardado". E eu não serei escravizado voluntariamente. Sem acordo com invasores.

Anderson deixou a última frase pairando no ar e correu para os fundos do *hovercraft*. Rios, com sangue manchando o rosto e o pescoço, não se deu o trabalho de tentar impedi-lo e apenas segurou o Cachimbo de Ouro com mais força – como se tivesse certeza absoluta de que o pirralho estivesse saltando para o próprio afogamento.

O garoto pulou cerca de dez segundos antes de o bote ser tragado por uma estrondosa bola de chamas aos pés da Ponte do Guaíba.

A água estava fria. E Anderson afundou como uma bigorna.

< capítulo 22 >

COISAS QUE FAZEMOS

Não enxergava nada, nem que tentasse. Era somente a escuridão das águas e um brilho alaranjado que vinha por trás do espelho da superfície – o *hovercraft* incendiado aos pés da ponte, de onde Rios deveria estar saindo incólume, somente com as roupas em chamas.

Agarrou o muiraquitã de tatu e não havia sinal de vida. Ele era da terra e não responderia naquele ambiente. Continuou ali, tão frio quanto seus ossos.

Tentou fazer os movimentos do nado de peito para conseguir subir, mas sentia-se uma rã com defeito: afundava cada vez mais rápido conforme se mexia. Ouviu um som esquisito e gorgolejante se espalhando pelas águas e achou que eram seus tímpanos dizendo adeus. Pouco depois, algo liso roçou em suas pernas e começou a içá-lo pelo elástico da bermuda, com delicadeza e velocidade constante rumo à superfície.

Com os últimos centímetros cúbicos de armazenamento de ar nos pulmões, Anderson sorveu o ar gelado da madrugada de Porto Alegre aos borbotões. Abriu os olhos, viu a lua cheia pairando como um lembrete de todas as coisas terríveis que haviam acontecido naquela noite...

...e viu um imenso peixe *cor de danoninho* parado ao seu lado.

– *Aaaaah!* – gritou, engasgando-se com a água – O que está...

Ainda lento no raciocínio, a ficha foi caindo.

– B-Beto? Eu nunca te vi na forma de boto-cor-de-rosa...

Anderson abraçou-o como uma boia e fez a correção mental de um de seus últimos pensamentos: "Imenso *mamífero* cor de danoninho".

Ele nadava a uma velocidade incrível. Anderson, agarrado à sua barbatana superior, viu a massa de neblina parada no meio do Guaíba se aproximar... Fumaça negra também se desprendia de lá de dentro. Névoa branca e resíduo gasoso do incêndio que acontecia, tudo misturado.

– E os outros? Vieram com você?

O boto Beto fez um ruído engraçado e ao mesmo tempo bonitinho. Obviamente ele não conseguia responder enquanto estava transformado. Os dois amigos se enfiaram neblina adentro e logo subiam pelo píer de madeira, ensopados. Anderson sentiu um imenso pesar – na última vez que passara por ali, Chris estava vivo, logo atrás dele, empurrando-o Anistia adentro.

Havia um macacão largado sobre as tábuas, a roupa que Beto vestia antes de mergulhar no Guaíba em busca do amigo. A cavalaria da Organização devia ter chegado poucos segundos depois da fuga de Wagner Rios.

Beto, já humano e vestido, fez sinal com a cabeça para que Anderson o seguisse.

– Bom te ver, garoto! Vamos, temos de ajudar a conter o incêndio!

Correram, e a primeira visão que Anderson teve do cenário geral foi... de alívio.

Ghouls estavam amarrados e sentados onde antes era a tenda dos reféns. Soares estava inconsciente no chão. Rute e Rod puxavam da ex-tenda de controle de Rios a maca em que se encontrava Souza, em estado catatônico. Os novos prisioneiros eram vigiados pelos antigos cativos, que tinham se apossado das armas e dos *sprays* de pimenta. Lionel lançou um olhar rancoroso ao notar Anderson encarando-o: obviamente ele contava que, na hora em que Wagner Rios fugisse, ele também estaria no *hovercraft*. Ledo engano.

Zé e Otto prestavam atendimento a Cássia, que felizmente não havia se ferido muito com a explosão.

Alba, que sumira espertamente durante todo o confronto, parecia perdida com toda a movimentação no acampamento. Pedro e Tina vinham de dentro da floresta em chamas. Carregavam no colo filhotes de coisinhas peludas que Anderson reconheceu como mãos-peladas. Por sinal, o garoto emburrado parecia bem machucado...

E então ele viu uma cena inesquecível na frente da linha das árvores.

Patrão estava lá, de costas, reconhecível pela única perna e pela boina xadrez. Ao lado dele estava Elis. Ao lado de Elis, uma mulher com um vestido florido despojado e uma tiara modernosa. O cabelo dela e o da semissereia se pareciam muito, e Anderson adivinhou que aquela era Iara. Espantou-se com a normalidade da Senhora das Águas, a mãe da sua amiga. Imaginava-a como uma espécie de Afrodite brasileira, com uma aura angelical ao seu redor e um toque olímpico, mas precisava admitir que a mulher, mesmo tão *mundana*, tinha uma espécie de luz própria que emanava força.

Os três concentravam forças, juntos. Patrão fazia movimentos com as mãos como se fosse um maestro em uma sinfonia, e parecia querer reger os ventos para fora das zonas incendiadas. Anderson lembrou-se das aulas de Química e sabia que o fogo precisava de oxigênio para ganhar força. Patrão estava tirando o combustível que fortalecia o incêndio. Fazia a floresta soprar um bafo quente para fora, que fez toda a plateia absorta passar do frio de gelar os ossos para o calor de uma sauna ao ar livre.

Elis e a mãe, que por sinal era muito jovem, davam as mãos e faziam cânticos em uma língua desconhecida. Seja lá o que estivessem fazendo, não era possível ver o resultado imediato.

As icamiabas – agora livres – se aproximaram delas e formaram uma corrente, todas de mãos dadas. Alguns segundos depois até Alba se juntou a elas, parecendo bem deslocada no contexto.

Algo começou a se mover entre as árvores e a subir lentamente, como um véu transparente.

Para o assombro de Anderson, eram as águas dos riachos erguendo-se aos poucos e movendo-se acima dos focos de incêndio. Para que elas permanecessem no ar, é claro que havia também alguma coisa do poder do Saci.

De uma só vez, e com o ruído de uma barragem que estoura, a água desabou. E o vapor do incêndio controlado subiu aos céus.

Anderson, que havia segurado a respiração até o final daquela demonstração incrível de poder e magia, agora tinha um novo *deus ex machina* favorito. Os mapinguaris que o perdoassem.

Elis e sua mãe, Iara, sentaram-se na grama depois de todo aquele esforço que haviam empreendido. Patrão, que se recostara no tronco de uma das primeiras árvores da floresta, não dirigiu sequer um olhar torto para Anderson, mesmo que fosse óbvio que ele o havia visto. Era como se estivesse ignorando o garoto da maneira mais cínica possível. Aquilo irritou o garoto, mas ao mesmo tempo o fez suspirar de alívio. Achava que receberia a maior bronca da história no momento em que o velho Saci descobrisse que sua memória tinha voltado.

Havia um clima de confraternização no lugar, mas não o mesmo que Anderson experimentara na comilança de chegada, sob o teto da Casa de Todos. Existia ali uma tristeza subliminar, implícita por toda a situação causada por Rios e seus asseclas. E pela morte de Chris, que já começava a ser anunciada aos desinformados em sussurros melancólicos. Zé, ao ouvir a notícia da boca de um gaguejante Anderson, não reagiu da melhor maneira possível. Balançou a cabeça, incrédulo, deixou o garoto sozinho e saiu correndo para a mata.

O ar que vinha da neblina chegava frio, típico dos ventos do Sul. Entretanto, mesmo com todo o fogo controlado, um ar quente soprava de dentro da floresta. Anderson, que ainda não se secara por completo do mergulho no Guaíba, começou a tremer e a passar a mão nos braços para se aquecer. Sentiu uma mão tocar seus ombros de leve e viu Rafael, líder do Circomplexo, estendendo a própria jaqueta.

– Você foi incrível. Nunca vi alguém usar um estilingue da maneira que você fez contra Rios.

Anderson tentou sorrir, mas não conseguiu. Acenou com a cabeça e Rafael o deixou a sós novamente.

Nesse momento Zé voltou da floresta, acompanhado de Dodô, que conduzia Sexta-Feira a pé. Ambos mostravam-se esgotados e o Grande Caipora praticamente se arrastava, parecendo estar mais velho que nunca.

Até ele perceber que Iara estava ali perto, sentada ao lado das duas filhas. Foi como se o cansaço de Dodô se extinguisse rapidamente, como o fogo na mata.

– Senhora! – exclamou ele, correndo até Iara e caindo sobre os joelhos ossudos, abaixando a cabeça com uma reverência quase desesperada. – Meu coração se anima em revê-la, minha rainha!

Anderson viu Iara sorrir de forma doce. Naquele rosto – que lembrava muito o da Sandra Bullock, por mais inusitado que aquilo fosse –, ele podia enxergar muito da meiguice de Elis e da perspicácia afiada de Alba.

– Meu velho amigo – ela disse, abaixando-se e ficando na mesma altura de Dodô. Ela acariciou aquelas linhas que o tempo havia esculpido em seu rosto. – Não há necessidade de se ajoelhar na minha presença, não sou de realeza nenhuma!

– Faço isso por tudo o que fez por mim, senhora – respondeu o Grande Caipora, irredutível, de cabeça ainda baixa e olhos apertados. Era como se ele tivesse se esquecido de toda e qualquer presença que estivesse ao seu redor, e só existissem ele e a sua senhora sobre a grama. – Pela segunda chance que recebi, por confiar em mim, por me perdoar por todo mal que causei.

– Erga a cabeça, Grande Caipora. Olhe nos meus olhos e escute bem o que tenho a lhe dizer.

Ele obedeceu. E todos se tornaram indiscretos por um instante, prestando atenção à cena.

– Você não teve culpa alguma em servir àqueles homens – Iara disse. – Você apenas traduziu palavras, e talvez muitos dos males daqueles encontros entre os invasores e as aldeias tenham sido evitados por sua causa. Se não houvesse um intérprete, eles nem sequer se dariam o trabalho de tentar convencer os outros a deixarem a região. E não haveria tempo para ninguém organizar uma resistência em Anistia, pois o massacre viria como uma terrível surpresa...

– Peraí! – Anderson exclamou em um sussurro, ao mesmo tempo em que Tina se aproximava e colocava a mão em seu ombro. Ia perguntar a respeito de Chris para o amigo, pois ainda não sabia o que havia acontecido. Anderson a atropelou com sua dúvida: – O Dodô é o tal do intérprete indígena que sumiu durante a batalha por Anistia?!

Tina ergueu os ombros.

– Olha, não sei quem é Dodô. Se você está falando do Grande Caipora, desconfiei desse lance um pouco mais cedo, em uma conversa dele com o Wagner Rios, que deu a entender isso aí. Demais, né?

– Mas o Grande Caipora não é *caipora*? Mas que...

– *Xiu*, agora estou tentando entender também.

– Eu tentei cumprir o meu papel, senhora. Como um verdadeiro caipora – continuava Dodô, irredutível em sua pequeneza. Iara abanou a cabeça.

– Você é um caipora! Não importa que tenha nascido homem. Você clamou pela salvação deste lugar, você criou Anistia junto comigo. Você representou o elemento terra no dia de nascimento desta ilha. Tornou-se um habitante da mata, um *caapora*, simplesmente por se importar, por merecer. Por suas ações. As causas nos fazem iguais, meu velho amigo! Índios, caiporas, curupiras, sereias... Todos somos semelhantes debaixo de nossa bandeira.

Dodô meneou a cabeça. E uma grande lágrima rolou pelo seu rosto.

– Tenho algo mais a dizer, senhora.

– Diga, amigo.

– Sexta-Feira e eu revivemos os animais que foram mortos e caçados por aqueles homens horríveis e teremos um grande trabalho com as árvores carbonizadas... Mas acabei de receber a notícia do meio-caipora José de que o rapaz-guará que ajudava o menino Anderson foi morto...

Tina entrou em choque.

– O Chris... morreu?! – perguntou ela, enterrando as unhas no braço do garoto. Anderson não respondeu à pergunta, pois estava fazendo outra:

– O Grande Caipora pode ressuscitar animais?!

– Alguns caiporas, os mais poderosos, podem reviver bichos caçados de maneira predatória até duas horas após suas mortes, e árvores derrubadas com intenções mesquinhas... Mas *pelamordedeus*, o que aconteceu com o Chris?

Anderson gaguejou por muito tempo. Simplesmente não conseguia dizer "eu o matei". Ele se desvencilhou do aperto de Tina e correu para Dodô e Iara, destruindo toda a serenidade da cena.

– Chris pode ser revivido?!

– Menino Anderson, tenho minhas dúvidas – começou o Grande Caipora, temeroso. – A magia caipora funciona com animais, mas não sei se com alguém meio animal, meio humano... Se ele estivesse em sua forma de guará, talvez...

– Ele estava na forma de lobo! – gritou Anderson, agarrando o velhinho pelos ombros e levantando-o. – E eu sei onde ele caiu!

– Mas, as chamas... – começou Dodô, perdido, olhando do menino para a Senhora das Águas, que se levantou.

– Vale a pena tentar. Corram! Talvez ainda haja tempo!

Anderson montou em Sexta-Feira antes que Dodô, e o porco não reclamou. Ele também parecia entender a situação e estava alarmado. O Grande Caipora montou em seguida e o trio partiu de forma destrambelhada mata adentro, sem aguardar mais uma palavra sequer.

A lua cheia ainda brilhava.

Não precisaram adentrar muito a floresta. Em menos de cinco minutos se depararam com as silhuetas gigantescas de Pirilampo e Coralino. O gorjala de tanga – Pirilampo – levava nos braços o corpo inerte do lobisomem-guará com a flecha cravada em seu peito.

– Grande Caipora! – disse ele, como se não sentisse o fardo de levar aquele animal imenso. – Encontramos este lobinho durante o incêndio e o protegemos para que não se queimasse...

– Se ele se queimasse o seu truque do focinho não funcionaria! – disse Coralino. Anderson desmontou de Sexta-Feira correndo e perguntou:

– Truque do focinho?

– Ponha-o no chão, Coralino! – disse o Grande Caipora, aproximando-se com o cajado e olhando o assustador rosto alongado de Chris. – Vamos tentar, tem de dar certo! Ele ainda está na forma animal!

"Não é a forma completamente animal, lembre-se!", gritou o cérebro de Anderson, lembrando-se das explicações sobre a ambiguidade da Transformação Insana e temendo o pior. Ele não se deu ouvidos. Chacoalhou a cabeça e continuou observando Dodô.

O velho chamou Sexta-Feira para perto de si, enquanto com precisão tirava a flecha de prata do tórax de Chris. O porco se aproximou, solícito, e encostou o focinho no local do ferimento que ainda sangrava. O Grande Caipora começou a dizer algo em voz baixa e em uma língua que Anderson achava muito parecida com as dos xamãs dos tritões do Battle of Asgorath. Ele, Coralino e Pirilampo assistiam à cena aflitos, juntos, quase se abraçando.

Passaram-se mais de dois minutos e nada aconteceu.

Dodô continuava a sussurrar. Sexta-Feira continuava com seu focinho em Chris e parecia choramingar.

Anderson sentiu toda a esperança de reviver o amigo ir por água abaixo. Aos pés dos dois gorjalas ele se sentou e lembrou-se de algo no começo do ano, quando ele e o amigo lobisomem tinham enfrentado Rios e os capelobos na Vila Madalena... Por breves minutos Anderson pensou ter perdido o amigo, e depois descobrira que ele estava vivo ao chegar à Organização. Mais uma vez, experimentava a sensação de perder Chris, só que desta vez não haveria volta, nem boas surpresas.

Agarrado aos próprios joelhos e embalado pelo som cadenciado da cantiga de Dodô, Anderson lembrou-se de Wagner Rios dizendo que a morte de Chris não seria um problema...

Com este pensamento adormeceu, da maneira mais adversa possível.

Fechou os olhos em um mundo e os abriu em outro.

Estava tudo escuro, mas havia um punhado de brilhos pálidos no negrume ao redor. Era muito parecido com a caverna onde ele e Dodô tinham coletado prata, debaixo do rochedo no coração da ilha, mas desta vez sem nenhum foco de luz.

E mesmo na falta de visibilidade e no silêncio total, sentiu uma presença. Como se o próprio escuro fosse um indivíduo.

E era.

VOCÊ QUER LEVAR ALGUÉM DO MEU MUNDO DE VOLTA PARA O SEU, MAS ME INSULTA.

Anderson girou nos calcanhares, mas era tudo a mesma coisa. A voz vinha de todos os lados e de nenhum.

– Eu... não quis insultá-lo... – fez uma pausa e então resolveu dizer o nome; não poderia ser outro senão ele – ...Jurupari. Nem desrespeitei a sua regra de que eu não poderia me afastar da margem, eu simplesmente apareci aqui e...

CLARO QUE VOCÊ NÃO ME DESOBEDECEU. EU O TROUXE AQUI. E VOCÊ ME INSULTA POR OUTRO MOTIVO.

Sem entender o que estava acontecendo, só lhe restava perguntar.

– Qual motivo?

EU JÁ DISSE. VOCÊ QUER DESPERTAR ALGUÉM QUE JÁ ESTÁ EM SONO DEFINITIVO. E QUANDO PENSA EM UMA SOLUÇÃO PARA ISSO, PENSA NO NOME DE WAGNER RIOS? AQUELE HOMEM COMUM?

– É que ele me disse que...

EU SOU O SENHOR DO REINO DO SONO SEM DESPERTAR! SÓ EU POSSO FAZER COM QUE OLHOS SE ABRAM NOVAMENTE. E ESTOU DISPOSTO A LEGITIMAR MINHAS PALAVRAS.

– Desculpe, senhor. Eu apenas pensei nisso, pois tenho um amigo que se foi, pelas minhas mãos... E a magia caipora de reviver caças não...

EU POSSO LEVÁ-LO DE VOLTA.

Assim, direto. Jurupari não perdia tempo.

– Pode? – perguntou Anderson, esperançoso... e ao mesmo tempo com medo. – Eu realmente... apreciaria.

MAS VOCÊ FICARIA EM DÉBITO COMIGO.

– O que eu precisaria fazer?

NADA DE IMEDIATO. EU AINDA ESTOU DORMINDO. NECESSITAREI DE AJUDA SOMENTE DEPOIS.

Anderson girava para todos os lados, tentando encontrar algum ponto na escuridão que pudesse encarar. Era estranho negociar com alguém sem poder olhar nos olhos.

Enquanto pensava nisso, e em que tipo de favor teria de prestar a Jurupari, os brilhos pálidos na escuridão oscilaram.

Como se mil olhos tivessem piscado, em sincronia.

FEITO.

– Mas eu ainda não aceitei!

NÃO EM PALAVRAS. ELAS NÃO VALEM MUITA COISA AQUI, DE TODO MODO. VOCÊ ESTÁ DISPOSTO A QUALQUER COISA PARA SE LIVRAR DA CULPA DA MORTE DE SEU AMIGO, E ISSO ESTÁ BASTANTE CLARO.

Anderson sentiu-se horrível. Jurupari dizia que ele só estava barganhando por sentir-se culpado, transformando tudo em um conflito interno do garoto.

– Isso não é verdade! Chris é meu amigo! Não estou sendo egoísta a esse ponto!

ME TOMA POR MENTIROSO?

Anderson engoliu todo o orgulho e petulância. Jurupari nem o ameaçou de verdade e ele sentiu a escuridão ao redor comprimindo sua alma. Sabia que poderia ser reduzido a nada de um segundo para o outro.

Mas não se calaria.

– Não quis dizer isso. E se você pode entender o que estou pensando, sabe que é verdade. Mas você me toma por egoísta, também. É verdade, eu aceito... e aceito porque essa é minha vontade. Faço pelo meu amigo.

Jurupari permaneceu em silêncio, e aquilo era pior do que se aquela voz que parecia poder abalar sonhos e realidades resolvesse gritar. Sem saber o que significava aquela falta de palavras, Anderson preferiu continuar falando, um pouco menos confiante que segundos antes.

– E eu... eu nem sei qual o favor que precisarei realizar. Não sei se serei capaz...

Mesmo naquele não lugar em que não havia um ponto fixo de referência, Anderson teve a sensação de estar girando e girando e girando... A voz de Jurupari finalmente veio, desta vez com um eco distante. E horripilante.

EU NÃO LHE PEDIRIA UM FAVOR QUE NÃO ESTIVESSE AO SEU ALCANCE. VOCÊ ME SERÁ ÚTIL QUANDO ASSIM EU DISSER. ACORDE.

Ele abriu os olhos com a noção de que, na Realidade dos Olhos Abertos, apenas alguns segundos tinham se passado desde o seu adormecer repentino. As sombras de Coralino e Pirilampo ao seu redor. Dodô fazia a cantiga e empurrava o cajado contra o corpo inerte de Chris. Sexta-Feira ainda choramingava, passando o focinho no ferimento mortal do lobisomem.

E como um náufrago que tivesse sido resgatado em alto-mar depois de engolir litros de água salgada, o monstro que era Chris arquejou profundamente e começou uma sequência assustadora de tossidas e rosnados.

– *Ôxi*, deu certo! – comemorou Pirilampo, abraçando o irmão e quase pisoteando um absorto Anderson. – A magia do Grande Caipora deu certo!

Sexta-Feira e Dodô se afastaram, parecendo surpresos com o próprio feito.

– Eu... jurava que não funcionaria com ele! – disse o Grande Caipora confuso. Anderson se adiantou até onde Chris se debatia sem dizer uma palavra. O lobisomem-guará se erguia completamente tonto...

...e não parecia estar em seu juízo.

"Burro!", xingou-se Anderson em pensamento. Não havia pensado na possibilidade de o amigo acordar e continuar fora do controle da Forma Insana. "Burro, burro, burro, burro!"

O bicho uivou para a lua cheia e os quatro presentes se encolheram involuntariamente. Anderson continuou ao seu lado sem se mover. Se Chris tinha voltado à vida, teria de aprender a controlar sua transformação à força.

Ele voltou-se para Anderson, olhos brancos de loucura, como se aquilo fosse uma continuação da batalha que resultara na sua morte. Desta vez não haveria prata para proteger o garoto.

– Vamos lá, cara – disse ele, sem recuar um passo diante do monstro ensandecido, mas não sem medo. – Eu não acabei de trazer você dos mortos para me mandar para lá... Controle-se, Chris!

O lobisomem parecia se mover com chumbo nas pernas. Talvez fosse a racionalidade do amigo colocando obstáculos no seu *alter ego*, o que seria um bom começo. Dodô se adiantou, com o cajado, mas Anderson o conteve com o braço.

– Saia daí, Anderson! Talvez tenha sido um erro ter acordado o seu amigo... Ele voltou na mesma forma em que estava quando morreu!

– Eu quero tentar fazer algo – respondeu vagamente. Teve uma mórbida vontade de rir ao imaginar que o que estava prestes a fazer tinha a ver com lições aprendidas em escola. E em casa, com seu pai.

– Tentar o quê? – Dodô perguntou, segurando o cajado à frente.

Anderson suspirou e abriu os braços. Poderia dar muito certo ou muito errado. Não haveria meio-termo.

– Quebrar o ciclo de violência.

Dodô, movendo-se para trás naquela cena, impediu que Coralino e Pirilampo avançassem, pois sabia que algo importante estava acontecendo ali. O lobisomem urrou na cara de Anderson. Seus tímpanos ameaçaram explodir, mas ele não se moveu um passo. Não revidaria. Não daria mais motivos para enfezar a besta. Não se comportaria como uma presa.

Fechou os olhos com uma calma anormal, e resolveu fazer a coisa mais absurda que cruzou a sua mente desde que tinha resolvido se atirar de cima do Boitatá para dentro do helicóptero.

Deu um passo à frente e abraçou o lobisomem.

O rosnar que vinha da boca escancarada do monstro cessou e se transformou em uma espécie de ronronar, reverberando dentro da caixa torácica. Anderson escutava bem, pois estava com a orelha colada ali perto. Ele tinha os olhos fechados e o corpo preparado para sofrer a pior retaliação possível pela sua ideia idiota. Mas não houve retaliação. Algo havia se quebrado dentro da criatura.

As garras pesadas caíram sobre os ombros do garoto e foram ficando mais leves conforme seu corpo parecia perder massa e pelos entre os braços magros de Anderson. Em menos de quinze segundos Chris estava de volta, de joelhos na terra. Suas olheiras eram tão profundas que pareciam óculos escuros em seu rosto.

– An-Anderson?

O garoto não o largou. Ainda de olhos fechados, estava chorando mais uma vez, mas agora de alegria. Isso o fez pensar que isso estava se tornando cada vez mais frequente.

– Anderson... você tá me sufocando, velho.

Ele deu um passo para trás, enxugando o rosto com as costas das mãos.

– Valeu por não me matar – balbuciou, sorrindo de forma tímida.

– E obrigado por ter me matado, quando foi preciso...

Chris arfava. Olhou para a lua e depois para Dodô, para o seu porco e para os gorjalas, que aplaudiam o milagre que acontecera diante de seus olhos. Pirilampo, inclusive, arrancou um pedaço da sua tanga para que Chris usasse ao redor da cintura. Tinha tanto tecido ali que daria para se fazer um vestido de noiva.

– Anderson – disse ele, mostrando estar bem confuso. – Eu... vi Anselmo! Eu estava com ele agora há pouco, juro!

Anderson anuiu, sorrindo. Chris parecia deslumbrado por ter revisto seu velho amigo no lado de lá do sono. Sabia que o amigo não estava mentindo.

– E você! Grande Caipora! – Chris se levantou. Ele estava sujo dos pés a cabeça. – Tenho que lhe agradecer e acho que ao seu porco também... Obrigado por me trazerem de volta!

Chris se ajoelhou na frente dos dois. Dodô chacoalhou a cabeça e deu tapinhas nos ombros expostos do rapaz. Sexta-Feira lambeu seus cotovelos, simpático.

Os gorjalas ainda comemoravam o final feliz e pareciam dançar um frevo destrutivo que fazia a terra tremer a cada passo. Tudo parecia bem.

Anderson, esquecido por alguns segundos, parecia preocupado. Não revelaria que Chris havia sido trazido de volta pela vontade de Jurupari. Aquilo era desnecessário...

E havia sido parte de sua escolha. Um dia ele arcaria com as consequências.

< capítulo 23 >

NEBLINA AFORA

A neblina veio pelo rio e parou o trânsito na Marginal do Tietê. Aquele fenômeno climático havia acontecido há um dia no Guaíba, em Porto Alegre, e algumas horas antes no Rio Itararé, na divisa do Paraná com São Paulo. E voltaria a acontecer mais tarde em outros pontos do Brasil.

Alguns motoristas, parados no congestionamento, repararam em pessoas saindo das margens do rio, onde a neblina estava mais espessa. Eles atravessaram o trânsito parado. Eram três crianças, dois rapazes altos, uma moça grávida, um senhor negro sem uma das pernas e um anão. Ninguém relacionou a presença da neblina com aquela trupe.

Chegaram ao Casarão da Organização no início da noite e o cheiro de feijão bem temperado os recepcionou. Anderson quase não se lembrava mais de uma alimentação que não fosse exclusivamente de frutas.

Foi tomar banho, sentindo grande alegria em pisar novamente naquele lugar. Era um lar, tanto ali como em Rastelinho. Os sofás antigos, o barulho de conversa entre as crianças, Capivera correndo para lá e para cá... Tudo aquilo fazia parte de uma loucura extremamente comum para Anderson, que mal podia se imaginar correndo risco de morte há menos de um dia. Mal podia acreditar que viajara por boa parte do Brasil sobre um pedaço de terra flutuante. E mal podia acreditar que tinha feito tantos amigos e inimigos em tão curto espaço de tempo. A vida em Anistia era bem mais pesada que a vida na escola...

O Grande Caipora – antes de se despedir de Anderson com um saudoso e bem-humorado "Foi uma honra conhecê-lo, Euaianderson Essoanderson!" – lhe pediu que guardasse o muiraquitã de tatu enquanto Rios ainda mantinha a posse dos três outros. O garoto mostrou-se preocupado com aquilo, mas Dodô o tranquilizou. Disse que tudo estaria em seu devido lugar na hora certa. E Anderson sentiu tanta paz e confiança na fala do velho que se convenceu. Também levou para casa seu grande e novo arco de madeira, resgatado na mata pelos irmãos gorjalas. Agora tinha o seu arco retrátil, recuperado das mãos dos ex-capangas de Rios, e um arco de caça rústico feito totalmente por ele. Mais um para a parede do seu quarto.

Durante a ausência de Patrão, Beto e todos os outros, o Casarão havia ficado ao encargo de ninguém mais, ninguém menos que Kuara.

– O Haroldo está com o pé machucado e fui incumbido de tocar a ordem nessa espelunca – pronunciou ele aos recém-chegados, com o peito estufado e a voz pomposa. – Adorei o reconhecimento e a confiança depositada em mim! Nada mais justo que quase morrer pela faca daquele louco do *reality show*, credo.

Para o banquete de boas-vindas – como Kuara havia apelidado a ocasião, sofrendo de uma grave síndrome de *hostess* –, a arara ainda tinha convidado Sharp, Gaia e Fratura, da Primavera Silenciosa. Para Anderson, tudo parecia encaminhar-se para um desfecho desejável, com muitos amigos queridos reunidos no quintal dos fundos, conversa quase animada e poucas risadas: aquele clima pesado que havia acometido a viagem a Anistia não passaria tão cedo. Os que tinham sido feitos reféns e os que tinham encarado a morte não pareciam tão dispostos a tagarelar e rir. Chris, que habitualmente era o primeiro a puxar as piadas, naquele momento era o mais introspectivo de todos – o que era extremamente compreensível.

Patrão então chamou Anderson na biblioteca para uma conversa. E ele não parecia nada feliz.

Seguiu o velho Saci até o porão, que além de biblioteca era um estande de tiro para arco e flecha. Tudo ainda estava do mesmo jeito, os cavaletes e as estantes, o que deixou Anderson feliz. Ele adorava aquele ambiente e, se pudesse, faria uma biblioteca/estande de tiro na própria casa.

Patrão indicou uma poltrona ao garoto, mas não se sentou na outra. Permaneceu de pé, na sua frente, plantado em uma única perna.

– Vocês desobedeceram a uma ordem minha – disparou de primeira.

– Eu sei, me desculpe.

– Não adianta você pedir desculpas, Anderson. Todos vocês criaram uma pequena conspiração para que eu não descobrisse que sua memória tinha voltado. Todos vocês mentiram para mim. Até o Zé encobriu a verdade, e ele talvez fosse a pessoa em que eu mais confiasse nesta casa.

– Ele ainda é de confiança, Patrão... Todos erramos. Desculpe, de verdade.

O Saci ficou a encará-lo, sério. Tirou o cachimbo da boina e começou a acendê-lo.

– Não é muito bom fumar aqui embaixo, Patrão – disse Anderson cauteloso. O outro o encarou, fazendo anéis de fumaça.

– Você quer mesmo me dar alguma lição depois de tudo isso?

– Foi mal.

– *Foi mal... Humpf!* – Patrão tirou o cachimbo da boca. – Mesmo assim, tenho de admitir, moleque, você é o menos culpado de toda a confusão acerca da sua memória. Você simplesmente queria viver as aventuras ao nosso lado e foi aproveitando as chances que lhe foram estendidas. Eu acho que entendo.

Anderson estava surpreso.

– Jura?

– Talvez seja a hora de um velho admitir que você merece estar em nosso convívio. Sua *performance* foi... – Patrão parou por um segundo, tentando buscar palavras que não fossem elogios escancarados a toda a atuação de Anderson nos últimos perigos. – ...muito *satisfatória*, por tudo o que ouvi dizer dos amigos dos outros grupos, em Anistia.

Anderson enrubesceu, mesmo com aquele elogio contido. O Saci concluiu, e havia ali uma ponta de contradição.

– Considere-se um membro fixo da Organização. Acho que não há nada neste mundo que mantenha você afastado dos amigos que fez aqui, diabos...

Anderson pulou da poltrona. Membro fixo! Palavras do Saci!

– *U-hu*, valeu! Prometo que não vou decepcionar, Patrão!

– Mas... – começou o outro, ranzinza – ...saiba que terei esta conversa com cada um dos que mentiram para mim. Ou seja, *todo mundo*. Se vocês dividem este teto e tantos ideais comigo, não quero nenhum segredo nos separando. Nada! Compreendido?

Anderson desviou os olhos para o chão. A palavra "Jurupari" flutuou em sua mente e parou na ponta da língua, mas não foi dita.

– Algo que você queira me contar, Anderson?

Ele suspirou. Aquilo daria um baita trabalho para ser dito e esclarecido... Talvez em outro dia...

– Não. Não, Patrão. Só estou cansado e um pouco... abalado.

O Saci não piscou. E não desgrudou os olhos do garoto. Era como se ele soubesse que havia algo que o preocupava.

– Vá aproveitar o jantar – disse, por fim – Depois eu me junto a vocês. Quero ler alguma coisa.

Anderson assentiu, sério, e foi subindo a escada de madeira. Patrão o chamou mais uma vez.

– Anderson...

– Sim? – perguntou do meio da escada.

– Meus parabéns – disse o outro, pegando um livro da estante e sentando em uma das poltronas. Não olhou diretamente para o garoto, – Me parece que você é o único vencedor do Fórum de Anistia.

– Ah, sim – ele murmurou, olhando para os detalhes do seu novo muiraquitã. – Sei lá, o negócio nem pôde começar direito... e Rios levou os outros três.

– Rios é um ladrão – sentenciou o Patrão. – Tudo o que ele tem é tomado, roubado, usurpado. Você realmente conseguiu esse muiraquitã. Você é um vencedor e pronto. Agora suma da minha frente antes que eu mude de ideia! Quero ficar a sós com o meu livro.

O mau humor do Saci. Aquilo sim era familiar para Anderson. Ele sorriu e subiu o restante dos degraus, um pouco mais feliz e um pouco menos preocupado com tudo.

Anderson ligou para casa de um orelhão. Quem atendeu foi o pai, que o tratou de maneira estranha. Com uma frieza forçada, para que não desse o braço a torcer que estava morrendo de saudade do filho.

– E como está o acampamento? Estão tratando você bem?

– Ah, sim – bateu com a mão na testa. Havia se esquecido da farsa do ACAMPAMENTO DE CORREÇÃO DE JOVENS PROBLEMÁTICOS E PORTADORES DE DISTÚRBIOS DA PRIMA VERA

FAWKES. – Quer dizer, sim e não. Eles são duros na queda, de verdade, mas eu sei que é para o meu bem...

– Sim, filho. E me desculpe ter de tomar esta providência tão drástica... É que sua mãe e eu... nós amamos muito você.

Anderson sorriu do outro lado da linha.

– Eu também amo vocês, pai. Muito.

A voz de seu Álvaro estava um pouco embargada. "O velho é mais chorão que eu", pensou o garoto, divertindo-se.

– Nós... nós estamos aprendendo como lidar com você conforme você cresce, sabe? Sim, você sabe, você é nosso único filho... e às vezes eu ainda o vejo como um bebê. Tanto que me arrependi de ter te mandado para este acampamento, parece que sou um pai relapso...

– Pai, relaxa. Sério, esse acampamento foi muito bom pra mim. Foi... aliás, *está sendo* difícil. Mas aprendi coisas demais, e fiz novos amigos. Quero voltar para cá todo semestre, se vocês deixarem. Fiz bons amigos aqui. Ah, e quer saber de uma coisa? Eu consegui quebrar o tal do círculo da violência! Aprendi com você, velhote!

Álvaro riu, do outro lado, fungando o nariz.

– É *ciclo*. Não círculo, eu já te disse isso.

– Droga. Mas na hora eu falei certo, eu juro!

– Eu acredito.

– E me desculpe por ter brigado com você... É que eu não gosto do Wagner Rios, mesmo... e isso eu não vou conseguir mudar.

– Tudo bem, filho. Não vou obrigar você a gostar do meu chefe. Nem eu preciso gostar dele, na verdade, contanto que ele me pague corretamente, certo?

– Ah, sim – respondeu Anderson, pensando em toda a fortuna de Wagner Rios e na sua tentativa de dominar Anistia. – Quanto a isso não tenho dúvida. Se você não se importar em receber seu salário em prata, claro.

Não entendi, filho.

– Piada besta, pai – respondeu. Se o muiraquitã de tatu caísse nas mãos erradas, a piada faria bem mais sentido.

Anderson foi até a casa de Fernanda na tarde seguinte para pegar o restante da sua bagagem. Passaria mais três dias na Organização antes de voltar para Rastelinho.

Aproveitou para jogar um pouco de Gears of War com a amiga, que parecia bem interessada nos machucados e cortes pelo rosto e pelos braços de Anderson. Todas as suas explicações foram recebidas por Dead com uma sobrancelha arqueada e uma forte desconfiança.

– E você não vai me contar para onde você foi *de verdade* por esses dias?

– Eu queria, mas assim, isso não pode ficar para depois? – perguntou Anderson, que não pensara em nada plausível. Arrebatou com algo que exigiria a compreensão da amiga. – É que é algo tipo... muito pessoal, manja?

– Assim, não manjo. Mas ok, né... Quando quiser me contar, conte – respondeu Dead, com certo desconforto por trás das palavras. Parecia desconfiança salpicada com estranheza.

Mas logo o mal-estar passou quando ela o informou que Shadow havia subido quase dez níveis pelas mãos dela e de Hellnato.

– E durante esses dias, nenhum conflito com Esmagossauro – disse ela concluindo o relatório. – Acho que ele deve tá bem ocupado com alguma outra coisa, para sumir do jogo...

Anderson não queria imaginar no que Caladão poderia estar gastando o seu tempo. Seria a serviço das mutretas do pai, isso era óbvio.

– Tem certeza de que não quer dormir aqui hoje, Anderson? – perguntou Dead, despedindo-se do amigo à porta de casa mais tarde – Meu pai colocou alarme nas janelas. Sem góticos invasores de túmulos e residências, desta vez.

– Hoje não posso mesmo! Tenho coisas a resolver. Mas, ei!, Agora vou voltar para São Paulo com mais frequência. Nos veremos mais vezes, Fê!!

Ela sorriu e deu um inesperado abraço apertado em Anderson.

– Que bom, cara. Bom, saiba que você é bem menos babaca do que aparenta pelo *chat*, viu?

– Ah, que bom. E você não tem tanta barba como o seu avatar de mago.

Ela lhe deu um tapa dolorido no braço. Os dois riram e se despediram.

Anderson descia o rio, em uma cama. Viu Anselmo aguardando na margem, sentado em um toco de madeira. Havia mais dois tocos ali, e ele indicou um deles para que o amigo se sentasse.

– Estamos esperando mais alguém? – perguntou, saindo da embarcação.

– Talvez. Não sei se ele virá – respondeu o outro, apoiando os cotovelos nos joelhos e olhando para o garoto. – Tenho de lhe agradecer, Anderson.

– Por quê?

– Por sua causa eu pude rever um dos meus melhores amigos. Estava com saudade do Chris.

Anderson olhou para os próprios pés descalços contra a grama verde.

– Eu ainda me sinto meio culpado por tudo. Ter disparado contra o meu amigo...

– Pare com esse chororô. Já foi, e ele tinha lhe pedido que fizesse isso, caso perdesse o controle.

Anderson sabia que Anselmo tinha razão. E que, na real, tudo aquilo tinha feito muito bem para Chris. Ele havia lhe dito, durante o jantar, que agora se sentia forte o bastante para atingir sua forma bípede e manter-se no controle. A experiência de quase morte tinha lhe trazido boas coisas, afinal.

– Eu me surpreendi com a história do Dodô – disse Anderson, mudando de assunto. – Ele era o índio intérprete... Uau! Fiquei chocado.

– Para você ver... E você também acabou de entrar para o hall da fama dos salvadores de Anistia, não se faça de tímido!

– Ah, mas ainda me incomodo com o fato de Rios ter levado todos os outros muiraquitãs com ele. Isso ainda vai feder...

– Espere mais um pouco – disse Anselmo, esticando o pescoço para olhar para o rio.

– Esperar o quê? – perguntou Anderson sem entender.

– Espere o Rios chegar e fale isso diretamente para ele.

Anderson se remexeu, inquieto, e olhou para o rio escuro. De fato, vinha flutuando uma cama *king size* com o magnata de pé sobre ela, como um Simbad de pijama caro.

– Relaxa – disse Anselmo, acalmando o amigo. – Aqui é território neutro. Desta vez, sem truques nem tentáculos.

Anderson apertou os lábios, em concordância, não deixando de sentir algo ruim. Rios saltou da sua cama para a margem, com leveza.

– Ora, vejo que sou aguardado! – Ele se sentou no toco de árvore, de pernas cruzadas. – Estou falando com dois mortos ou somente um?

– Somente um – respondeu Anselmo, levantando seu braço.

– Estou só dormindo, lamento estragar a sua alegria – disse Anderson. Rios balançou a cabeça.

– Quem diria, você sabe nadar. Qual o propósito deste encontro, então?

– Apenas uma notificação a respeito de uma retomada de bens – disse Anselmo, e virou-se para o amigo. – Anderson, a Gaia chegou a lhe contar como o muiraquitã de tartaruga chegou até ela?

Aquilo fazia tempo, mas Anderson se lembrava, sim. Até porque tivera um sonho em que ele era Anselmo e sentia-se presente naquela cena desde então. E Gaia contara sua história quando o conhecera, perto do Viaduto do Chá.

– O muiraquitã se *teletransportou* do seu pescoço para baixo do travesseiro da sua namorada.

– Exato! Porque assim foi o meu desejo, e porque ela merecia a posse de um amuleto tanto quanto eu. Essas coisinhas são carregadas de magia, e sempre que possível manifestarão vontade própria. Você sabe, quando os amuletos alertam sobre perigos ou coisa assim...

– Por que estou ouvindo tudo isso? – perguntou Rios, levantando-se em um misto de impaciência e tédio. – Eu tenho mais o que sonhar do que ouvir essa aula sobre muiraquitãs.

– Você está ouvindo isso porque não merece os três muiraquitãs que estão em sua posse, Rios – disse Anselmo, levantando-se também. – Se quiser ir embora, fique à vontade. Você já está avisado.

Rios olhou de Anselmo para Anderson e começou a rir debochadamente. Ria tanto que dava para ver os seus dentes do siso superiores.

– Só para avisar que eu não mereço? Uma lição de moral em plena madrugada? Ah, me poupem. – Ele se levantou e saiu andando de volta à sua cama *king size* flutuante – Sr. Coelho, saiba que eu vou arranjar um jeito de achar esse muiraquitã que está com você. Merecendo ou não, ele será meu.

Anderson ficou vendo Rios ir embora. Anselmo também aguardou que ele se afastasse bastante para abrir sua boca novamente.

– Eu avisei.

– Cara, eu odeio dizer isso, mas vou ter de concordar com o Wagner Esgotos. Eu também não entendi o fato de termos nos encontrado.

Anselmo bateu nas costas de Anderson.

– Lembre-se de algumas coisas daqui em diante: tudo ficará mais complicado. Não faça essa cara, não é para assustar você! É para deixá-lo preparado para o que está por vir. Você tem amigos, e faça com eles o que estou fazendo com você, compreende?

– Acho que... talvez.

– Ha-ha, "acho que talvez" é uma boa. Você consegue fazer um morto rir. Vai lá, acorde em sua cama macia e trate de acordar os outros para o que está por vir.

– Você tá falando do Jurupari?

– Eu estou falando de Rios *e* Jurupari. Nosso querido inimigo arranjará uma forma de se aliar a ele, fique vendo. E barganhar com o Legislador nunca foi coisa que não trouxesse problemas dos grandes.

Anderson não gostou daquilo, mas foi subindo em sua cama.

– Anselmo?

– Sim?

– Minha vez de agradecer. Obrigado por tudo.

– Nossa parceria mal começou, meu amigo.

Anderson acordou, com a palavra *amigo* ainda ressoando em seus ouvidos.

Olhou para os lados e viu o seu quarto na Organização. Por um segundo não se lembrou de onde estava. Então viu os colchões no chão perto da cama, onde Gaia, Sharp e Fratura passavam a noite como hóspedes. O jantar e a boa conversa tinham acabado tarde.

– Ainda é madrugada, Anselmo – murmurou consigo mesmo, vendo que o sol ainda nem aparecia pelas frestas da janela. – Por que me fez acordar tão cedo?

Ajeitou o travesseiro para voltar a cair no sono e ouviu um barulhinho de chocalho sobre ele quando o fez. Enfiou a mão debaixo dele e mal pôde acreditar.

Um muiraquitã de mico-leão. Outro de sapo. E um velho conhecido seu, o de tartaruga.

Seu muiraquitã de tatu vibrou. Talvez estivesse feliz em estar próximo de toda a família.

Abafou um riso e dormiu novamente, com um sorriso no rosto. Missão cumprida.

– Pedro? – chamou Anderson, batendo na porta do dormitório que ficava exatamente acima do seu. Ainda havia mais três crianças dormindo nas outras camas, mas elas nem se moveram. – Está acordado?

Um vislumbre de cabelos espetados saiu debaixo dos lençóis. Mesmo na penumbra, dava para notar um dos olhos inchado.

– O que você quer? – grunhiu, com a voz de quem dormia pesado.

– Falar com você, rapidamente. Posso?

– Já me acordou mesmo... – Sentou-se na beirada da cama e cruzou os braços, em sua rabugice matinal acentuada. – Fala aí.

– Queria te agradecer. Eu entendi tarde demais o que você fez por mim...

Pedro balançou a cabeça.

– Qualquer um daqui teria feito o que eu fiz. Foi minha obrigação.

– Qualquer um teria feito? Não, cara. Você já tinha um histórico de traidor em seu currículo, desculpe o termo... Mas você se expôs de novo à mesma calúnia para me salvar. Seu plano foi perfeito! Você enganou Rios, um enganador de primeira. E fez o bem maior pensando no todo, não em você. Não ligando para que os outros pensassem que você fosse um traidor de verdade.

– Você tá falando como o Patrão, riquinho. Mas valeu a consideração, mesmo assim. Agora posso voltar a dormir?

Anderson não se irritou com a provocação do garoto. Sabia que aquele era seu jeito mesmo e deu um abraço apertado em Pedro, por cima dos ombros, e depois deu tapinhas amistosos em seu peito.

– Valeu mesmo. Você salvou a minha vida

Anderson saiu do dormitório e fechou a porta com cuidado, para não despertar os outros. Pedro continuou sentado na beirada da cama, travado, sem se mover. Não estava acostumado a receber demonstrações de afeto dos outros, e principalmente de um dos caras mais insuportáveis da Organização, na sua opinião. Chacoalhou a cabeça de xaxim e resolveu se deitar mais um pouco. Aquele dia começara atípico.

Então, algo pareceu vibrar ligeiramente contra o seu peito, no bolso da camisa do seu pijama. Enfiou a mão ali dentro e puxou para fora algo que ele conhecia muito bem, cada relevo, cada detalhe.

O muiraquitã de tatu. E o verdadeiro, não uma réplica esculpida.

Pedro deixou o queixo cair e fechou o amuleto na palma da mão, como se ele fosse cavar um buraco no chão e fugir, à maneira de um tatu de verdade. Olhou para os lados, furtivamente, certificando-se de que não havia ninguém acordado que pudesse presenciar o que faria em seguida.

E só então sorriu.

< epílogo >

CICLOS INACABADOS

O Grande Caipora observava os últimos visitantes deixarem a ilha através das brumas. Os Gitae haviam tomado para si a responsabilidade de escoltar os Ghouls traidores e os capangas de Rios – tanto o consciente como o catatônico – até onde a justiça pudesse ser feita, e aproveitavam para desembarcar no Rio de Janeiro, junto com os membros da ResEx.

Quando o último dos participantes sumiu pelo cais e o silêncio voltou a imperar em Anistia, resolveu voltar para o meio da mata e descansar um pouco. Havia trabalhado muito. Pediu para que Coralino e Pirilampo arrumassem toda e qualquer bagunça que tivesse sido deixada no acampamento e na Casa de Todos, e foi embora em seu porco-do-mato.

Muitos minutos de trilha mostraram que alguns animais ainda não tinham voltado ao seu estado normal, e pareciam acuados depois de toda a confusão envolvendo fogo e água. Viu uma família de Pés de

Garrafa procurando abrigo em uma gruta, e eles não eram duendes que gostavam de ficar sob a terra. Estavam todos com suas cabeças grandes desreguladas, coitados.

Por fim, chegou ao coração da ilha. Sexta-Feira foi dormir na lama próxima à lagoa, e o Grande Caipora decidiu que tiraria seu descanso na árvore seca onde o menino Anderson tinha passado a noite depois de sair da cova. Fornecera também a madeira para a fabricação do seu arco, por ideia dele mesmo. Subiu com a agilidade que não era comum à sua idade, e sentou-se no galho em que Anderson havia subido, pairando acima das águas calmas.

E não pôde deixar de lançar o olhar sobre aquelas iniciais gravadas no tronco.

Observar aquilo transportava a sua mente para um dia que não era muito longínquo para ele próprio, que já vivia há centenas de anos. Mesmo assim, tinha a impressão de que era um tempo em que se sentia mais jovem. Mais bem-disposto. Mais protegido.

Eram dias em que aquela árvore ainda tinha folhas.

Tarde, horário em que o sol se encontrava no meio do céu e brilhava tanto que as águas da lagoa ficavam mornas. O Grande Caipora seguia para seu banho quando reparou que não estava sozinho no centro da ilha.

Em cima da verdejante árvore exótica que lançava seus galhos sobre a lagoa havia um garoto. Branco como os invasores de tanto tempo atrás, de cabelo castanho e um pouco compridos na parte de trás. Ele estava de pé sobre um dos galhos mais baixos e carregava uma mochila às costas. Estava voltado para o tronco e parecia ocupado com algo...

Um olhar mais atento revelava que ele segurava um facão e usava a sua ponta afiada para grafar algo na casca do tronco.

– Se eu fosse você não faria isso! – disse o Grande Caipora, assustando o garoto. – Árvores não gostam de ser machucadas, sabia?

O menino se assustou com a voz repentina vinda lá de baixo. Seu facão escorregou por entre seus dedos e mergulhou na lagoa, deixando um coração inacabado no tronco da árvore. O garoto praguejou, acabou se desequilibrando e foi fazer companhia para o seu facão na água.

O Grande Caipora riu da situação cômica e desajeitada daquele estranho visitante, mas não se demorou em estender o seu cajado para que ele se segurasse e fosse içado de volta para a terra. Em seguida, pescou a mochila do garoto com a ponta da madeira e a devolveu ao pequeno indivíduo.

Ele não o agradeceu e o encarou com olhos frios e cinzentos. Como um dia nublado condensado em suas órbitas.

– Você me fez cair! E meu livro deve ter estragado nessa maldita água!

O Grande Caipora apoiou-se no cajado, sorrindo de maneira bondosa.

– Oh, estragar seu livro é um pecado! Mas estragar minhas árvores não?

O menino pareceu constrangido. Coçou a nuca e olhou para o chão. Mesmo assim, sua voz ainda não era nada gentil.

– Estava fazendo para a minha namorada. Eu pretendia trazê-la aqui mais tarde.

– Sinto informá-lo, meu amigo, mas essa região não é permitida aos visitantes do fórum! Você pode adoecer aqui, sabia?

O menino soltou ar pelas narinas, como se fizesse pouco-caso do perigo.

– Adoecer do quê?

– Ora, de algum mal antigo desta região, que ninguém sabe o nome! Algo muito, muito ruim!

– Você se refere à coisa que deixou você assim, meio cinza e meio azulado? Isso é argíria, a doença da prata. Uma doença inofensiva a curto prazo, e só faz isso com a sua pele se você ficar muito tempo exposto ou em contato com o elemento. – O garoto olhou ao redor, pôs as mãos na cintura e soltou um assobio. – Você deve ter muita prata por aqui, hein?

O Grande Caipora pareceu impressionado com o conhecimento daquela criança.

– Qual o seu nome, garoto?

E ele ponderou por alguns segundos, como se estivesse se decidindo se era seguro revelar aquele tipo de coisa.

– Wagner.

– Hum, Wagner... E você veio com qual grupo?

– Com a Organização, mas em breve creio que eu me mude para os Gitae... Meu amigo Lionel disse que eles não são tão quadrados como o pessoal do Saci. Estou lá há menos de um mês e já estou de saco cheio.

– Hum. E você aprendeu toda essa coisa da argíria com o seu grupo?

Wagner abanou o ar.

– Até parece! Aprendi com meus pais, que viviam se enfiando em minas e escavações antes de morrerem.

O Grande Caipora sentiu certo incômodo ao escutar aquela frase. O garoto tinha perdido os pais e falava deles com menos pesar que quando estragara seu livro com água da lagoa.

– Entendo. Bem, você é um rapaz esperto e não vou esconder de você. Há muita prata por aqui, mas ela está em um lugar difícil, é quase impossível chegar a ela.

– Não existe o impossível quando existe o dinheiro – retrucou Wagner, encarando o homenzinho. – E um dia eu terei tanto dinheiro, mas tanto dinheiro, que se eu disser que quero toda a prata desta ilha maluca eu a terei.

– Dinheiro – murmurou o Grande Caipora. – E você quer dinheiro para escavar a prata e conseguir mais dinheiro? Que engraçado. Deve ser uma busca eterna pela felicidade.

– Não se trata de busca pela felicidade. Trata-se da felicidade que construirei para mim.

Os dois ficaram em silêncio, pois era somente na quietude que tinham algo de semelhante. Eram duas criaturas distintas, uma repleta de ganância juvenil e sonhos megalomaníacos, a outra que vivia contente com o pouco que fazia parte da sua existência. Wagner, por fim, quebrou o silêncio ao ver que a alça da sua mochila estava sendo mastigada por um grande porco-do-mato.

– Ei, ele está comendo as minhas coisas! Faça-o parar!

O Grande Caipora se adiantou até o porco e puxou a mochila dos dentes trituradores de mato e alças. Um livro ensopado voou de lá de dentro e caiu aos pés de Wagner.

– Meu livro estragou mesmo... Pode ficar para você – e o arremessou aos pés do ancião, que o abaixou para pegar: *Robinson Crusoé*, de Daniel Defoe.

– Gostaria de dar-lhe algo que não fosse alguma coisa descartada por mim, menino Wagner – disse, sem uma gota de ironia nas palavras. Era a mais pura e espontânea vontade manifesta em palavras – Mas como não tenho quase nada de material, ofereço a minha hospitalidade e toda e qualquer fruta que conseguir comer!

Sorriu, bondoso. E, desta vez, Wagner não conseguiu retrucar. Resolveu tentar ser cordial, ainda que soasse quase forçoso.

– Você vai gostar deste livro. Fala de um homem que escapou de um naufrágio e sobreviveu sozinho em uma ilha selvagem, por anos e anos, com a ajuda de um nativo chamado Sexta-Feira.

– Sexta-Feira! Bonito! Exótico! – exclamou o Grande Caipora, feliz da vida, abraçando o seu porco-do-mato. – É um belo nome para o meu amigo! E eu sou um homem que mora nesta ilha há muitos anos... Gostei.

Wagner franziu o cenho.

– Seu porco não tinha nome até agora?

O velhinho ergueu os ombros magros.

– E para que ele precisaria de um aqui? Homens adoram nomear as coisas, para depois colocarem preços nelas. Aqui em Anistia não temos nada disso. Nada é comprado e nada é vendido. Tudo o que temos vem da terra. E tudo o que somos um dia irá para a terra.

O garoto pareceu se impacientar com o rumo filosófico da conversa. Olhou ao redor, parecendo desconfortável.

– Eu acho que vou embora, senão o Patrão vai começar a chiar. Bom, foi um prazer, eu acho. E eu ainda não sei o seu nome. Quer dizer, se você tiver um...

– Eu tive um, muito tempo atrás. Quando os homens brancos achavam que eu tinha um preço. Mas não sou mais quem eu costumava ser, e meu nome já foi esquecido até por mim. Portanto, me chame como preferir, Wagner!

– Vou chamar você de Crusoé. Faz sentido.

– Crusoé! Gostei. Bonito! Exótico!

Wagner sorriu ante o comportamento de Crusoé. E o Grande Caipora notou ali naqueles olhos cor de cinzas que não havia somente rancor, ganância, petulância. Talvez houvesse um garoto que só precisasse de atenção.

E aquele era um presente que o Grande Caipora poderia oferecer, de muito bom grado.

– Durante os próximos dias do fórum, venha me visitar! Poderemos conversar mais sobre o seu livro e sobre o que mais quiser.

– Sim, combinado. Eu apareço.

E foi embora mata adentro.

Dois fatos aconteceram nos dias seguintes ao encontro do velho e o menino. O primeiro é que Rios voltou apenas mais uma vez durante a semana do encontro dos grupos em Anistia. Ele perguntou mais a respeito da prata da ilha para o ancião e também quis saber se Crusoé sabia algo sobre um certo Cachimbo de Ouro. O Grande Caipora, com toda a sua inocência, disse um pouco sobre a prata do coração da ilha e nada sobre o tal Cachimbo de Ouro. Nunca ouvira falar de nada parecido.

E o segundo fato foi que, desde os dias das visitas do pequeno Wagner Rios ao velho Crusoé, a árvore em que o garoto grafara as suas iniciais e as da namorada não dava mais folhas nem frutos. Secara.

E lá estava ele, o velho Crusoé, o Grande Caipora, décadas depois sobre a árvore seca... E vejam só! Um pequeno broto verde saía do galho. Um sinal de vida na aridez retorcida daquele tronco.

Olhou para o ramo. E se lembrou do seu novo amigo, Anderson Coelho. Como acontecera com Wagner Rios, seus encontros se deram por acaso. E cada um deles tinha uma personalidade tão diferente, tão... avessa.

Enfiou-se pelo vão da árvore que prometia futuras folhas novas, depois de tantos anos de greve. Antes de adormecer, já devidamente aconchegado, pensou mais um pouco naquelas duas crianças que conhecera em épocas tão distintas. Tão opostas, e ao mesmo tempo tão parecidas...

Mas a vida era isso, pensou o guardião de Anistia. Alguns vinham para fazer secar e ruir. Outros, para fazer crescer e florescer.

E árvores secas sempre poderiam voltar a florescer, mesmo que muito tarde.

Este livro foi composto com tipografia Bembo e impresso
em papel Off-White 70 g/m² na Gráfica Paulinelli.